日本に巣食う疫病神たちの正体

報道できない危ない情報コレクション

藤原肇

UNMASKING THE ZOMBIE
BY
HAJIME FUJIWARA

ヒカルランド

目次

第2章　裏社会が浸透したサイバー世界

第3章　政治家の消滅による「兵匪(へいひ)同一」化が進む日本

第4章 史上最悪のゾンビ政体の病理診断

第5章 生命体としての経済社会に無神経な経済学

第6章 現代史の虚偽と知的荒廃の蔓延（まんえん）

第7章　戦後史を飾った復興と欺瞞（ぎまん）の経済大国

第8章　ゾンビが荒れ狂った断末魔の時代

第9章　シンギュラリティに向けての試練

カバーデザイン　上田晃郷
校正　広瀬　泉

まえがき

歴史を学ぶ時の貴重なモノの見方に、支配的な時代精神の流れの中で、現象は一時的であると見抜き、時代性の影響力から免れて、冷静に全体像を捉える秘術がある。それは何歩も離れた岡に立ち、「岡目八目（おかめはちもく）」の足場を手に入れ、一段と高い視座から遠望し、流れの行き着く先を読み、大局観でものごとを理解する、「離見（りけん）の見（けん）」を得ることである。

目を見るためには目の外に出て、目を含む顔や身体を観察し、人間がそこにいる環境全体の中で、位置づけることであり、それはものごとの抽象化だ。経済学を社会科学の中に位置づけ、それが「経世済民（けいせいさいみん）」だと知れば、良い暮らしと幸せな人生が、その眼目だと分かるし、「成長一辺倒」という経済思想が、いかにおかしいか理解できる。

資本体制の国家に限らず、権力一般について考え、権力を最悪の形で体現して、身勝手に振る舞っているのが、目の前のゾンビ政治であり、臨終状態にあることが分かる。そのような現状を理解し、本書を読み進めれば、この本が展開している事柄は、同時代の証言録だが、状況が目まぐるしく変わり、追跡が容易でないと理解されるだろう。

しかも、最近の数年間の動きは、変化の速度が急変して、変化のカーブが急に上向き、指数関数的な急角度で、次々と新事態を生み出し、目がくらくらしてしまう。「カタストロフ理論」では、これは破局の直前に、よく現れる現象であり、学問的には「破断界」と呼ぶ、相や次元の転換点で、気象学の不連続線に似た現象だ。

理由もないのに現状維持が、ダラダラと長く続いて、閉塞感が支配した後で、突然に基盤が崩れはじめ、崖が崩れて台地が揺れ、轟音を立てて大崩落に、すべてが巻きこまれて行く。無意味に続いた政権が、安倍の疲憊で崩壊し、強権と膨張で君臨した、習近平の独裁政治も、ファーウェイ事件を契機に、足場の基盤が揺らぎだした。

米国も例外ではなく、共和党と民主党が、建国の理想を忘れて、泥仕合を演じたために、民心を失い国論は二分し、内戦が起きても当然で、資本主義の砦はガタガタだ。新型コロナウイルスが、愚行に明け暮れた時代に、止めを刺す形で働いたので、世界で同時に認知し、人類はこれまでの愚行が、誤っていたと自然から学んだ。

人間は社会や国家の枠で、物事を考えてしまい、それに本能や欲望を加え、行動する動物だから、そうやって文明を築き、地球上に君臨してきた。だが、地上で有効な法則でも、宇宙に乗りだす時に、有効性を持つとは限らず、自然の掟は厳しいのであり、地震、雷、台風、ウイルス、重力など、人知未踏の自然法則の前では、人間の知識は無力である。

＊　＊　＊　＊　＊

行く手に大きな谷があり、それが「破断界」らしいと、1970年頃に感じ取って、それについて考察し、いろいろと思い巡らせ、世紀末がその時だと予想した。ニューヨークの911テロ事件の時に、これだと思い当たり、どうなるかと見守って、すべてを捨てて身軽になったが、ネオコンに支配され、日米が狂った程度で、カタストロフには至らなかった。

「破断」（Rupture）という変形現象は、結晶工学の用語だが、温度やストレスにより、材質に塑性変形が始まり、材料内に亀裂が発生し、最後に破断に至るプロセスについて言う。歪みが関係するので、材料工学だけでなく、建築や機械工学にも使われるし、精神病理学でも使い、地質学でも重要であり、断層や構造線の中核概念だ。

だから、構造に関係する分野は、すべて破断が破局を生み、大変革を伴うことから、大恐慌や革命の破局は、「破断界」と表現されて、未曽有の大異変を意味する。構造地質学を専攻し、地球のストレスを扱い、破断については専門だから、私はストレスの立場から、社会の動きを観察して、政治や経済の診断をしてきたが、その意味で私はストレス医だ。

だから、フランス留学時代に、ソレルの『暴力論』をはじめ、マルクスの『階級闘争』を読み、革命は断層の相似象で、褶曲に当たる反乱が、塑性変形だと納得し理解した。そして、塑性力を有効に使い、それを社会の活力に用いて、社会を前進させる者が、指導者だと理解したが、現在に近づくとともに、人間が小粒でリーダー不在が目立つ。

しかも、世界的なスケールで、政治の劣化が進むし、非対称型のテロ戦争が、地上の各地に蔓延（まんえん）して、経済活動は拝金主義で、詐欺商売がはびこり、断末魔の様相を強めている。情報革命が進む中で、盗聴や監視の装置が発達し、人工衛星が空中に飛び交い、人材の最先端には、ハッカーが君臨している。

電子機器の利用が下手で、仮想空間が苦手だと、時代遅れとなり取り残され、現状維持にこだわるために、未来が見通せないが、そんな世代が時代を支配する。だから、ノストラダムスの傍流が、世界の終わりを論じ、「マヤのカレンダー」は、時間の終わりを告げ、各地でアセンションを語り、変革をいう人が続出し、彼方（かなた）に「破断界」が待ち構える。

＊　＊　＊　＊　＊

皆さんが手にして読む本書は妙な運命を持ち、最初は共著の形をとり、何度か雑誌で対談した、平野貞夫元参議院議員と、共著で出す企画で始まった。対談の記事を二つ挟み、彼が書き下ろした三篇と、私が書いた二篇で、一冊の本にする計画であり、出版社に読んでもらい、紙の本になる予定だった。

政治評論家の平野さんは、衆議院事務局に長年勤め、国会運営の知識と経験では、生き神様と言われて、政界の裏表に精通する点で、彼の右に出る人はいない。ところが、出版企画を中止したいと、平野さんから言われたが、理由は彼が安倍首相に対し、「内乱罪」で刑事告訴するので、それを優先したいという話だ。

安倍が内乱を企(たくら)むと判断して、彼が刑事告訴を決断したのなら、企画を諦(あきら)めるのは当然だと考え、私はこの共著の出版を断念し、ゾンビに天誅(てんちゅう)が下るのを期待した。

電子版は４つの記事で構成され、そのうち第1章と第4章は、２０１８年春に共著の出版を企画して、その時点で書き下ろした、歴史的な総括が中心の記事で、遠近法で近現代史を扱っていた。対談の相手は平野貞夫さんで、元参議院議員の政治家だから、人間の高貴さを感じさせない、独裁的な政治がまかり通り、暴政が横行した日本の現状は、国民の主権意識が希薄で、憲法が蹂躙(じゅうりん)されている時でもあるし、平野さんの着眼は画期的だった。

安倍の国会や国民軽視は不遜(ふそん)で、反逆や謀反に相当し、内乱罪に等しい犯罪だから、憲法裁判所がない以上は、検察庁に訴えるだけでも、何もしないよりはマシだ。

だが、検察は官邸に懐柔され、不正を追及する意欲を失い、権力犯罪を放置しており、総理の逮捕劇があった、ロッキード事件以来、恣意(しい)的な捜査しかしていない。だから、緊急事態が生まれたので、大局を展望した即断が、何よりも優先だと考え、私は安倍首相を告発した、平野さんに声援を送った。

＊　＊　＊　＊　＊

同じ頃に起きた話だが、30年以上も寄稿を続け、喜んで活字にしていた、経済誌の『財界にっぽん』が、私の四本の記事を掲載したため、言論弾圧で廃刊になった。50年の伝統を持つ貧乏雑誌は、広告収入で経営を続け、給料も原稿料も払えずに、編集責任者は年金で生活し、経済雑誌を出し続けたが、佐川の記事を掲載した後で、税務署が差し押さえ処分をした。

拝金主義が蔓延する時代に、こんな経済誌の存在は、嬉しいと思った私は、江戸っ子の心意気として、興味深い人を見つけ、対話を記録し続けた。平野さんとの対談記事は、この雑誌に出たもので、仕方がないから編集しなおして、私の単独の本に作り直し、出版しようと努力したが、圧力で出すのが難しかった。

安倍首相に触れた記事は、刑事訴訟の対象だと、首相官邸が触れを出し、目にある安倍内閣の暴政が、スターリンの手口を真似て、日本の言論界を制圧した。国外に視座を持って、歴史の証言として書いた記事でさえ、言論界は言論弾圧の脅しを恐れ、国民は知るべき情報が遮断され洗脳されていた。

事態は緊急を要したし、権力の介入ができない、米国系のアマゾンを利用し、電子出版の形で本にしたが、『ゾンビ政体・大炎上』は、校閲抜きで誤植が目立ち、読者に対して申し訳なかった。だが、幸運の女神はいるもので、次に出した『皇室の秘密を食い荒らしたゾンビ政体』が縁で、石井社長の目に留まり、本書が、正規の出版物として出た。

しかも、武漢ウイルス事件が起き、ゾンビ政体は失態続きで、無能の化けの皮が剝(は)がれ、安倍は嘘の乱発に疲れ、ついに首相退陣を発表した。自分が日本の「がん」であるのに、それに気付かないまま、無能な安倍が日本を蝕(むしば)むが、病気に責任を押し付けて、政権を投げ出したのは、彼の常套手段で姑息(こそく)でもある。

＊　＊　＊　＊　＊

そこで電子版化した草稿を読み、編集し直す作業を始めたが、まず無用になったガラクタとして、日本人を騙(だま)すのに使った、アベノミクスの記述に関し、それを削除することであった。ペテンであることが明白な、詐欺の手口を削り取ることは、何にもまして痛快であり、電子版の第2章は大幅に、削除作業を施したことによって、経済社会の生理活動を扱う、まともな内容になった。

この新版の紙の本では、冒頭を飾る第1章として、この記念すべき瞬間を総括し、「武漢ウイルス渦とパンデミック後の5Gの世界」の題で、新しい記事を書き加えることにした。また、

『皇室の秘密を食い荒らしたゾンビ政体』で、「あとがき」に追補の形で書いた、裏社会についての記述が、注目を集め希望が多かったので、それに応え第2章として、「裏社会が浸透したサイハー世界」を書き加えた。

そんな作業を進めていた時に出版の話が届き、折からの武漢ウイルス騒動で、政治家や官僚の不手際が続き、政府の無能さが露呈して、暴政のし放題だった安倍が、行き詰まって政権を投げ出した。メディアが権力に懐柔され、批判精神がなくなって、独裁政治が続いてきたが、安倍が首相を辞めれば、ペテンのアベノミクスは、まったく無価値なゴミ同然になった。

安倍内閣の経済政策は、日銀総裁の黒田東彦(はるひこ)をはじめ、麻生太郎財務相や竹中平蔵など、ゴロツキに似た顔ぶれで、国民の幸せな生活を実現することなく、まったくの役立たずであった。だから、アベノミクスと名付けた、欺瞞(ぎまん)に満ちた空念仏を唱え、国民を騙し続けただけであり、こんな狼藉(ろうぜき)が支配した後は、大掃除するだけでも、無駄なエネルギーの浪費になった。

愚劣な安倍政権が残した、荒廃した暴政の痕跡は、日本の至るところで目立ち、閉塞感(へいそくかん)に支配されたため、国民は思考力を喪失し、洗脳された状態のままである。だから、議会が機能しない中で、すべてを閣議で決定し、議事録も作らず、嘘と隠蔽(いんぺい)に改竄(かいざん)を加え、民主政治と称する政治が、実は暴政であると指摘しても、嘲笑(ちょうしょう)される始末だった。

戦前回帰を推(お)し進めて、大衆の感情に訴えると、メディア支配で情報操作し、株価の上昇で好況を装い、愚民政策で洗脳すれば、管理体制が持つ脅威に、不感症になって盲従する。それが安倍体制による、ゾンビ政体の時代だが、個人が自らの頭で考えず、自分自身であるのをやめ、集団に依存するだけなら、現代における畜群である。

日本人を畜群化したのが、アベノミクスの魔力で、その張本人が消えた以上は、その汚れを清掃をして、次に消毒をすることで、病源を完全に根絶することだ。それはオカルトにはまった狂信的な人間を、洗脳から救うのに似て、簡単なことではないが、徹底してそれをしないと、ゾンビが再び蘇生（そせい）して来る。

まず、廃棄物の処理のために、電子版の第2章で論じた、アベノミクスの記事を廃棄処分し、経世済民に触れる情報で、書き改めたいと思い、それを第5章として作り直した。「生命体としての経済社会に無神経な経済学」は、アベノミクスの塵（ちり）を捨て、資本主義の末期を示す、詐欺的な要素を削（そ）いで、経済の本質に接近させて、すっきりした形で再生した。

＊　＊　＊　＊　＊

新型コロナウイルス騒動は、パンデミックを招来して、全世界に大きな衝撃を与え、それまで傍若無人だった、弱肉強食と拝金主義に、一応の停止命令を発動した。もっとも大きなものとして、プラトン周期に由来する、文明の転換期の到来であり、約１６００年の周期を持つ、太陽系のリズムに基づく、水瓶座時代への移行である。

具体例は類書を参照して、納得してもらえば良いが、決め手は情報革命で、組織のフラット化をはじめ、ブロックチェーンやＡＩが、新しい社会の主役を演じる。その陣痛が米中の新冷戦で、通貨と5Gが分かりやすく、ウイルス兵器も具体例だし、言い得て妙なアセンションが、新世紀の冒頭の時期に、マヤの暦どおり到来したのである。

電子版の『ゾンビ政体・大炎上』で、第3章と第4章の記事は、それぞれを二分した形で、第6章と第7章に、また、第8章と第9章にと、組み直して再編集をしてみた。だが、第8章は安倍政権が、末期症状を呈して、支離滅裂をした記録であり、ゾンビの断末魔だから、あまりにも愚劣なので、読み飛ばしたほうが気分が良さそうだ。

＊　＊　＊　＊　＊

日本で生まれた私は、江戸っ子の誇りを持ち、世界を舞台に生きて、傘寿（さんじゅ）を迎えるに至ったが、こんな自堕落な形で、祖国がゾンビに蹂躙され、醜態をさらすのでは情けない。だが、シンギュラリティ（特異点）の頃に、若い日本人にとって、21世紀の冒頭の時期が、いかに狂っていたかを、知ってもらいたいと思い、彼らの歴史の資料にと、電子版に近い形で収録した。分からなければ飛ばし、読み直す時まで待ち、自分の頭を活用すれば、そのうち意味は分かるし、それを「読書百遍」と言い、素読の価値を教えるが、昔の寺子屋の教授法は尊い。枝や葉の細部に対して、注意を払わなくても、森であると分かるものだし、それが大局を捉える秘訣で、行きつ戻りつして読み、本書のメタ情報を受け止め、歴史の相似象を満喫してほしい。

＊　＊　＊　＊　＊

『皇室の秘密を食い荒らしたゾンビ政体』に書いたが、私は米国に住んでいた頃に、３万冊ほどの蔵書を持ち、全財産を図書購入に注入した。そのうちの数千冊は私にとって、外付けのメモリーであり、傍線や書き込みをしたから、脳に記憶しておく代わりに、紙の本はノートの役目を果たしている。

30年あまりの米国生活の成果は、調査報道の編集に親しみ、私流の読書体験のおかげで、「まえがき」と「目次」を読むだけで、本の内容をほぼ理解し、私なりの多読術をマスターしたことだ。英語の本は図書館で読み、苦手の英語の世界にも親しんだし、面会や取材で一次情報に接し、調査報道の楽しみを味わい、フリーランスとして仕事をした。

毎日数百冊の本が出て、書店に配本されているが、最近はアマゾンを使えば、「まえがき」と「目次」は、世界のどこにいても読め、一日に数十冊は読破できる。だから、テーマと著者を目安にすれば、最新刊の動向は分かるし、世界の動きに関しては、後れを取らない状態で、追跡することが可能である。

　さて、私が日本の著者で信頼する人に、松岡正剛、栗本慎一郎、林雄二郎、保阪正康、江上剛などがいて、その姿勢と文体に共感するのは、彼らの理論と直観力に対し、安心感を持つからだ。海外の執筆者たちには、古典に属す人物が多いが、モンテーニュ、マックス・ウェーバー、A・J・P・テイラー、ウンベルト・エーコがいて、彼らの発想が好きなのは、共振するからだと思う。彼らはユーモリストに属し、読書ノートを作って、文体を味わう醍醐味を楽しみ、手本として活字を追える、教養書の執筆陣であり、私の脳の滋養源でもある。

　そんな読書癖を持つ私に、誤植が目立った電子版は、心苦しい作品だったが、紙の本の編集に取り組み、誤植を一掃した小暮周吾さんに感謝するとともに、『ゾンビ政体の炎上』を見据え、新版として本書を送り出せて嬉しい。この本の中の何頁かに、傍線やノートを書き込み、それを読み返す度毎に新発見し、この本との出会いを喜び、満足していただけたなら、著者冥利に尽きると思う。

　誤植の多い電子版だったが、紙の本の編集に取り組み、ゾンビ政体の炎上を見据えながら、新版として本を出せて嬉しい。

「離見の見」において

２０２０年中秋　藤原肇

第1章

武漢ウイルス禍とパンデミック後の5Gの世界

武漢ウイルス蔓延が秘めた衝撃

２０２０年1月23日早朝に、中国の報道メディアは、人口１１００万人の武漢市が、「封城」になったというニュースを、全世界に向けて伝えて、世紀の大事件が始まった。「封城」は都市封鎖であり、市民は移動を禁止され、交通機関がすべて止まって、都市機能が停止したが、戒厳令以上の事態で、こんなことは前代未聞だった。

駅や道路が閉鎖され、動員された大量の警察官が、厳重な警備を行ったので、外出を禁止された住民は、どうして生きて行くか、途方に暮れる状態に陥り、不安におののいたのである。１０００万人を超える大都市が、封鎖されたという話は、これまで聞いたことがないし、歴史で読んだ記憶もなく、都市封鎖という言葉に、私は不吉な恐怖感を抱いた。

しかも、警察官を総動員して、交通網をすべて遮断し、伝染病を予防するのは、いくら共産主義の中国でも、政府の行為であり、越権の度がすぎていたから、ひどい暴政だと痛感した。疫病の王者のペスト蔓延の時でも、政府が町の封鎖などは、しなかったのは明らかで、それに敢えて挑んだ北京政府に、権力の持つ強制力を感じ、怖い時代になったと思った。

この段階で多くの人は、パンデミックの襲来などは、予想さえしていなくて、恒例の冬の季節とともに流行る、風邪やインフルエンザが、武漢市の疫病だと思った。だが、武漢で発生した疫病は、海鮮市場で売る蝙蝠（コウモリ）が、感染源だという情報で、エボラ熱や鳥インフルエンザに類した、伝染病の仲間だと想定し、大変なことらしいと感じた。

それでも、ゲテモノ食いのシナ人なら、海鮮市場と組み合わさった、蝙蝠の名前が取り沙汰（ざた）されても、不思議ではないと思い、中国政府の過剰さが、気にかかったと同時に、これが全体主義の手口だと思った。ところが、あっという間に患者が増え、中国で広がった伝染病は、アジア各地からヨーロッパに、感染地が拡大して行き、ついにパンデミックとして、大事件になったのである。

２月になると情報が増え、全体像が浮かび上がり、習近平政権の情報隠蔽（いんぺい）が原因で、病気が蔓延したし、武漢Ｐ４研究室から、漏洩（ろうえい）した生物兵器に、感染の源があるという、有力筋らの発表が行われた。それにしても、蔓延の仕方が異常であり、中世のペスト騒ぎを思わせる、この世の終わりの雰囲気が、急速に拡散したために、世界中が不安に支配されて、多くの本が緊急出版された。

北京駐在の特派員として、武漢に現地取材をしている、共同通信の早川真が書いた、『ドキュメント武漢』には、現場の様子が描かれ、遅れた初動体制の実情や、習近平体制の内情が、タイムリーに報告された。また、２００４年の鳥インフルエンザの流行の時から、取材してきた門田隆将は、『疫病2020』という本の中で、台湾と日本政府の対応が、天と地ほどの違いがあり、安倍政権の無能さについて、次のように明言していた。

「安倍政権の対策が、『原発事故時の民主党政権と、同じだ』と感じていた。危機の本質と真実を摑むことが出来ず、ただ右往左往するだけである。……安倍政権は、これが日本を揺るがす、危機であること自体を、認識していないのである。」

目の前で進行したので、安倍内閣の醜態を目撃して、東京五輪の開催とともに、習近平を国賓として招き、人気取りを狙った安倍が、疫病対策の手抜きをしたと、日本人の多くが感じていた。それをより具体的な形で、乾正人は『官邸コロナ敗戦』に、

「ウイルスを水際で、食い止めるべくアメリカは、中国政府が武漢を閉鎖してから、約1週間後の1月末には、中国からの入国を拒否した。中国大陸から指呼の間にある、台湾も2月上旬には、全面的に入国禁止措置をとった。しかるに、日本が中国全土からの入国を、事実上拒否したのは、3月9日になってからだった。」

と書く。

この事件に関しては、多くの本が出ているので、詳細は各書に当たってもらい、乾正人の本からもう一つ、引用を付け加えるなら、次のような指摘も重要だ。

「新型のウイルスの存在に、気付きながら情報を隠蔽し、対策が遅れた中国共産党と、その支配下にある中央・地方政府の責任も、また、問われなければならない。…習近平は主席就任以来、胡錦濤（こきんとう）主席時代に比べて、はるかに厳しい言論弾圧政策を徹底してきた。そのために、治療に当たった医師たちが、ＳＮＳで発進した『真実の情報』が、武漢市民には届かず、被害を中国ならず世界に拡大させた、彼の責任はもっとも重い。習近平に続く『戦犯』は、ＷＨＯ（世界保健機関）のテドロス事務局長である。」

それにしても、これまで地球を舞台にして、記録された伝染病が、どんな形で蔓延したか、それを調べて比較すれば、今回の新型ウイルス騒ぎが、不自然であることが歴然だ。あのニューヨークの同時多発テロでは、その緻密（ちみつ）な用意と手配が、準備されていた印象が強く、演出技術の発達を利用し、心理分析を巧妙に使って、仕組まれたという感じが強い。

パンデミック騒動の背後に潜む奇妙な動機

武漢ウイルス事件に関しては、類書で調べてもらえばよく、感染者数や死者を数えて、ウイルスの脅威を問うよりも、感染症の歴史を調べて、なぜ起きたかの追及が、必要だろうと思われる。なぜならば、文明のレベルで見ると、現在は情報革命を迎え、古い体質の産業社会が、新しいものに変態しており、生まれ変わる時には「ショック・ドクトリン」が、適用されることが多いからだ。

大惨事につけこむ形で、実施する政治工作に「ショック・ドクトリン」があり、20世紀末の資本主義は、テロや非常事態を使い、恐怖の心理をもりあげ、支配する手法を具体化した。自然災害や大事故で、人々がパニックに陥り、社会が理性を失う時を狙い、それをビジネスに生かす、悪魔の理論を作ったのは、シカゴ・ボーイズと呼ぶ、経済学者の集団だった。

南米のアルゼンチンは、独裁型の開発経済で、国造りを推進したが、金融破綻（はたん）で国家破綻に陥り、米国の企業の餌食（えじき）として、食い荒らされて荒廃し、悲惨な体験をしていた。また、ミルトン・フリードマンの仲間は、ＣＩＡや世界銀行と組み、チリのアジェンデ政権に対し、経済政策で破綻に導き、ピノチェトの独裁を育て上げ、植民地支配を実行している。

レーガン時代の米国は、規制緩和と撤廃による、レーガノミクスを推進し、英国のサッチャー内閣は、金融ビッグバンで応じ、新自由主義を宣言して、国営企業の民営化をした。それに呼応した日本では、中曽根内閣によって、労働運動を潰すために、国鉄と電電公社に対し、民営化を名目に使い、解体工作が断行され、社会インフラが私営化された。

天安門事件に続いて、ベルリンの壁が崩壊し、ソ連の解体で冷戦が終了し、米国の一極支配が始まると、経済大国の日本叩きが、米国の対外政策になり、日本攻略が始まった。それが「年次改革要望書」であり、宮沢外相とクリントンの間で、１９９３年に決まった合意は、日本の経済を揺るがし、社会構造を変えるほど、過激な荒療治を伴った。

だが、「日米構造協議」という、デタラメな翻訳を試みて、国民を欺いた日本政府は、『拒否できない日本』で関岡英之が書いたとおり、日本改造の命令書を受け取った。だが、バブル呆(ぼ)けの日本人は、阪神淡路大震災やサリン事件で、思考停止に陥っており、新党騒ぎに攪乱(かくらん)されたために、支離滅裂の日本の政治は、機能マヒ状態を呈して、翻弄され続けていた。

平成の始まりに結びつく、１９９０年代の初期の頃は、冷戦体制の終わりとともに、湾岸戦争で米国が勝利し、電磁兵器の持つ威力が、決定的だと強く印象付け、これからの戦争の主役が、人工衛星だと確信させた。また、ペルーの人質事件や、金融破綻に続く形で、小渕恵三(おぶちけいぞう)首相の不審死の時に、密室において企てられた、五人組のクーデターにより、ボリシェヴィキ体制が、清和会の手で成立した。

森に続く小泉内閣では、ソ連から供給を受けたイラク軍の大量の戦車が、指揮系統の情報を絶たれて、米軍のレーザー兵器の前で、七面鳥のように撃破され、ミサイルの餌食になった。いくら戦闘機や戦車を並べ、航空母艦中心の機動艦隊を編成しても、情報革命が進む時代には、人工衛星とミサイルが、戦争の決め手であると、砂漠の戦争は徹底的に教えた。

一連の砂漠戦での成果は、人民解放軍の幹部に対し、強い危機意識を与え、従来の戦略構想を修正し、まったく異質の戦争に備えた、国防思想を生み出す上で、大きな転機になった。それが「超限戦（ちょうげんせん）」の構想では、宇宙空間を戦場と考えてサイバー戦の準備を整え、空中での電磁波による支配権の覇権争いに際し、主役を演じるのは人工衛星技術である。

レーガン時代の中心戦略は、核とミサイルを使い、大陸レベルの戦争で、「スターウォーズ計画」（戦略防衛構想　ＳＤＩ）と呼ばれたが、サイバー戦争の狙いは、敵国の情報機能を断ち、社会インフラのマヒである。しかも、全身マヒではなくて、目的に応じ対象物だけに、狙いを定めて使用する、局所麻酔に似たものであり、外科手術の発想に基づく、新時代の戦争構想だった。

古い時代の宇宙兵器と「海亀族」のパイオニア

情報革命が急激に進展し、デジタル時代になって、陸海空の通常戦の上に、サイバー戦争が加わり、先進国は宇宙空間に、戦場の舞台を移動すると、新領域の拡張に取り組んだ。新兵器の主役は人工衛星で、ロケット工学が決め手だが、米ソがそれを競ったのは、超大国として冷戦を張り合い、米国はスプートニクで負け、アポロ計画を作り直し、ソ連の技術に対抗した。

第二次世界大戦までは、地上と海上が主戦場で、空中は次元が上とされた。飛行機に続くロケットは、戦争末期に実用化され、ドイツのＶ型ロケットが、新時代の攻撃兵器として注目された。この段階での競争では、ドイツの技術が土台で、大量の人材と設備を押さえ、戦利品として持ち帰ったソ連に対し、最高頭脳のベルナー・フォン・ブラウンをはじめ、米国は科学者を確保する「ペーパークリップ作戦」を使った。

機械工学の成果を生かし、ドイツはロケット技術で、最先端を誇っていたが、日本は資源も資金も枯渇して、飛行機の生産も低下し、原子爆弾も細々と研究し、京大と理研が取り組んでいた。だが、貧者の最終兵器の研究では、満州に日本の頭脳を集め、関東軍防疫給水部が、細菌戦に備えて取り組んでいた。この石井部隊の研究成果は、日本版ペーパークリップ作戦とし

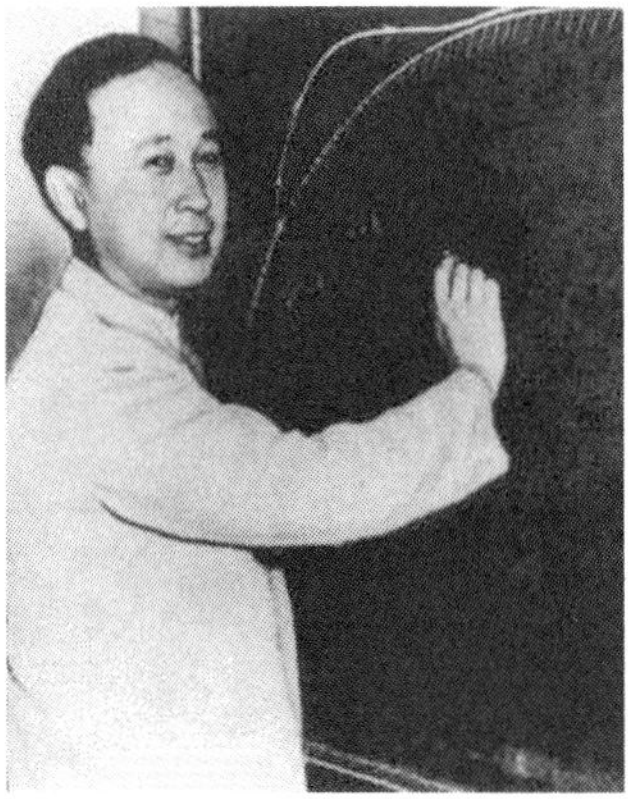

「中国宇宙開発の父」銭学森
（1911～2009）

て米軍に完全に接収され、人員に関しては放免された。

米国のＮＡＳＡを中心にした、ペーパークリップ作戦に連なる、ロケット研究に関係したのが、清華大学を出て渡米して、マンハッタン計画に加わり、弾道ミサイルの父だった、銭学森博士の令名は高い。彼はフォン・ブラウンを尋問し、実力を評価した実力者であり、航空力学の至宝とされ、米国は手放そうとせず、朝鮮戦争があったために、米軍捕虜との交換として、帰国を許可されたほどだ。

中国系の優れた学者は、多くはアメリカ人になって、帰国しないのが普通だが、周恩来が銭の帰国に全力を傾け、「海亀族」の第一号にしたので、彼は伝説的な科学者だ。「海亀」は外国で手腕を認められ、活躍していた人材で、乞われて帰国した者に、敬意をこめ用いる用語だが、国際経験のない国内派に対しては、中国人は区別して「泥亀」と呼ぶ。

１９００年の北清事変の時に、20万の義和団の兵士が、北京に雪崩れ込んで、暴虐の限りを働いた時に、日本軍が鎮圧しており、その時に柴五郎が貢献し、欧米で知られた最初の日本人だ。この義和団事件では、清朝政府は賠償金として、８カ国の連合軍に対し、銀４億５０００

万両を支払ったが、これは清の歳入5年分で、各国政府には濡れ手に粟で、莫大な臨時収入だった。

だが、米国政府は誠実であり、このうち１００万ドルの資金で、アメリカに留学するための、留美予備学校という形で「清華学堂」を設立して、人材育成に貢献している。その後、清華大学となり、実学を尊ぶアメリカの影響で理工科系だが、法文系の北京大学からは、仏独に留学生を派遣し、これが北京の名門校として、人材を送り出す場になった。

だから、数理系に優れていたので、銭学森は「清華学堂」から、ＭＩＴに１９３４年に留学生として、送り出された秀才であり、カリフォルニア工科大学教授を務め、帰国して宇宙工学の父と呼ばれた。彼とともに海亀のパイオニアに、中国版キューリー夫人の何沢慧と、その夫で核物理学者の銭三強がいて、二人は清華大の同級生で、何はベルリン工科大に学び、二人は中国の原爆の生みの親だ。

核物理理者、銭三強（1910～1992）［右］
と妻の何沢慧（1914～2011）［左］

１９６４年の秋の季節に、東京五輪の閉会式を迎え、日本人がお祭り騒ぎに陶酔し、世界政治を忘れていた時、ウイグルの砂漠の実験場で、原爆が炸裂していたが、それは海亀たちの成果だった。日本人は東京五輪に続いて、札幌五輪や大阪万博を始め、筑波科学博を開催し、箱物作りに熱を入れたが、その間に留学生は減少し、人材育成では手を抜き、国力の源泉の衰退を放置した。

日本の幕末と明治の「海亀」の物語

海亀の話が出たついでに、アジアの近代史において、海亀がいかに重要だったか、それについて振り返りながら、頭脳を休憩させるために、歴史の森を散歩してみよう。当然のことだが幕末から、文明開化に至る過程が、その舞台になってくるし、徳川時代の最後の時期に、脚光を当てるにしても、アヘン戦争（1840～1842年）の頃が適当で、長崎留学から話を始める。

江戸時代は鎖国をして、長崎だけが世界の窓で、オランダ商館があったし、西欧の学問の勉強ができたので、オランダ語を学びに、各地から人材が集まり、知的なにぎわいで満ちていた。シーボルトの鳴滝塾には、学塾と診療所があり、駿秀が集まっていたし、渡辺崋山や二宮敬作などが、蘭学を学んでいたが、とくに医療では先端地で、蘭学の中心は医学だった。

統一国家はいまだなくて、当時は各藩が国であり、長崎に留学した人材が、自分の藩に戻れば帰国で、長崎帰りは海亀だから、時代のパイオニアだし、異国の学問体験を持つ逸材である。だが、地理的な意味では、日本列島の内部での、留学体験だったから、平安時代の遣唐使が、海を渡ったのに比べて、閉鎖空間内での留学であり、文化への影響は少なかった。

1828年のシーボルト事件は、国禁の地図の持ち出しで、シーボルトの海外追放や、渡辺崋山や高野長英に、「蛮社の獄」で弾圧が加わり、鎖国が一段と厳しくなった。だが、西欧列強のシナ侵略は、一段と強まっており、1840年のアヘン戦争で、清国が英国に惨敗した事件に、幕府や諸藩が驚愕（きょうがく）してしまい、国内に攘夷（じょうい）感情をもりあげ、幕末現象を加速させた。

大黒屋光太夫（左）（1751〜1828）

1840年のアヘン戦争に、幕閣が緊張したのは、北方からロシアが接近し、開国を求めたからであり、少し前の時期だったが、米国のモリソン号に対し、砲撃した事件が起きて、幕府は神経質になっていた。それが「蛮社の獄」を生み、続いてペリーの来訪で、黒船騒ぎにと続くが、その前にあったエピソードに、大黒屋光太夫（だいこくやこうだゆう）とジョン万次郎という、海亀の帰国の物語があった。

船頭の光太夫はロシアに漂着して、シベリア横断を果たしたが、エカテリーナ女帝に謁見し、1

７９２年に帰国した。初期の西洋知識を前に、幕府は当惑しただけである。また、万次郎は、土佐の漁民で漂流し、米国の捕鯨船に救われ、東部で米国教育を受けた。世界の三大洋を航海してから、帰国して彼の広い知識で、欧米文明を伝えたが、別のタイプの海亀だった。

日米和親条約（１８５４年）で開国して以降は、西周や榎本武揚をはじめ、幕府派遣の留学生や、伊藤博文、井上馨ら長州ファイブのイギリスへの密航組の若者が、世界に向けて出かけ、多くの成果を学び取って、文明開化に貢献している。また、岩倉遣外使節団を筆頭に、明治政府が派遣した、多くの留学生が雄飛して、最新の学問を学び取り、本格的な海亀として帰国し、明治の国造りに貢献した。

高等学校や大学の教官は、欧米の留学体験者だし、官僚や軍人だけでなく、実業界で指導的な立場で、活躍した人材の多くも、新時代の知識を学んだ、海亀や泥亀に属していた。東郷平八郎のように、間違って商船学校に入り、操縦術を習得したおかげで、対馬沖海戦でロシアのバルチック艦隊に勝利した、連合艦隊の司令官もいたし、英国に留学し、夏目漱石のように神経衰弱を患い、悩みを文学に結晶した人もいる。

明治の日本の国造りと清帝国の末期

日本は文明開化の中で、国造りに邁進したが、アヘン戦争で惨敗した清は、列強に食い荒らされても、世界のＧＮＰの過半を誇る、豊かな老大国であり、古い秩序に固執していた。清朝の主体は満州族であり、絶頂期を過ぎて弱体化し、政治は腐敗していたが、同君連合国家を維持しながら、皇帝が君臨して、宦官が支配する体制で、アジア大陸を睥睨していた。

それを歴史家の岡田英弘は、『誰も知らなかった皇帝たちの中国』で、清帝国の国家機構を論じ、次のように分析している。

「まず清朝の皇帝は、満州人に対しては、満州人の『八旗』と呼ばれる、八部族の部族長会議の議長だった。モンゴル人に対しては、ジンギス・ハーン以来の、遊牧民の大ハーンだった。漢人に対しては、洪武帝以来の明朝の、皇帝の地位を引き継いで、彼らの皇帝として支配した。チベット人に対しては、元の世祖フビライ・ハーン以来の、チベット仏教の最高の保護者、大施主だった。東トルキスタンに対しては、『最後の遊牧帝国』ジュンガルの支配権を引き継いで、オアシス都市のトルコ語を話す、イスラム教徒を支配していた。」

しかも、これらの異なる五種族は、それぞれ別の法体系を持ち、清朝皇帝の使用人である、漢人の官僚が統治して、自治を認められており、官僚は行政面だけだった。満州族にとって漢人は、植民地の人間であり、正規軍は満州八旗だし、第一公用語は満州語であり、第二公用語はモンゴル語で、第三公用語が漢文だが、公文書は三言語の併記だ。

国家という政治制度は、18世紀の末までなくて、存在していたのは、君主制や都市国家と藩だけで、国家という言葉の起源は、身分や財産という意味で、国民国家は国民財産だった。藩は垣根という意味だし、帝国は王たちの盟主で、米国の独立やフランスの革命は、国王の財産を市民が奪い、国家が始まったのであり、国土に住む者が所有権を持ち、王国や共和国を名乗ったのである。

18世紀末の清帝国は、豊かな大国だったので、茶、絹、陶磁器が欲しい。英国はマッカートニーが率いた、貿易使節団を派遣して、馬車90台分の贈り物をし、開国と貿易を希望した。産業革命が始まった英国は、茶を飲む習慣のせいで、輸入量が増大していたが、輸出する製品がないために、銀貨に不足していても、清との貿易を渇仰（かつごう）していた。

貿易収支の赤字には、英国は茶の輸入に対し、インド産のアヘンを使い、通貨不足を補っていたが、アヘンを禁輸したので、東インド会社は清国に、アヘン戦争を仕掛けて侵略した。このようなやり方は、帝国主義の典型だが、インドを食い荒らした英国は、次の獲物に清国を狙い、世界のＧＤＰの過半数を持つ、豊かな清国に雪崩れ込んだ。

アヘン戦争の惨敗に続き、太平天国の乱で打撃を受け、清帝国は植民地化して、清王朝は腐敗を強めたし、各地で農民の反乱が広がり、国としての統一は崩れた。だが、国力は強大だったから、各地に軍閥が台頭して、ヨーロッパから兵器を買い、地方の豪族は軍備を整え、北洋艦隊は世界第七位で、旗艦の「定遠」はドイツ製だし、第一級の鉄甲艦だった。

１８８６年に北洋艦隊が、丁汝昌提督に率いられ、「定遠」や「鎮遠」とともに、17隻の艦隊で長崎を訪れて、水兵が暴れまくったが、清国の海軍力の前で、日本は泣き寝入りだった。その後も李鴻章の北洋艦隊は、何度も日本を訪問して、威力を誇示しているが、日本には匹敵する装甲艦がなく、威圧されただけだった。

日清戦争のインパクトと清朝の滅亡

朝鮮への利害が原因で、日清戦争が起きた時に、政府は軍資金はないし、軍事的に勝つ自信もなく、陸奥宗光外相による、不退転の決断だけが、最後の頼みの綱になった。日清戦争の開始を聞いて、明治天皇は激高したが、陸奥外相は耳を貸さず、国家元首に拒否権がないし、政治的決断は内閣にあり、それが立憲君主制だと、筋の通った正論でことを運んだ。天皇が政治に口を出せば、それは専制君主政で、憲法違反であるという見識が、明治の政治家にはあり、昭和の政治家との差として、大いに違ったものがあった。

しかも、帝国海軍が勝ったのは、李鴻章が支配していた、北洋軍閥の艦隊であり、清国の正規軍ではなく、清国と軍閥を区別せず、日本は清国と講和を結んだ。そして、清国から賠償金を取り、二億両の臨時収入は、そのほとんどが軍部に、軍備増強と機密費として、配分してしまったから、軍部には棚ボタ商売だった。

しかも、番犬に使えると読んで、英国は日英同盟を結び、戦費をユダヤ資本に任せ、今度はロシアを相手にして、日本は満州を舞台に、日露戦争に駆り立てられた。軍艦や大砲などの兵器は、ビッカーズやアームストロング社が、現金払いで供給したし、ロシア側の兵器と装備は、フランスが国債を買い受け、英仏の代理戦争として、日本人とロシア人が血を流した。

国土を戦場に提供したが、日清戦争に負けた清国は、李鴻章や袁世凱により、近代化が推進されて、洋務運動を遂行したのに、西太后が暴政を続け、急速度に没落が進んで行った。変法自強運動（国政改革運動）として、大量の清国留学生が、日清戦争の後で来日し、１８９６年には12人だったが、１９０２年には５００人で、１９０５年に５０００人を超し、１９０７年に1万人に達した。

清国の留学生の9割が、東京の私学に集まって、神田の錦町や牛込の五軒町は、清国留学生が大量に居住し、学生生活を送っており、陳独秀、宋教仁、黄尊三、魯迅、周恩来、汪兆銘などがいた。早稲田大の清国学生部、法政大の速成科とか、明治大の経緯学堂をはじめ、喜納治五郎が創立した、弘文学院が知られている。

数万単位の若者たちが、日本に留学した原動力は、新興の日本に学んで、新知識や技術をマスターして、深刻な民族危機に遭遇した、母国を救いたいという、強い祖国愛の気持ちがあった。だが、１９１１年に辛亥革命が起き、清国が滅亡したことで、中華民国が誕生すると、漢民族を中心にした、中国人が登場するとともに、対華21カ条（１９１５年）の影響もあって、日本への留学熱は衰えた。

明治末期の留学生には、海亀として大陸に戻り、中華民国や中華人民共和国で、国造りに貢献した人も多く、中国人や台湾人として、親日の人脈を構成している。だが、日本の優れた人材が、欧米に出かけて仕上げ、国造りに貢献したとはいえ、日本の教育水準が低下し、文部行政がデタラメだから、変わり者か二流の人材しか、日本に来なくなってしまった。

第一次大戦で戦死者を出し、労働者が不足したから、フランスは「勤工倹学」という、働きながら学ぶ制度を使い、中国から学生を招き、大量の中国人が渡仏した。鄧小平や周恩来はこの制度で、フランスの留学生になり、鄧小平はルノーで働いたが、米国は伝統的に親中で、中国に宣教師を派遣したから、その関係で米国に行く留学が圧倒的に多かった。

フランス政府は北京大学を好み、優秀な学生を教育して、政治家や外交官を育てあげ、国策に利用していたのに対し、米国は理工系に強い清華大学の卒業生が好んで選ぶ留学先だった。

国父である孫文自身が、ハワイの高校を卒業しているし、妻の宋慶齢（そうけいれい）はウエズリアン大卒で、伝統的に中国大陸の金持ちは、米国への留学を好み、子供をアメリカに送っている。

孤立を日本に救わせた中国の外交術

1989年天安門事件の暴虐によって、中国は世界から顰蹙（ひんしゅく）を買い、ナチスやボリシェヴィキに似た、人民弾圧をする国と見なし、米国の音頭で西欧諸国は、中国に対し経済封鎖を断行した。民主化を求めて集まった、学生のデモ隊に対し、説得に失敗した政府は、戒厳令を敷くと同時に、戦車と軍隊を動員して、広場のデモ隊に向け、武力弾圧で実力行使に出た。

石を投げるデモ隊に対し、銃撃する公安警察隊が、市街戦に似た状況を生み、バリケードの中は炎上して、パリ・コミューン的になり、重軽傷者や死者が運ばれ、天安門広場は血で染まった。厳しい報道管制のために、正確な記録はないが、数千人が虐殺されたとか、犠牲者は行方不明も含めれば、数万人だともいわれ、国外亡命者も多くいて、中国は大混乱を呈した。

各国の対中経済制裁は、北京政府に苦痛を与え、鄧小平は日本に対して、積極的にアプローチし、経済交流と友好関係が、いかに重要かを訴えかけ、ソフトな微笑外交を展開した。その結果は絶妙であり、海部内閣は円借款を再開し、経済危機を脱出した中国は、１９９２年には江沢民が、訪日して田中元首相を見舞い、天皇訪中の可能性を打診した。

欧米の包囲網に対して、鎖の弱い部分を狙って、日本を脱落させれば、危機を回避できると見定めた中国は、「孫子の兵法」を使い、海部内閣に攻勢をかけ、熱心に秋波を送った。竹下内閣が破綻した後で、混乱の中で誕生した海部内閣は脆弱であり、早稲田の雄弁会に属し、口先だけの海部俊樹首相は、米国に湾岸戦争の戦費として、１兆４０００億円も巻き上げられ、そのひ弱さを露呈していた。

それを観察していたので、北京政府は狙いを定め、杜撰な指導者選びが、脆弱なトップを誕生させて、運命を損なうと見極め、北京は戦略に従って、米国の次期大統領に、貪欲な人の登場を期待した。そして、海部首相に続く宮沢内閣は、クリントンと密約を結び、米国は、年次改革要望書が狙った、日本の社会の解体を目指す、亡国路線の始まりの形で、対米追従の本格化に突入した。

その源は中曽根内閣による。「前川レポート」（１９８６年）にあって、米国の圧力を、民営化の旗印として使い、国有財産を私物化する、利権工作が背後に隠れていた。不沈空母と同じ属領の発想だ。クリントンは媚中だし、キッシンジャーは嫌日だから、中国には絶好の機会になり、米国による日本の去勢路線は、日本を蹴落とす好機で、米中関係は熱愛状態だった。

前川レポートを渡して、米国に日本を従属させ、運命を狂わせた首相は、民族派を装った中曽根であり、年次改革要望書を使い、構造改革を旗印に掲げ、日本の社会を壊したのが小泉である。産業界の支配機関で、国際資本の要請に従い、明け渡すのに貢献したのが、飼いならされた竹中平蔵であり、財務や金融を担当し、政府の諮問委員会を通じて、規制緩和の手を使った。

失われた30年と平成の悲劇

天安門事件に続く形で、冷戦構造が終結したが、そこで始まった平成は、没落と衰退の過程だったために、日本は生命力を喪失して、悲劇と呼べる時代になった。この失われた30年間が、日本人はデフレによる、不況の時代だと考えて、貧しくなったと嘆息しつつ、景気の回復を待ち望み、閉塞感に耐えて生き延び、より良い時代を待ち望んだ。

だが、これはデフレだけではなく、日本の没落の始まりで、30年間もＧＤＰが伸びずに、低迷し続けたのであるし、世界は平均で2・5倍になり、成長していたのに対して、日本だけが停滞し続けていた。統計は不正確であるが、中国は十数倍の成長によって、２０１０年には日本を超え、現在では2倍半以上で、世界第二のＧＤＰ大国になっている。

もっと深刻な状況としては、国民１人当たりのＧＤＰで、台湾や韓国が日本を追い越し、日本では物価が安いと感じ、大量の観光客が訪れ、中国人は爆買いをして、日本での観光を満喫した。それを日本政府は欺瞞し、観光立国だと称えたが、日本人は絶対評価で、豊かさがガタ減りしており、30年前に比べ購買力は、半減したのに気付かずに、経済大国の夢を追っていた。

成長期の日本を支えて、貿易黒字を稼いだのは、自動車と電子産業だが、21世紀に入ると電子産業は、急速に没落して姿を消し、身売りや倒産が続出して、韓国や台湾が台頭した。経済成長を支えていた電子工業は、世界のＤＲＡＭの生産で、１９８５年には8割を占め、圧倒的な力を誇っていたのに、現在では15％の日本は、韓国50％、台湾30％の後を追う。

日本がカラパゴス化して、携帯やコンピューターでも、輸入品に市場を奪われ、国策で日本勢を総結集したのに、エルピーダもルネサスもダメで、市場競争から取り残された。サラリーマン経営者が、目先の利益を追いかけ、労賃に惹かれ工場移転し、国内に投資をせずに、人材育成を怠ったので、技術的にも立ち遅れたのである。

無能な経産官僚に従う、財界と政界の劣化は、産業界の体質を弱めて、日本を利権の巣窟にしたが、マスコミは批判をせずに、愚民政策を煽ったので、社会はガタガタになった。日本の土台が腐ってしまい、サリン事件が発生したし、小渕首相の怪死のドサクサに、密室に集う五人組の手で、クーデターまで発生して、清和会が天下を握ると、大きく右旋回したのである。

その背景を構成していた、竹下が作った「三宝会」と、日航１２３便墜落事件は、第7章で論じているので、ここでそれに触れず、電子産業が没落して、日本が被った打撃に関し、中国との関係で観察してみよう。なにしろ、21世紀の社会にとって、電子産業が担う役割が、いかに重要かについては、進行中の情報革命で、中核に電子産業が位置し、主役を演じているからである。

貪欲なビル・クリントンは、北京の餌に魅惑され、札束の威力にひれ伏し、ウォール街と手を携えながら、米国企業の投資先に、中国大陸を選択すると、大量のドルを注ぎ込んだ。クリントン政権時代には、中国の工業化が進み、大量の留学生の派遣により、米国の大学がにぎわったが、私が各地の大学を訪れた、１９８０年代後半の中国は、いまだ貧しく渡米は高嶺の花だった。

その詳細は後で触れるが、周恩来の母校の南開大学では、学長の隣に政治委員が座り、会話を監視していた時代で、数年後に天安門事件があり、多くの学生が虐殺された。だが、フランス行きの体験を持ち、モスクワ中山大学を出た、鄧小平が返り咲いてから、１９９０年からの中国では、「知識と人材の尊重」を掲げ、経済の自由化が進んだ。

だが、鄧小平が自由化を進め、経済事情は改善されても、その頃の中国はまだ貧しく、奴隷的な労働者として「蛇頭」の手引きで密航し、売られた中国人たちは、世界各地で摘発されていた。それは隠れた裏話で、溝口敦の探訪記録に、『中国「黒社会」の掟』があり、そこに当時の状況が、詳述されている悲惨な話は、表の世界とは隔絶した、歴史の闇に属す物語だ。

中国経済の成長と工業化の路線

天安門事件から数年が経過し、カネで影響力を買って、クリントンが大統領になり、北京は大量のドル投資を通じ、国内に工場を作り上げ、蓄積した資金を使い、大量の留学生を送り出した。米国人は儲かるとなれば、冒険心で投資するのに、中国に負い目があるし、日本人は慎重すぎるので、台湾人を案内役に使い、びくびくしながら決断して、米国の後追いに終始した。

利権屋のクリントンに、政治理念はなかったが、補佐役のゴア副大統領は、「情報スーパーハイウェイ」を掲げ、米国の新世紀における、国家の戦略構想の形で、新しいビジョンを提示した。それがシリコンバレーを育て、マイクロソフトを君臨させ、グーグルの創業になり、ドットコム・バブルを生み、米国を宇宙の支配者として、突出した覇権国に仕立て上げた。

それに目を付けたのが、鄧小平に引き立てられて、上海に陣取る江沢民で、華僑(かきょう)の投資資金を狙い、工場建設を呼び込み、１９９０年に４０００万ドルだった、ＧＤＰを２０００年に１兆ドルにした。10年間に2・5倍になった、高度成長を達成して、中国は豊かに国になり、クリントン一家だけでなく、ニューヨークのユダヤ人も買い占め、明朝の繁栄を取り戻そうと、全力を上げて努力をした。

シリコンバレーの企業には、米国の大学を卒業した、理工系の中国人で、博士号を持つ大量の人材が働き、半導体の分野において、コア技術に取り組み、仕事の仕組みを学んでいた。しかも、最先端を行く中国系若者は、世界から集まった人材に、伍して競い合っており、日本より10倍も多い人口を持つ、大ピラミッドの頂点に立ち、優れた頭脳を活用して、先端技術の研究に取り組んでいた。

中国が世界の工場として、輸出で蓄積した外貨を使い、海外に送った留学生は、６００万人を遥かに超え、そのうち一割近い学生が、２０００年前後のブームで、ドットコム景気を肌で体験した。アメリカは起業ブームで、誰でも一攫千金を夢見て、一夜成金が続出したが、ＩＰＯ株を使う知識を学べば、米国は自由の天国であり、多くの中国人が百万長者になった。

２００２年には胡錦濤が、中国の最高指導者になり、清華大学工学部で、エンジニアになった彼の人選は、常務委員の9割までが、理工科系の人材であり、産業化への意気込みでみなぎっていた。胡錦濤主席は水利工学で、温家宝首相が地質学だし、中央政治局委員の多くが、理系の顔ぶれの中国は、法文系の世襲議員があふれ、政治が利権化した日本とは、人材の面でも大違いである。

大陸では国造りを目指し、指導陣に数理系を配して、物を作る人と工場に向け、資本を投入していた時期に、日本では一攫千金を狙う、詐欺商売が殷賑（いんしん）を極め、利権漁（あさ）りと政争が横行した。田中真紀子と小泉純一郎が組み、自民党総裁を勝ち取り、外務省は機密費作りで、汚職の蔓延で機能マヒし、政治不信が高まるに従い、小泉劇場の人気が沸騰した。

政界の「はぐれ鳥」であり、支持基盤のない小泉は、派閥政治の母体を作る、地方の地主や利権と結ぶ、古い自民党を壊すために、構造改革路線を掲げて、竹中を実行指揮官にした。『小泉純一郎と日本の病理』（光文社）に、具体的に書いたとおりで、経済学者の竹中平蔵は、カネの魔力で渡米して、国際金融資本になびき、その手先になったが、対日要員として帰国し、小泉に取り入った男だ。

小泉政治については、『小泉純一郎と日本の病理』に、概要を紹介してあるが、２０００年から２００３年までの詳細な観察と分析に関し、『天皇の秘密を食い荒らしたゾンビ政体』に書き込んである。当時における現場の証言は、20年間という発酵期で、歴史のもろ味が醸し出す、醍醐味を楽しめば、大陸から眺めた小泉劇場が、いかに滑

稽かが分かるはずだ。

なにしろ、天皇が中国訪問した、1992年の日本の立場は、世界第二の経済大国で、ODAで巨額の資金援助を行い、中国の近代化を助けて、胸を張っていたのだった。ところが、バブル炸裂の後遺症で、デフレ不況が継続して、混乱の中で小泉政権が、演技政治に明け暮れ、売国路線を驀進（ばくしん）していたために、2010年のGDPでは、中国に追い抜かれたし、今で3分の1に近い状況にある。

北京政府はウォール街を通じ、国際金融資本に対し、手配を済ましていたから、小泉や竹中の行動力が、ニューヨークの資本を経由して、ネオコンの支援の下で、中国への還元が期待できた。日本が蓄積した技術は、米国のファンドを経由し、大陸に向けて流れ込み、日本の企業に資本参加して、株式を通じて支配すれば、合法的に盗み取れて、間接的だから目立たない。

日本経済の経営者が、サラリーマン化して、国内に設備投資をせず、安い労賃を求め外国に行き、国内産業は空洞化だし、人材の育成を怠ったので、国力は減退して行き、国民は貧しくなってしまった。しかも、小泉内閣にビジョンがなく、人気稼ぎに明け暮れて、日本の企業を叩き売る、竹中の金融政策により、労働環境も悪化したが、それが郵政事業で目立った。

小泉の郵政改革と日本企業の叩き売り

英国の郵便制度を手本に、郵便事業を導入した、前島密（ひそか）は日本において、郵便局のネットワークを作り、地元の名士や庄屋が、郵便事業に加わる形で、インフラの整備に取り組んだ。郵便局は３部門で構成され、郵便局、郵便貯金、簡易保険だが、郵便貯金は金融業務であり、簡易保険は保険業だから、それぞれが産業界に、競合する民間会社が存在する。

明治以来１００年を費やして、日本人が全国に築き上げ、地域文化の核になった、郵便局に目を付けると、郵政民営化を叫ぶ小泉は、政策の前面に打ち出した、改革路線を突き進んだ。

前島密

郵政事業は情報と物流で、電信と電話の部門は、中曽根が民営化したが、郵政三業が残っており、郵便と物流の分野が持つ、全国一律サービスという、公共性が強い部門である。

しかも、公共性の強い郵便は、利益を追求しないから、投資で利息を生む組織で、小口金融の郵便貯金部門と、個人向け簡易保険と組み、三位一体の体制により、経営上の均衡を維持した。郵便貯金と簡易保険は、国債を買い利息を生み、投資資金は国造りに活用し、日本の近代化を促進したが、戦後は財政投融資の形で、裏帳簿の原資として使われて、政治家と役人の利権だった。

日本全土に2万4000局ある、郵便局の窓口を使い、積立貯金と簡保を売り、郵便事業はインフラとして、日本の経済社会を支え、地域共同体の発展のために、郵便局は貢献していた。それに目を付けた小泉は、行政改革の目玉として、郵政の民営化を中心に据え、2003年の国会審議で、日本郵政公社を発足させ、郵政解体に手を付けた。

蓄財に利敏(りざと)い竹中平蔵は、郵便公社を改組した、日本郵政の持つ資産が、貯金の180兆円に加えて、保険の120兆円だから、合計で300兆円もあり、この資金の海外移転を試みた。それだけではなく、銀行と保険の2社は、株式を市場で売却して、海外企業でも買えるように、分割民営化のやり方を使い、売り払う工作を試み、300兆円を抜き取ろうとした。

この手口は米国において、1980年代に流行し、TOBやMOBのやり方で、金儲けした手法であるし、孫正義とマードックが、テレ朝の買収を試みたり、ライブドア事件の時も、詐欺商売に使われている。その後はマルチ商法が、小金持ち相手に流行し、村上ファンドをはじめ、ソフトバンク方式として、金融界を舞台に使った、株価つり上げを狙う形で、錬金術として定着している。

　だが、より大きな規模では、ＩＴバブルの崩壊が、日本列島に波及して、日経ダウが８００００円台を割り、底値に近づいた時に、阿鼻叫喚（あびきょうかん）の電子産業と、日本の企業は外資から、買い漁りで狙われる獲物だった。日銀はゼロ金利にして、景気対策に追われており、借り手のない民間銀行は、国債を血眼で買い求めたが、それでも資金があまってしまい、外国企業に低金利で、会社買収の資金を融資した。

　しかも、日本はゼロ金利が続き、日本からカネを借りて、企業の株式を買えば、米国のファンドの名義だけで、株主になることができ、会社名は同じだが、所有者は外国名になった。このマジックを使うだけで、所有権は移転したから、会社名は昔と同じでも、経営陣は青い目になり、社外重役は言うにおよばず、ソニーや日産のＣＥＯは、高給を取る腕利きになった。

世界第二の経済大国になった中国と「千人計画」

　こうしているうちに中国は、大量の外資を呼び込み、一緒に技術を取り入れ、生産施設を築き上げて、世界の工場になったし、資本の蓄積を実現すると、経済大国に向かって躍進した。米国に大量の留学生が出かけ、新しい知識と技術を学び、シリコンバレーに就職した、若い中国人の技術者は、ドットコム景気を体験して、ベンチャー事業を理解し、起業家になる準備を整えた。

大企業で働くだけでなく、自分で事業を立ち上げ、起業家になった者が、何十人も輩出した し、深圳（しんせん）をはじめ各地には、産業特区が作られて、海亀の帰国を歓迎していた。国力に自信を持ったので、新しい戦争理論をまとめて、中国人は1999年に『超限戦』を出版し、米国の世界支配に挑戦して、制約のない戦争を論じ、世界中の注目を引き付けた。

胡錦濤政権は2008年に、「千人計画」を発表したが、外国の頭脳をスカウトし、トップ級の人材を集めることで、国内の大学や研究所が、世界の最先端を行くように、ヘッドハントの体制を整えた。その規模は世界的で、キッシンジャーが仲介して、多くの研究者たちが、良い待遇に魅惑されて、北京政府の招きに応じ、日本人の学者も馳（は）せ参じ、研究のレベルが向上し、論文や特許数が激増している。

恵まれた労働環境に加え、豊富な財政支援があり、研究の自由が保障され、成果が尊重されるならば、誰にとっても魅力的だし、最良の場所に移るのは、自然の摂理に属することだ。日本のように不況が続き、研究の費用が削減され、定年や年齢差別があり、士気が落ちた国では、能力を発揮できなければ、高いポテンシャルに向けて、人材は移動するので、長期不況の放置は失政だ。

米国ではもっと盛んで、人材に対してのスカウトは、頻繁に行われているし、「同じ組織に

3年いれば、無能の証拠」とも言い、転職することに対して、抵抗感はほとんどない。特殊な能力を身に付けて、プロとして通用すれば、引く手あまたであるし、移動で飛躍することや、人物が大きくなるケースは、あまり珍しくないのであり、水は淀(よど)めば腐りはじめ、生きている水は流動する。

習近平政権になってから、帰国した海亀は300万で、数十万人の博士や修士が、祖国のために働きながら、米国の覇権を突き崩す、「中国製造2025」のために、貢献しようと待機中である。中国全土に60カ所ある、「留学者用創業団地」には、ベンチャー企業が5000社以上も、誕生して活動中であり、時代遅れの経済特区で、利権を漁る日本に比べ、理想と意欲が天と地ほど違う。

遼寧

しかも、宇宙開発計画とともに、半導体のコア技術をはじめ、IT分野のプラットフォームで、米国を凌駕(りょうが)しようとする、「中国製造2025」には、1999年生まれの下敷きが、『超限戦』として存在する。「サイバー戦争」とは何かと、問題提起をした上で、燃料に基づく兵器体系から、情報に基づく兵器体系に、戦争と戦略がどう変わるか、誰も予想し得ない点では、「ブラック・スワン」（想定外）の領域である。

航空母艦のスクラップに、2000万ドルを支払い、ウクライナから買い求め、遠路はるばる大連に周航し、2005年から改修を始め、海軍の拡張に取り組み、覇権への野望は露骨だ。しかも、5年がかりで航空母艦に、造り直して「遼寧（りょうねい）」と名付け、台湾侵略の海軍として、その存在を誇ろうとするし、未来戦の舞台は宇宙で、ロケットと衛星と考え、研究と開発の重点を置く。

小泉劇場がにぎわう段階で、GNPが日本に接近し、携帯電話の普及によって、電子工業が発達したので、電子工学の技術者の育成に、重点的に取り組んだから、中国政府は収穫を手にした。だが、大量の留学生を受け入れ、人材の育成をしたのに、海亀たちには逃げられ、米国内の産業は空洞化したし、技術の流出が続いたので、盗みに気付いた米国は、「千人計画」の意味を理解した。

5G時代と米中経済戦争

電子技術の開発分野で、中国に後れを取った米国が、通信機器の5Gにおいて、ファーウェイ（華為技術）に差をつけられ、その重要性に気付き、トランプの参謀たちは、国防上の危機感を抱いた。これまでの４Ｇに比べると、大容量で高速の形で、情報を送れる特性のために、ビッグデータを取り扱い、ＶＲ（ヴァーチャル・リアリティ）が手近に利用できるし、同時多数接続も可能であり、世界通販が瞬時に実現する。

５Ｇのプラットフォームが、ファーウェイの技術により、世界標準になると知って、米国は強い危機感に支配され、軍事機密の保持を口実に、トランプ大統領の決断は、中国製品の封鎖となった。『皇室の秘密を食い荒らしたゾンビ政体』に、その辺の事情を分析した私は、次のように経過を解説し、５Ｇが持つ役割について論じた。

「そこで、米国が打ち出したのは、米中新冷戦の宣戦布告で、２０１８年に中国製品の輸入に対して、25％の関税をかけたが、２０１９年5月にさらに追加し、経済封鎖の報復作戦が始まった。しかも、２０１８年12月のカナダで、華為技術（ファーウェイ）の孟晩舟副会長が、米国の要請で逮捕され、米国司法省は銀行詐欺や、技術窃盗罪容疑で起訴し、世界中の注目を集めていた。

ファーウェイは通信機器で、世界最大の会社であり、売上高は12兆円を超えるし、世界170国で事業展開して、５Ｇ通信の技術と基地局では、ダントツでトップの地位を誇っている。だから、５Ｇ時代の先導役のＡＩで、中国に覇権を握られることは、安全保障の危機だと考え、米国は狙いを定めると、ファーウェイを徹底的に叩き、殲滅作戦に出たのである。

5GはIoTのスタンダード化で、物をインターネットを通じて、ソフトと結びつけることにより、ハードの能力を活性化する、プラットフォームの構築技術だ。しかも、これは電磁波の効果を使い、人間の脳機能を外部から、操作するバックドアとして、悪用することができるので、その支配は全能を意味し、米国は中国に握られたくない。

だが、この技術力においては、ファーウェイが突出するし、プログラム設計の頭脳はあっても、ハードを生産する能力を失い、米国は完成品を作れなくなった。しかも、米国の企業のトップは、ビジネス・スクールで学び、金儲けには長けているが、ファーウェイの幹部は、華中科技大修士の孟晩舟をはじめ、電気が分かる理工系が占める。」

しかも、偉大な中華帝国による、世界制覇を目指した、習近平の野望に基づく夢は、AIIB（アジアインフラ投資銀行）と一帯一路で、ユーラシア大陸を包み込む、国際戦略を打ち出していた。インフラ整備に協力し、資金提供を打ち出して、借金漬けの相手国内に、軍事基地を作るという、新種の帝国主義に属す、膨張路線を中国は使い、世界制覇を目指していた。

その主要な武器として、衛星通信と5Gを使い、米国に挑戦したために、米国のペンス副大統領は、ハドソン研究所の講演で、宣戦布告に似た口調で、習近平を猛烈に批判した。それは真珠湾攻撃を生んだ、「ハル・ノート」と同じ、最後通牒（つうちょう）に似たもので、それ続いてトランプ大統領が、安全保障の観点に基づき、ファーウェイ製品の禁止と、世界規模での排斥を通告した。

　ファーウェイにとっては、この狙い撃ちは難癖で、製品に盗聴装置はないし、状況証拠だけに基づいており、言いがかりにすぎないが、著作権を認めないために、中国は狙われる理由もあった。著作権の無視は窃盗で、中国人は偽物で荒稼ぎし、コストや性能において、米国製との格差が広がり、生産施設の海外移転が、失業者の増加を生み、米国の世論は苛立（いらだ）っていた。

　しかも、米国は自国が維持した、王者の地位を脅かされて、覇権を失いかける時に、全力を上げて相手を叩き、攻撃する習性を持ち、35年前に電子製品で、日本は徹底的にいじめられた。同じことが発生して、中国人は電子製品とともに、ロケットや衛星を含む、軍事部門においても挑んでおり、かつてのソ連と同じように、覇権への挑戦も目立った。

　それに加えるように、習近平の強引な姿勢は、領土的な野望として、南シナ海の軍事基地化や、香港や台湾を支配し、ウイグル人弾圧の形で、露骨に猛威を奮い出していた。習近平が調子に乗りすぎ、独裁者の姿勢を現し、傍若無人に振る舞ったので、知的所有権を引きだし、窃盗呼ばわりした。米政府は、留学生や研究者までも疑い、海亀を追放したのである。

第2章

裏社会が浸透したサイバー世界

5Gをめぐる技術競争と宇宙支配

通信と暗号の技術は、情報戦争という意味で、軍事問題の中核に位置し、ハードそのものである兵器と並び、ソフトな面で主役を演じ、人材とともに勝負において、決め手を握っている。通信と暗号の歴史では、「メソポタミアの手紙」や「ゴルディアスの結び目」があり、エジプトの碑文に刻まれた、神聖文字（ヒエログリフ）の暗号をはじめ、インターネットは軍事技術だった。

第二次大戦の帰趨（きすう）は、暗号解読の成果が決めた。ミッドウェー海戦において、帝国海軍が惨敗したのは、暗号が読まれてしまい、攻撃目標が分かったためで、勝てる戦いを敗北している。ドイツの国防軍の「エニグマ」は、解読不能の暗号器だったが、その解読に取り組んだ数学者アラン・チューリングの貢献で、機密情報を読み取って、それが勝利と結びついた。

現代では戦場が宇宙に移動して、衛星通信を利用したＧＰＳを使うことにより、サイバー戦争の舞台が、宇宙空間になったので、高速度のメリットにより５Ｇの価値が激増した。だから、米軍は大いに慌てて、通信機密を守るために、同盟国の５Ｇ基地局は、ファーウェイ製品を避け、規格統一したいのだが、米国製はコスパが劣悪で、優位性が危惧（きぐ）されている。

かつては品質を誇り、強度や使いやすさの面で利用者に愛用された、米国製や日本製の商品

ＭＴＫダイアグラム

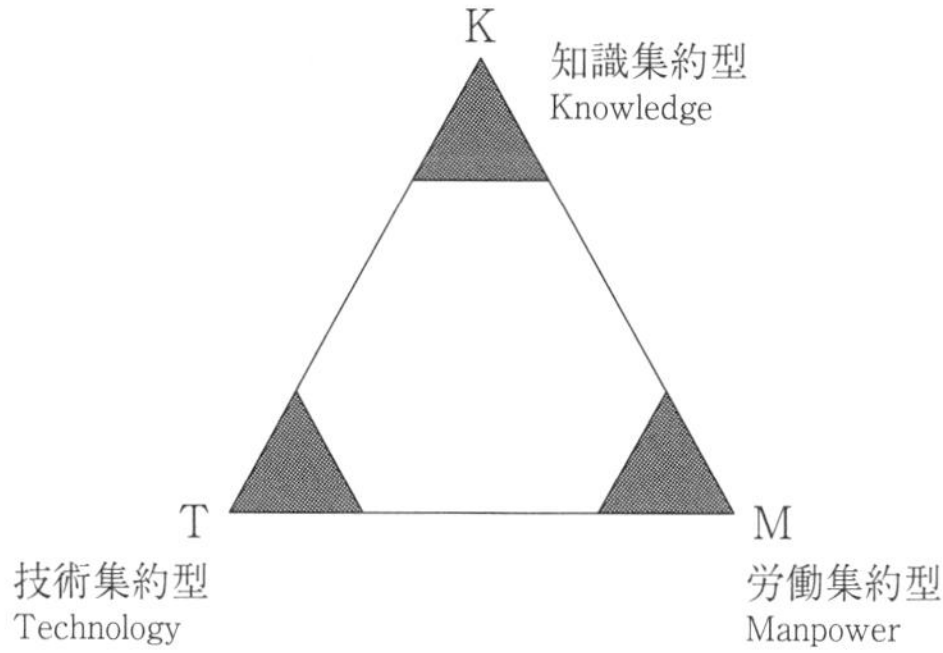

三角図形での産業の発展
Evolution of Industry on Triangle Diagram

1  労働集約型産業

2 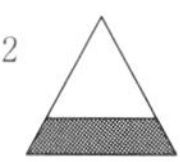 労働から技術への過渡期の集約型産業

3  技術集約型産業

4  技術から知識への過渡期の集約型産業

5 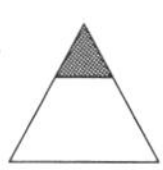 知識集約型産業

産業の MTK ダイアグラムによる発展局面の表示

 一般産業の進化のパターン

 （例外）
労働集約型から
知識集約型産業への移行

が姿を消した理由には、国内産業の空洞化がある。大量生産で作る商品が、安い労働力を求めて、労賃が安い地域に移り、技術移転が進むとともに、労働力がロボットとなり、「知識集約型」に置き変わった。

そのモデルを示したのが、「ＭＴＫダイアグラム」の図で、これは１９７５年にカナダで、発表したものであり、日本では１９８４年に出た、『無謀な挑戦』に収録してある。

経済学者は時代遅れで、一次産業や二次産業と、いまだに時代遅れの指標を使い、産業を静態的に捉えるが、私は40年以上も昔に、動態モデルを提示して、利益追求の危うさを指摘した。それを正しく理解して、「技術集約型」から「知識集約型」に、商品を進化させたのが、ファーウェイの研究志向であり、品質が圧倒的になったのは、当然の帰結に他ならない。

深圳(しんせん)が育てたシリコンバレー精神

深圳のファーウェイが、生産している製品は、５Ｇでは最先端であり、技術開発に力を入れ、高品質の商品を生産して、圧倒的に世界市場を抑え、世界有数の会社に育った。人民解放軍の技術者で、１９４４年生まれの任正非(じんせいひ)（レン・ジェンフェイ）が、１９８７年に５人の仲間と、設立したこの会社は、年間売り上げ12兆円で、株は社員全員で保有する。

株を上場しない理由は、株主の短期利益要求が、長期的な研究開発（R＆D）に対し、そぐわないと考えたためで、売り上げの10％がR＆Dで、年間１兆６０００億円だから、国際特許はダントツだ。しかも、会長職は輪番制であり、半年で交代するので、独裁制を回避していて、任正非の持株は２％だから、共産体制下にあるのに、資本主義の国より開明的だ。

だから、世界中から人材が集まり、研究に勤しんでいるし、社員食堂にも配慮して、時代の最先端を行く様子は、近藤大介が取材した、『ファーウェイと米中５G戦争』に詳しい。私は東莞の施設を見て、その光景に魅惑され、北京の官僚制とは違う、江南の自由人が独立国を作り、邦国制になるならば、アジアに新しい未来が、訪れると思ったものだ。

その頃は今の合衆国や、ロシアもいくつかに分かれ、より小さな単位になり、電磁波障害の問題を抱え込んだ、５Gのレベルを超えて、８Gの時代になって、サイバー時代を謳歌するだろう。それが今の時点で可能な、シンギュラリティ（特異点）を過ぎ、その彼方に広がった、未来の楽観的な展望だし、その実現を目指すために、愚行を慎むことが必要だ。

現在の人類は愚かで、過去の伝統に支配され、魚が海から陸地に進出し、爬虫類が哺乳類へと、進化を遂げた段階だし、欲望や闘争の本能が、強い影響力を残している。だから、社会悪が蔓延して、闇の世界が表に現れ、地上や空中の戦争が、宇宙にまで広がり、サイバー戦争に勝つ問題で、論じられているのである。

アジアの近代史では、表の権力に対抗して、裏の黒い勢力が存在するし、清朝から中華民国にかけ、秘密結社の主流には、港湾地帯の青帮(チンパン)と紅帮(ホンパン)があり、現在では青帮が重要だ。大陸における黒社会は、麻薬や売春の犯罪組織が、「反清復明」の運動を通じ、政治性をもつ秘密結社から、政党の公安部門として、変質を遂げた歴史を持ち、軍部の中にも浸透した。

国共内戦を通じて、国民党と人民解放軍に、秘密結社が浸透し、情報部門として働き、緩衝地帯の香港やマカオで、秘密工作に従事したが、その温床はカジノだった。しかも、カジノは汚れた金が動き、資金浄化の舞台だし、スロットマシーンや監視に、電子製品が重要な役を演じ、ＲＯＭの開発技術は、金を稼ぐ秘密兵器である。

だから、中国にとっての拠点は、香港と深圳を中心に、シリコン・ビジネスが育ち、台湾では客家(ハッカ)人口が多く、黒い結社の竹連帮が砦(とりで)にする新竹を中心に、「縦貫線大哥」のネットワークがある。そこで迂遠(うえん)ではあるが、現在の地上の各地で、コロナウイルスと同じように、社会組織に浸透して、猛威を奮う黒社会が、ＩＴ関連分野においては、どう観察されるか触れておく。

電子業界に浸透した闇世界の黒い金脈

世界には各種の闇社会があり、バチカンには「オプス・デイ」が、シシリア島には「コーザ・ノストラ」が君臨し、シナには「青幇」を筆頭に、無数の秘密結社がある。大陸時代の国民党は、統一国家を目指して、軍閥の制圧に忙しかったし、日本軍と戦うよりも、毛沢東の共産軍を相手に、激しい内戦を繰り広げた。

そのせいで「特務」と呼ぶ、土着の秘密結社である、スパイ組織を活用し、内陸運河地域の紅幇や、海岸地域では青幇が、特務機関として働いて、蔣介石や周恩来の手先だった。青幇は上海や香港を砦に、アヘン、賭博、武器取引、売春を支配し、国民党の公安と結びつき、汚れ役を演じた秘密結社で、日中戦争の裏方を演じ、杜月笙（とげつしょう）が頭目として名高い。戦後に解散したと言うが、香港や台北に健在で、現在は表社会に溶け込み、とくに電子産業界の中に、強烈な根を張っており、世界的な組織網を誇る。だから、台湾では国民党と結び、大陸では共産党が、公安警察や軍部内で、情報組織の末端の役を演じ、暴力団と同じように、芸能界や裏社会を握る。

賭博や裏金融の世界は、ロンダリングが関係し、資金が不動産をはじめ、産業界への投資で流れて、表のビジネスに進出し、闇の世界が製造業にも、多くの舎弟企業を持つ。2年半ほど台湾に住み、そうした世界の話を聞き、世界史の中の闇世界と比べて、なるほどと感嘆したが、これは裏の世界だから、真相の多くは隠されている。

知ると覚られるだけで、命が危ないので観察に留め、「沈黙は金」だと学んだが、『皇室の秘密を食い荒らすゾンビ政体』に、その一端を公開したので、改めて一部を引用して置く。

「杜月笙は1951年に死んだが、顧問弁護士の蔡六乗は、国民党と一緒に台湾に渡り、息子の蔡中曽と共同で、常在国際法律事務所を開き、国際部門では台湾一の会社になった。蔡六乗の孫の蔡崇信は、カナダに住む億万長者で、1999年に杭州でジャック・馬に会い、アリババの創業仲間に加わり、ITバブル崩壊で苦境に陥った時に、孫正義にアリババの投資を誘った。

アリババの発展の原動力は、経営戦略責任者の曽鳴（ミン・ゾン）で、イリノイ大で国際戦略で学位を得て、欧州最高のINSEADでは、准教授として教えてから、彼は会社の販売戦略を担当し、アリババを大会社に育てた。だが、米中経済戦争の開始を機会に、青幇コネクションの発覚を恐れ、馬と曽はアリババから抜け、安全地帯に逃げたことは、香港では知る人ぞ知る話である。

アリババの大株主だのに、孫の経営不参加に対して、不思議に思う日本人が多いが、孫正義にはお目付け役として、鴻海（ホンハイ）精密の郭会長が、背後に控えているのである。郭台銘（テリー・ゴー）は台湾生まれで、総統だった馬英九（ばえいきゅう）と親しいし、ともに隠れ青幇であることは、台湾では知られており、北京の共産党は隠れ青幇に、浸透工作を担当させている。

日本人は台湾が親日だし、独立していると考えるが、青いウイルスの浸透力は強く、元総統や総統候補者でさえ、大陸にコネクションを持ち、経歴や資金投資を人質にされている。総統に立候補した郭台銘は、売り上げ18兆円を誇る、ホンハイを築いた勢いで、日立と松下を足したより、巨大な経済力を武器に使い、シャープを叩いて買収した。

トランプが当選した時に、郭台銘は孫正義を伴って、トランプタワーを訪問し、大量投資をぶち上げたが、取引に笑顔したトランプは、郭と孫の青幇人脈に気付いていた。郭が再婚した時の仲人が、総統だった馬英九だし、台湾企業で最初に大陸に投資して、工場を作ったのが鴻海で、その手配は青幇が担った。

馬英九はハーバード時代に、新聞の編集長として、反政府系の学生を探索し、国民党の公安に密告を行い、国民党内で出世したが、馬総統の記録が米国にあった。だが、国交がなかった米国は、台湾の内政問題よりも、対中ビジネスに忙しかったので、関心が薄かったために、長期にわたり放置していたが、大陸の電子産業の育ての親は、台湾の人材だと気がついた。

しかも、シリコンバレーの新竹は、電子産業都市であるし、台湾が誇る電子技術の中心地で、客家集団が多い新竹が、大陸人脈の大拠点になり、中心には国立清華大学まで存在する。張忠謀（モリス・チャン）が創設者のＴＳＭＣ（台湾積体電路製造）は、ファーウエイにチップを供給するし、焦佑鈞の父親の焦延標は、青幇のボス杜月笙の右腕で、パナソニックの半導体部門に、買収の工作まで試みていた。

日本の企業は大陸進出の時に、台湾の客家を頼ったし、台湾企業が日本の技術と資金で、大陸に電子工業を作って、世界有数の電子立国へと、新生台湾を導いたのであった。国民党には外省人が多く、大陸から来た客家は、対岸の福建や広東が故地だし、青幇の根拠地でもあり、客家が多い東園市や新竹市が、台湾の新産業特区でもある。」

ソフトバンクの博打投機と青幇コネクション

不動産や土木事業は、「労働集約型」に属すので、ヤクザや暴力団関係が、簡単に参入できる分野として、かつては高度な頭脳を必要としないために、裏社会のプラットフォームだ。だが、社会の進歩が急速に進み、賭博のスロットマシーンや、パチンコが電子化して、複雑なプログラムを組んだ、ＲＯＭを使うことで、賭博の電子化が目立つ。

マカオは賭博のメッカで、香港は金融都市だし、地下銀行でにぎわって、ロンダリングの天国だったし、電子部品が集まるから、隣の工業特区の深圳に、電子工業が栄えて当然だ。賭博場と地下銀行が隣り合わせで、賭場銭でにぎわっているから、資金はあり余っており、それに群がる黒社会が、根強い地盤を持つ以上は、深圳はビジネスの補給地だ。

だから、金融面のニューヨークの隣に、秋葉原が並ぶ感じで、大陸のシリコンバレーが、香港に連接して誕生して、アジアの華僑が乗り込み、あっという間に発展し、産業都市にと大変貌した。ファーウェイ（華為）、テンセント（騰訊）、ＤＪＩ（大疆創新）、ＢＹＤ（比亜迪）などが、深圳に本社を構えて、スマートシティを作り、時代の最先端を行く都市に、地域を大きく変えている。

かつて日本が誇っていた、半導体の生産技術は、ＴＳＭＣ（台湾積体電路製造）とサムスンに奪われ、ニコンが供給した、露光式の製造装置も、オランダのＡＳＬＭの独占になった。しかも、日本製ＯＳのトロン（ＴＲＯＮ）は、有望なプラットフォームだが、孫正義がトロン潰しに、華僑人脈と組んで工作し、ビル・ゲイツ流の詐欺商売に、協力した話まで流れた。

孫の商法は詐欺まがいで、「ワラシベ長者経営」だと、公認会計士の細野裕二が、財務会計報告として、『財界展望』に書いたが、プロの財務分析では、会社の中身はボロボロだ。公認会計士の山根治も、「決算書を見て驚いた。正気の沙汰ではなく、イチかバチかの大博打だ」と書くが、こんなペテンが放置され、日本では孫を起業家だと賞賛した。

深圳、上海、新竹が、電子技術の三角形であり、大陸と台湾を結ぶ形で、地下水脈が流れていたし、源流は大陸に水脈を持つ、秘密結社の青幇だのに、日本人は知らなかった。アップルは工場を持たず、台湾の鴻海精密（ホンハイ）が下請けで、深圳や東莞で生産するが、隠れ青幇会長の郭台銘（テリー・ゴー）は、外省人二世の関係で、習近平に親しいのは有名だ。

アリババの大株主になり、大儲けした孫正義は、テリー郭の青幇人脈が、大陸投資の案内役を果たし、中国製のコスパを武器に、ビジネスの拡大を実現して、若者のアイドルになった。だが、ソフトバンク自体には、技術力はないので、良い技術を持つ会社に、資本投資をしてＩＰＯを使い、資産を増やすやり方が、孫正義流の錬金術である。

これは１９９０年代に、米国で流行った方式で、ＬＢＯやＭＢＯを使い、会社を支配する手法だが、やり方では「ババ抜き」になり、「ねずみ講」の一種である。最近のソフトバンクは、通信事業ではなく、扱う資金が巨大になり、投資ファンド化を経て、投機から博打稼業に移行し、カジノ経済の寵児（ちょうじ）になっている。

長らく続いた安倍政治で、ペテンと嘘が蔓延して、日本は詐欺師の天国になり、ヤクザ経済に支配され、自民党政治が青幇に、制圧されてしまったようだ。こんな話は打ち切って、再び世界問題に戻れば、危険な利権屋が目論む、宇宙レベルでの戦争が、アジェンダとしてあり、それに触れる必要がある。

カジノ化した証券市場とホリエモンの錬金術

　通信会社と称しているが、ソフトバンクの実態は、投資ファンドに変身して、株の操作による錬金術により、虚像としての時価総額で、「ババ抜き」を演じている。それはプロの会計士の目には、一目瞭然（いちもくりょうぜん）の手口だが、決算書が読めない人に、数字のごまかしが読めず、手品の仲間のビット操作でも、見かけの数字に騙され、ババを掴（つか）まされてしまう。

　この株価暴騰の魔術は、18世紀の「南海バブル」以来、繰り返して使われて、喜劇や悲劇を生んでいるが、米国では１９８０年代に、ウォール街をにぎわせ、何人もが監獄行きになった。日本では10年遅れで、光通信やホリエモンが、舶来の手口を使って、監獄人口を増やして話題になり、公認会計士の山根治は、「ホリエモンの錬金術」という、ブログに発表して注目を集めた。

「ホリエモンが、株式市場という信用機構を悪用して作り上げたのが、ライブドアという会社です。泡沫会社の典型と言っていいでしょう。このような会社の上場を認め、その後の傍若無人な振る舞いを放置しているマザーズは、いったい何を考えているのでしょうか。

この会社、果して上場会社としての適格性を備えているのか、疑わしい限りです。他にもこのようないかがわしい会社が、マザーズに上場されているのではないかと思うと、背筋が寒くなってきます。」

この記述で始まる記事は、手口を次のように暴露する。これはソフトバンクでも、似たやり方をしていて、これが時価総額を使い、ババ抜きをやる手順であり、これを知っていれば、引っかからないで済む、とても便利な眼鏡である。

「一つ目のトリックは、5年前のマザーズ上場に際して、会社の評価額を、なんと1440倍にもつり上げていることです。目を疑いましたね。

二つ目のトリックは、常軌を逸した株式分割です。法外なまでにつり上げられた評価額をスタートとして形成された〝株価〟を維持、あるいは、さらにつり上げるために、なされたとしか考えられないもので、ここまでひどい株式分割は前代未聞であり、これをもって適法であると強弁することは難しいでしょう。……ホリエモン・マジック・ショーのメイン・イベントは、光通信とかグッドウィルとか、大和証券やSMBCを仲間に引き入れて、幻の優良会社をデッチ上げることでした。ホリエモンの第1の、しかも中核となるトリックです。……一見急成長している優良会社のような、決算書になってはいるのですが、連結、単体とも、じっくりと分析してみますと、怪しげなところが随所に見受けられるのです。上場会社の決算書で、有報の上から数々の〝いかがわしさ〟が、これほど透けて見えるものは、めったにありません。」

ホリエモンを読み替えて、ソフトバンクと置けば、なるほどと納得できるが、今度は一般論の形で、この手口を分類し直せば、金融王の森脇将光（もりわきまさみつ）に学んだ、安倍譲二の指摘が面白い。

「作家の安部譲二さんによれば、犯罪者が練り上げる、犯罪プランのことを絵図（えず）といい、そのプランナーのことを絵図師（えずし）というそうです。絵図師ホリエモンが描いた、あるいは現在描いている絵図とは、どんなものでしょうか。

私は、これまで絵図のスタート（インチキ上場）と、途中のプロセス（増資による資金集め、粉飾決算、株式分割）について詳しく述べてきました。では、ホリエモンの絵図の終着とは何でしょうか。ホリエモンの好きな、「想定内」という言葉を使えば、絵図が想定内においている終着点とは、何でしょうか。」

『皇室の秘密を食い荒らしたゾンビ政体』の中に、巨大な記憶力を誇る、私の読者の落合莞爾を紹介した。彼が金融界の裏面に詳しく、表の世界に出る人ではない、と書いた理由に触れておく。彼は野村證券の法人事業課長で、数学が非常によくでき、野村のデリバティブは、彼の頭脳の産物であり、二流の野村を売り上げでは、日本一にした功労者だ。

本当は社長になる人だが、途中で独立したために、彼が辞めた後の野村には、デリバティブを止める者がなく、社員が「飛ばし」処理し、大量の野村マンが逮捕された。落合の部下の一人が北尾吉孝で、孫正義にスカウトされ、ソフトバンク（ＳＢＩ）では、投機部門の会社の社長として、巨額の資金を集めて、ババ抜きをやっている。

落合とは共著として、『教科書（テキスト）では学べない超経済学（メタエコノミクス）』を出し、彼の数学力と記憶力が、物凄いと知る私には、落合の部下の記憶力なら、先物でヘマはしないと思うが、最近ＳＢＩはオプションでつまずいた。落合の秘伝書である、『先物経済がわかれば本当の経済が見える』に学び、独立した村上ファンドは、40年前に落合が試し、野村を日本一にして、ホリエモンや孫正義が追従した、その孫弟子筋に当たるのだろうか。

黒社会同然の日本の政治

江戸時代の大坂堂島（どうじま）の米相場の伝統で、大阪証券取引所は、先物市場で知られて、デリバティブを扱ったので、香港資本が注目したし、幹部が青幇がらみだと、台湾で黒い噂を耳にした。ＩＰＯ（株式公開）という舞台においては、東京マザーズも同じで、収益構造を持たない、実体のない零細企業でも、トリックを使うなら、将来性のある会社に、変装させて上場し、売り逃げすることをする。

先物市場やＩＰＯでは、企業価値が株式時価総額だと、奇妙なすり替えがあり、それが手品に使われ、大衆は引っかかるが、二つは似て非なる物で、エコノミストも騙される。米国のＩＴバブルが転機で、それ以来20年に渡り、グローバリゼーションの名で、ＧＡＦＡがもてはやされ、中国のアリババ株が、時価総額で論じられ、蜃気楼（しんきろう）に感嘆している。

10万台の生産量で、赤字続きで利益のない、テスラモーター社の時価総額が、トヨタ以上だと騒ぎ、「技術集約型」の自動車に、いくら未来が明るくても、期待するのはお目出たい。文明史観の立場では、次のパラダイムシフトで、技術革新があっても、自動運転は枝葉に属し、時代遅れの分野であり、そんなものへの期待に、夢が悪夢になる道がある。

21世紀の前半期は、フェイクとパクリが、時代精神を彩って、その代表が中国であり、経済大国という盛装に、すでに破綻の色が表れ、全世界に向け拡散し、悪い影響が伝染中だ。その実例が「一帯一路（いったいいちろ）」で、杜撰（ずさん）で悪辣（あくらつ）な路線は、収奪と侵略の正体が、至るところで馬脚を露呈し、中国版の「大東亜共栄圏」だと、知れ渡ってしまって、それがつまずきの石になった。

１９９９年のクーデターで、密室の五人組により、日本の政界の色は、真っ黒に変色したが、森内閣から始まって、小泉から安倍に至る、20年間のゾンビ政体は、日本の生命力を食い荒らし、断末魔の醜態を演じ、世界中から見捨てられ、菅内閣の手で埋葬になる。狼藉の跡は無残至極で、証拠隠滅や改竄に加え、虚偽とデタラメにより、日本はガタガタだし、民主主義や連帯感は崩れ、経済社会は黒い勢力に、占有された状態である。

法務大臣が逮捕され、東京高検検事長が賭け麻雀で、違法行為が発覚しても、議員が賄賂を受け取ったのに、罪に問われることがなく、法から正義が消え去り、綱紀粛正の片鱗もない。詐欺容疑で逮捕された、ジャパンライフの山口隆祥は、「桜を見る会」において、首相枠のゲストだが、悪質な詐欺師の手口に、広告媒体として使った雑誌が、『ポリスマガジン』だった。

この雑誌の所有者は、慧光塾の光永仁義で、安倍晋太郎の秘書だし、信者の安倍晋三が、病気が治ると愛飲していた、光永の「神立の水」に、霊験を感じていたとかだ。その問題は山岡俊介が、安晋会やヒューザー関連で、ニュースレター上で発信し、そこにはライブドアをはじめ、沖縄で怪死している、野口英昭の名も登場する。

情報誌の『ＦＡＣＴＡ』は、エイチ・エス証券の野口英昭が、切り傷多少で死亡し、自殺になった事件が、法医学的には不自然で、コスモポリタン事件（１９８８年）と比べ、疑問が多いと論じている。古いので忘れたけれど、『フィナンシャル・タイムス』も、疑問を呈していたが、ある特派員との雑談で、場所が沖縄だったのと、マネーロンダリングとのからみは、香港の黒社会について、何か聞いたような気がする。

蛇足で付け加えると、内妻として慧光塾を継ぎ、教祖になった長谷川（光永）佐代子は、鈴木雅子や安倍昭恵と一緒に、六本木周辺で遊び歩き、それを特派員が目撃して、心配して教えてくれた。長谷川佐代子の本籍は、ゴールドマン・サックスで、首相の妻に接近し、情報が外に流れて行けば、日本は脇が甘いから、気になると言われたが、政府がＬＩＮＥを使っているし、日本の情報は外部に筒抜けである。

公認会計士の山根治は、２０１7年2月28日のブログに、「安倍総理を操るサイコパス・エイジェント光永佐代子を叱る」と題して、次の発言を公開している。

「この10年、あなたは私に近づきいったい何をしたのか。あなたが小細工を弄して私を騙し、私を手玉にとって利用しようとしたことから、好むと好まざるとにかかわらず、安倍家・岸家の１００年以上におよぶ秘められたおぞましい内情を知ることとなった。……下村博文大臣について言えば、……どのような裏工作をしたのかは知らないが、この人物、夫人ともども安倍総理にゴマをするだけでなく、安倍洋子と安倍昭恵夫人をマインド・コントロールしている、サイコパス・エイジェント光永佐代子にもゴマをすって、大臣にしてもらった経緯がある。いわば、佐代子センセイ〝命〟といったゴマスリ男だ。詐術師のあなたの意向であれば、何をしでかすか分かったものではない。」

安倍内閣時代の不祥事に、ゴールドマン・サックスと結ぶ、きわめて不審な事件が起き、日本の経済は大打撃を受けた。なぜならば、西室泰三が東芝会長、東京証券取引所社長を歴任した時に、ライブドア事件に関与し、ウエスティングハウスの買収劇では、東芝を倒産寸前にして、日本郵政で買収劇では数千億円の損失を出した。ニューヨークで東芝アメリカ社副社長や、中国投資公司（CIC）では、有識者会議員として、ゴールドマン・サックス勢に、どんな関係を持ったかは、調べるに値しないか。

超限戦としての電磁兵器

米国が誇るサイバー技術は、盗聴担当のNSA（国家安全保障局）が、中心になり開発したが、宇宙軍ができてからは、NSAと軍が協力して、人工衛星を配置した、監視システムとして発展した。コンピューターと衛星を結ぶ、通信システムの構築に、膨大な資金を投入して、サイバー兵器を装備し、国防の要に位置づけ、中国とロシアが熱を入れ、電磁兵器の開発競争をしている。

電磁兵器の最先端には、電磁パルス（ＥＭＰ）を使った、サイバー技術があって、サイバー攻撃を仕掛けるのは、ＮＳＡとペンタゴンを所有する米国がお家芸にするが、攻撃を受けるのも米国だ。また、２０１８年にサイバー軍として、統合軍に格上げした米軍は、ポール・ナカソネ陸軍大将が司令官で、ＮＳＡの長官も兼任し、ＰＲＩＳＭで世界監視を続け、臨戦態勢を敷いて備えている。

中国政府とロシア宇宙軍は、サイバー戦の能力で、米国と競い合っており、優れた人材の豊かさにおいては、イスラエルの力も絶大で、８２００部隊は実行面で、世界屈指であると評価が高い。その技術を取り込んだのが、チリアード（Chiliad）社の情報サービスで、マクスウェルの娘のクリスティーヌは、マゼランシステム社を処分して、民間諜報部門の雄として、チリアード社を育て上げた。

イランや北朝鮮の軍部も、サイバー部門に熱を入れ、ハッキングの力を使い、非軍事面での犯罪行為に、乗りだしているというが、闇社会の暴力団も同じで、ハッカーを使いこなし稼いでいる。中国から出た留学生は、１０００万人を超えており、半数が学業を終え帰国したが、創業に至らない者で、解放軍にスカウトされて、サイバー工作をしている者も多い。

シンガポールは自由市で、英国の影響が強いが、金融部門だけではなく、製油や製薬にユダヤ系が卓越し、独裁的な統治では、北京には意外に近くて、華僑を通じて香港経由でつながる。「千人計画」に続いた、習近平の「万人計画」では、ハイレベルの人材獲得の一環で、華僑の優秀な頭脳に、積極的な工作が続き、清華大学の人脈に結びつく。

清華大学のビジネス・スクールは、ゴールドマン・サックスと、非常に緊密に結びつき、ヘンリー・ポールソンが特任教授として、かつて教えていたし、いまだに名誉顧問委員だ。また、GEのメアリー・バッラCEOや、ゴールドマン・サックスのブランクファイン会長（2018年退任）、アップルのティム・クックCEO、シティグループのコルバットCEO、JPモルガンのダイモン会長、コカ・コーラのケント会長などが、顧問委員に名を連ねており、世界各地の大企業のトップも、目白押しに名を連ねている。

これが「万人計画」に連なり、全世界を舞台にして、米国の経済界のトップまで、中国の大学やビジネスに、役員や諮問委員として、取り込まれているが、中核にゴールドマン・サックス人脈がいる。地球を宇宙から眺めると、中国は世界のトップを包み、それを飲み込んでいるが、日本の政治家は米国では、CSIS程度の二流組織に、取り込まれて喜んで、操られている。

中国系の頭脳は欧米を目指し、理工系はアメリカに留学し、東南アジアの華僑は英独を好むが、もちろんアメリカも選び、学力的に自信のない者や、かつての「勤工倹学」的な、働きながら学ぶ学生に、日本を選ぶケースが多い。それは日本の大学を出て、大企業や官僚として働き、仕上げに欧米に留学し、実力を付けるとしたら、最初から欧米留学のほうが、効率的である上に、カラパゴス化しないで済む。

サイバー空間の王者と量子通信衛星

２０１６年８月に北京発で、量子通信衛星を打ち上げ、軌道に乗せるのに成功し、この衛星「墨子号」には、量子暗号が組み込まれ、宇宙量子通信の実用化が、実現したと北京政府が発表した。このニュースは驚異的で、世界最初の量子暗号が、通信衛星に組み込まれ、その実用化が実現したら、勝負あったということになり、その頭脳力に敬服するしかない。

30年ほど昔の話になるが、『インテリジェンス戦争の時代』を書き、暗号解読を研究した私は、その後も暗号に関連して、素数について学んだが、量子暗号の実用化を知り呆然とした。そのショックの大きさは、「フェルマーの最終定理」が、ワイルズ博士によって、完全に証明されたと知り、天を仰いだ時と同じで、偉大な仕事への敬意がある。

量子通信衛星が備えた、解読不可能な暗号は、電送媒体に光子を用い、「量子のもつれ」を活用した、南部理論の応用であり、量子テレポーテーションとして、かつては魔法と考えられた。シカゴ大学の南部陽一郎が、自発性対称性の破れで、ノーベル賞を受賞したと聞き、プラトンの対称性を信じ続け、対称の美を愛した私は、当惑と喜びを同時に味わった。

それにしても暗号は、謎解きが好きな人間に最高の喜悦を与えるが、解けない暗号に挑んで解けば、面白いことになるはずで、その決め手になるのは、重力であると閃いた。量子力学の世界といえば、アインシュタインも抵抗し、理解を拒んだ理論だが、中国人が解けないと言い、胸を張って得意顔になる、量子暗号がハドロンなら未来は捨てたものでない。

今後のことは次の世代に、期待を託すだけであり、当面はこの量子暗号が、米中の宇宙兵器競争で、どんな展開をして行き、軍事技術の公開を通じ、未来社会化を展望すれば良い。また、サイバー戦争において、重要な役割を果たすが、シンギュラリティとの関連で、軍事部門だけではなく、民間部門での利用に、量子コンピューターの問題が、脚光を浴びて登場する。

量子コンピューターとは、量子のもつれを利用し、これまでの0か1かでなく、同度に0と1の状態で作動する、量子ビットを使っており、プラズマ時代の頭脳が、未来技術での希望の星だ。量子コンピューターの第一号が、中国において製作され、スパコンの数億倍も速いが、開発者の陸朝陽博士は、「九三学社」に属しており、共産党と異なる流派に属し、興味深い未来を秘めている。

この領域についての考察は、中国の科学技術に詳しい、遠藤誉（えんどうほまれ）博士が執筆した、『中国製造２０２５』の衝撃』で、じっくりと学んだほうが、私の中途半端な説明より、はるかに問題の核心が分かる。また、優れた実務経験を持つ、深田萌絵（ふかだもえ）が解説した、『量子コンピュータの衝撃』は、古典的なコンピューターと、どう違っているかをはじめ、何が解決でき世界の未来が、どう変わるかを知る上で、分かりやすい入門書である。

この２冊の本を読むだけで、書店に並ぶベストセラーを、50冊読む以上の価値があり、世界の最先端を動かす、情報に接することができ、浅薄な内容に満ちた、テレビや新聞と縁が切れる。愚民政策の影響によって、ビジョンに欠けた政治で、閉塞状態に支配され続け、士気が衰えている日本だが、貧者の兵器を乗り越え、未来の問題に近づこう。

素粒子の技術競争を超えた次元

生物兵器と化学兵器は、核兵器で競う米ソにとって、優先順位が低かったし、当時の軍隊は「技術集約型」であり、飛行機やロケット兵器に、より強い関心を払っていた。核兵器は生命全滅を伴うので、攻撃には使えないし、報復の意味しかなく、開発するのが大変だから、国家や軍事産業には、飛行機や艦艇のほうが、軍備として分かりやすくて良い。

そこで「技術集約型」が中核だった産業社会は、機械生産が頂点を迎え、大戦後に始まった情報革命で、コンピューターが発達して、それが戦力に加わり、産業が知識集約化した。電信機器の発達によって、通信が情報の流れを生み、金融界に大変革を招き、パラダイムシフトが進む中で、脱皮しない組織は死滅し、新時代の到来を予想させる。

２００１年９月11日に起きた、ニューヨークの同時多発テロ事件は、アラブのテロリストの攻撃で、米国の支配力の象徴だった、世界貿易センター・ビルと、ペンタゴンの爆破になった。事件直後の頃の私は、皆と同じでテロを信じたが、状況証拠が集まるに従い、アラブ犯行説が疑わしく、政府の内部犯行説に、傾くようになったのである。

それを動かす電子装置は、新時代の活力源のコメであり、真空管からトランジスタを経て、集積回路の開発を競い、歴史を積み重ねたが、シリコンは１９８０年代に、王位の地位を獲得した。人類は大陸の次元を超え、宇宙に進出する出発点に立とうとしていたが、重力が壁になって、混乱の原因になっていたけれど、そこに未来への門があった。

量子力学の基本概念に、自然には四つの力があり、素粒子のクォークとレプトンは、その間に働く相互作用として、サイズの順で次のとおり、小さなものから大へと並ぶ。

①重力　$10^0 = 1$　原子同士が引っ張り合う力

②弱い力　10^{15}　自然に存在する弱い力（中性子、グルーオン）
③電磁気力　10^{38}　電子同士が反発や引き合う力
④強い力　10^{40}　中性子や陽子をひもづける力（ニュートリノ）

１９８８年にスーパーカミオカンデで、ニュートリノに振動があり、わずかな重さがあると分かったが、ダークマターや量子レベルでは、重力の作用は説明できず、量子の世界は奥行きが深い。また、電磁気の性質に関しては、現象的な領域は分かっても、それが生命活動に対して、どんな影響をおよぼし、生理活動への働きが、細胞レベルでどう機能するのかは、ほとんど不明のままである。

１９６４年に予言されていた、「神の素粒子」のヒックス粒子は、ジュネーブの欧州原子核研究機構（ＣＥＲＮ）で、２０１２年7月４日に発見されたが、強い力も弱い力もともに、重力にはまだほど遠い。しかも、従来の電磁理論では、プラスとマイナスで考える、磁気双極性に基づいて、理論が組み立てられたが、ロシアの物理学者の間で、磁気単極子の理論が発達し、興味深い成果が生まれていた。

当時は原発が時代の花で、アメリカはレーザー方式で優れ、先端の学者の多くが、原子核の研究をしており、ロサンゼルスの周辺の大学には、日本の学者が働いて、知的な雰囲気を作っていた。その中の一人の話では、ソ連は強い電磁石を使う、トカマク方式で優れているが、両方とも国家機密に属し、軍事技術の壁のために、日本は10年も遅れていた。

石油開発の分野では、20年以上も遅れており、政治家のひどさとともに、通産省と文部省が原因で、マスメディアの質も悪く、文章力と記憶力だけで、数理の基礎学力に欠けていた。発想力が豊かで鋭い頭脳で、指導性に優れた人ほど、辞めたり関連組織に出されて、人材として鍛え育てずに、珠玉として磨かないのが、日本の組織が持つ欠点である。

生命の進化の鍵を握る重力の神秘

地球上に生命が誕生して、進化した38億年の歴史で、重力が決め手になったのは、水中から陸上に移動した、魚類から爬虫類になる、G1からG6の壁であり、鰓(えら)呼吸から肺呼吸に変化した。遺伝と進化は別物であり、形質変化は重力が支配し、生物進化の決め手として、重力の支配という仮説は、西原克成博士が論じ、『生物は重力が進化させた』に詳細がある。

水中から陸に上って、肺呼吸することにより、6Gという6倍の重力で、新しい環境条件に耐えるために、細胞レベルでの大変化が、生命の形態飛躍をもたらせた。次に地表という地球上から、宇宙に飛び出すことで、人体は太陽系で生きる、形態飛躍を実現するために、新規の重力による試練が、どんな形で試されるかは、未知の領域に属した問題だ。

宇宙技術の最先端が、現在では衛星通信と結ぶ、量子コンピューターであり、物理学者が素粒子の研究に、全力を傾注していて、現在の物理帝国主義は、学問や産業に君臨している。だが、物理的なビッグバンは、超弦理論を仮説として、原子、素粒子、クォークと、微小の世界を開拓したが、生命のビッグバンが、いまだ解明されていないので、重力の関与の解明が待たれる。

これから先の議論は、地球の歴史を扱って、地球上を放浪した私が、聖地や高山の頂で憩う時に、しばしば夢想したことで、生命のウェットウェアと、宇宙のドライウェアに関わる構想だ。それを模式図として作り、『無謀な挑戦』に公開したが、宇宙の中での地球の上で、文明がどんな形で変遷し、現在は第三文明期が、始まろうとしているかを示す。

最初のＧ型進化の時期は、今から約２億５０００万年前に、バリスカン造山運動があった、古生代から中生代に移行する、地質時代の出来事で、両生類や恐竜が登場している。まだ、哺乳類は出現しておらず、人類の祖先が出現したのは、ほぼ４０００万年前の頃で、類人猿や猿人を経て原人になり、30万年位前に旧人が現れ、新人類は20万年前だが、クロマニヨン人は４万年ほど前だ。

そして、最後の氷河のウルム期が、２万年ほど前に終わって、１万２０００年くらい前の中

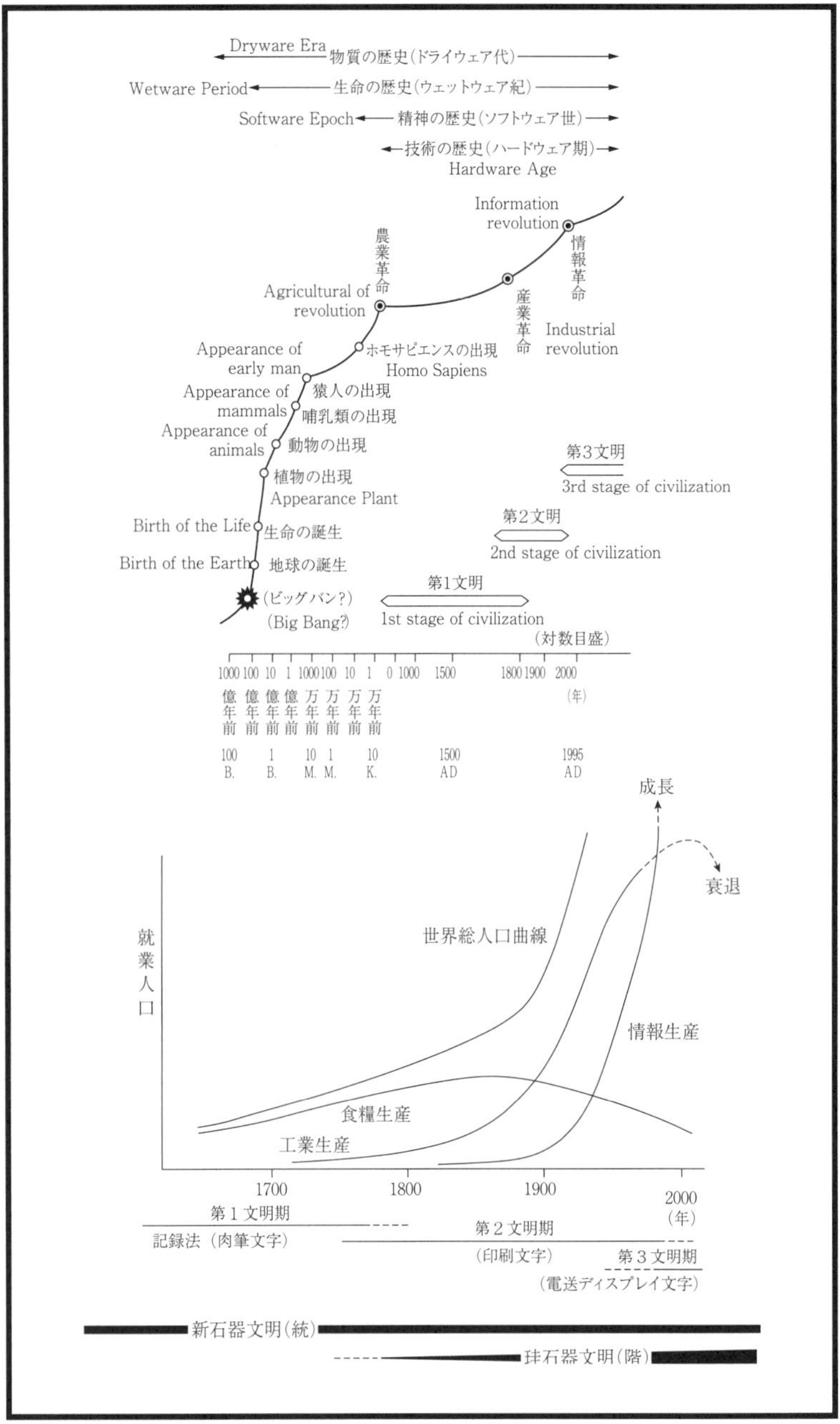

Dryware Era 物質の歴史(ドライウェア代)
Wetware Period 生命の歴史(ウェットウェア紀)
Software Epoch 精神の歴史(ソフトウェア世)
技術の歴史(ハードウェア期)
Hardware Age
Information revolution
情報革命
農業革命
Agricultural of revolution
産業革命
Industrial revolution
Appearance of early man
ホモサピエンスの出現
Homo Sapiens
Appearance of mammals
猿人の出現
哺乳類の出現
Appearance of animals
動物の出現
植物の出現
Appearance Plant
Birth of the Life
生命の誕生
Birth of the Earth
地球の誕生
(ビッグバン?)
(Big Bang?)
第3文明
3rd stage of civilization
第2文明
2nd stage of civilization
第1文明
1st stage of civilization
(対数目盛)
1000 100 10 1 1000 100 10 1 0 1000 1500 1800 1900 2000
億年前 億年前 億年前 億年前 万年前 万年前 万年前 万年前
(年)
100 B. 1 B. 10 M. 1 M. 10 K. 1500 AD 1995 AD
成長
衰退
就業人口
世界総人口曲線
情報生産
食糧生産
工業生産
1700
1800
1900
2000
(年)
第1文明期
記録法(肉筆文字)
第2文明期
(印刷文字)
第3文明期
(電送ディスプレイ文字)
新石器文明(統)
珪石器文明(階)

東では、古代人が建造物を造り、ギヨベクリ・テペの遺跡は、地上で最古の神殿だという。その頃から文明が始まり、トフラーの命名法では、第一文明、第二文明、第三文明と続き、現在に至ると『第三の波』で論じ、それが１９８０年代に注目され、文明論として一世を風靡（ふうび）した。

トフラーの考えによると、第一文明は農業革命で、第二文明は産業革命だし、第三文明は情報革命として、その始まりを持つから、１９７０年代は第三の波が、生まれ育つ時期だと論じた。その頃は若かったので、私は彼の影響を受けて、１９８４年正月に出版した、『無謀な挑戦』の中に、試案の文明論を展開し、「地球上の重大事件と各文明期」や、「産業社会盛衰図」と題した、いくつかの模式図を描いた。

しかも、農業社会の第一文明期は、西洋ではシュメールとエジプト文明に、メソポタミア文明が続く形で、次にギリシアとローマの地中海文明になり、第二文明期に欧米文明が来る。また、東洋では第一文明期は、シュメール文明で始まり、次にインダス文明とモンゴル文明が来て、第二文明期は中華文明で、第三文明期に日本が、主役になれたら良いと夢想した。

ファーウェイ事件とトロン事件の相似象

ロッキード事件の混乱後に、大平内閣が誕生（１９７８年）したし、日本の各地に革新市政が、市民党の革新市長を生み、腐敗政治を追放したので、小春日和の社会は、淡い未来の夢を味合わせた。問題は日米の貿易摩擦で、突出した黒字のために、日本叩きが目立っていたが、その混迷した状況下に、希望の星の誕生があり、未来に向けて輝こうとした。

なにしろ、当時の日本は成長期で、鉄鋼や造船は王国を誇り、電子工業はチップ生産が世界一だし、ＧＤＰで米国に迫って、政治がまともに働けば、輝かしい未来が期待できた。ソフトの面での弱さと、家産制に問題があり、中曽根内閣が危険だが、外貨準備と金融の余力を使い、人材の活用と諫言（かんげん）の力で、ことによると日本列島に、楽園が生まれるという夢が描けた。

それがＴＲＯＮプロジェクトで、坂村健博士が設計した、汎用国産ＯＳのトロンは、マイクロソフトのＯＳより、遥かに優れた内容だし、人類の明るい未来にとり、役に立つプラットフォームだった。トロン計画の放棄には、日航１２３便の墜落や、対日年次報告書が関係したが、秘密はあの世までと言った、中曽根発言にまでつながり、闇の世界の関与が疑われた。

トロン潰し問題の本質は、ＯＳの基盤として使う、標準ソフトの選択で、駄物のマイクロソフトか、高度な汎用性を持つ、ユニックス系との間で、どれを採用するかの問題だ。だが、国際金融資本から、手先として派遣され、青幇と結ぶ孫正義は、トロンの標準化を妨害したのに、それに気付く者はなく、マイクロソフトが独占した。

それだけではなく、トロン計画潰しを画策し、その後は青幇と結び、詐欺商法を使いまくり、ビジネスを大発展させて、ソフトバンクの実態は、ファンド稼業にと変身した。ソフトバンク・ビジョン・ファンドを立ち上げ、絶頂を迎えた瞬間に、スプリントやウィウォーク買収で「盛者必衰の理」が始動し、アームの処分だけでなく、ＧＡＦＡのオプション投機が発覚した。

　青幇人脈の遺伝子が、孫正義の頭脳を犯し、トランプ当選を読み違え、テリー・ゴーの口車に乗って、トランプタワーを訪れ、対米投資を見せ金に、騙そうとして見破られた。トランプはカジノ稼業で、客慣れしていたから、孫の素性は調べ上げて、アジアに広がる人脈に、青幇がどうつながるかは、知り抜いていて当然である。

　日本人は単純だから、池袋での自動車事故で、通行人を轢き殺した、飯塚幸三元工業技術院長が、逮捕されなかった背景に、トロン事件の影を誰も考えない。それは黒川弘務東京高検検事長が、無事に円満退職して、検察が政権に奉仕した、過去について取り上げず、河井克行法務相が逮捕されても、安倍の関与を追及しない、司法の死亡にも結びつく。

　香港への北京政府の侵略が、米中経済戦争を激化させ、新冷戦が本格化して、武漢ウイルスの伝染による、パンデミックが広がり、それをきっかけに、世界の経済活動が変調した。それが文明のレベルで、パラダイムシフトを起こし、シンギュラリティが示す、結節点の到来を予想させ、未曽有の大恐慌を招けば、それが大掃除になって、新時代の曙が告げられるのである。

第3章

政治家の消滅による「兵匪（へいひ）同一」化が進む日本

文明開化は明治六年の政変で一挙に暗転

日本が幕末を迎えていた時は、英国やフランスはアジアを狙い、勢力圏を拡大することを目指しており、クリミア戦争に続き、列強は中国分割に進出した。また、南北戦争を終えたばかりのアメリカは、産業革命の隆盛期を迎えたし、ロシアは極東進出に全力を注いだ。だから、開国日本を取り巻いた環境は、植民地主義がアジアを席巻中であり、帝国主義が猛威をふるい、油断すれば弱肉強食の餌食だった。

１８６９（明治２）年5月の京都では、日本最初の柳池小学校が開校し、1年以内に64校の小学校が生まれ、１８７２（明治５）年の学制の前に、市民の意思と寄付によって、開校が実現していた。また、１８７１（明治４）年には勧業場が開かれ、翌々年には京都博覧会を開催しており、これらは東京の政府に先掛けて、京都の町衆の心意気を示していた。

関税自主権を取り戻すだけでなく、治外法権を撤廃する目的で、使節団員を派遣して、交渉を進めるに際しては、欧米の実情を調べる姿勢に、責任を果たす使命感がみなぎっていた。１８７１年に岩倉遣外使節団が、宣教師のフルベッキの提言に従い、岩倉具視を全権大使にした組織には、新政府の要人の半数が参加し、欧米事情の視察と交渉のために、横浜を出発してサンフランシスコに向かった。

木戸孝允（たかよし）や大久保利通（としみち）など、政府の要人が軒並み参加し、長期間の旅行で国を留守にしたが、こんな大規模な視察団の派遣は、世界史上に類例がなかった。新興国アメリカ訪問に続き、欧米の先進諸国を視察して、ウィーンでは万博を訪れており、帰路はインド洋を経由したので、植民地の実情まで観察した。

当時の政府の政策としては、先進国の国情を学ぶために、視察団や留学生の派遣だけでなく、お雇い外国人も採用し、急速な開化政策が進展し、産業革命の成果が導入された。また、１８７４（明治７）年に近代日本では、学会誌の先駆けである、『明六雑誌』が刊行されて、文明開化の絶頂期を飾ったが、急激な変化への反動が生まれ、「明治六年の政変」で動きが止まった。

まともな統治機構を作るために、誠意と使命感に命を賭（か）けて、挑戦への意欲と情熱に燃えた、明治の日本人による国づくりには、理想や未来への夢がみなぎっていた。だが、文明開化の初期の段階において、日本人は建国に力を費やし、実現を目指す意欲にあふれていたが、こんな気迫がみなぎっていたのは、「明治六年の政変」までだった。

幕末に渡仏して明治元年に帰国した渋沢栄一の貢献

徳川慶喜の名代として、パリの万博に派遣された、徳川昭武の随員に選ばれ、渋沢栄一は1867（慶応3）年に、横浜港を出発すると、フランスで一年半過ごした。パリでは博覧会の視察を始め、銀行制度や都市づくりが、どう組織されており、いかに運営されているかを学び、階級のない社会に感激し、帰国したのは明治初年だった。

出発の時は幕藩体制で、帰国したら明治政府が、王政復古を目指しながら、国民国家を作ろうと模索中で、役人になる気はないのに、理財能力を認められて、民部省の租税正の仕事をした。大隈重信の指導下で、井上馨が大蔵次官をやり、その部下になった渋沢栄一は、廃藩置県、地租改正、鉄道建設、国立銀行令など、フランスで学んだ成果を実現した。

だが、役人嫌いの性格から、権力意識が濃厚で、強圧的な大久保利通に反発し、井上馨とともに退職して、多くの成果を生んだのに、官僚生活は3年半で辞めた。彼は実業の世界を尊び、高い志で『論語』の精神を掲げ、私利私欲に走らずに、500あまりの会社を創業し、日本の資本主義の父と言われ、東京商科大学（一橋大学）や日本女子大学校などを作り、教育の振興にも貢献した。

彼は「成功は社会のおかげで、社会への恩返し」を強調し、時代を切り開き続け、実力はじゅうぶんあったが、財閥を作ろうとはせず、つねに公益のためを考え、未来を見つめて生きた。こうした明治の経済人が、日本の国造りに貢献し、近代化を推進したのに、最近の日本の経営者は、金儲けと利益に汲々(きゅうきゅう)とし、まったくお粗末の限りである。

帝国主義国家の幕開け

草創期の明治日本の歴史には、京都での町衆の小学校に続き、廃藩置県、秩禄(ちつろく)処分、断髪、廃刀令が行われ、士族の反乱や西南戦争の後で、中央集権的な覇権国家が生まれた。その推進に主導役を演じた、木戸孝允、西郷隆盛、大久保利通らの死で、勃興する開化期を終えた日本は、列強の帝国主義を手本にした。

『国是三論』から士道を捨て去り、列強の仲間入りを目指した日本は、「富国強兵」を国是に掲げて、文明開化の旗印を振りかざし、帝国主義の道に踏み出した。列強の侵略を防ぐ必要があり、統一国家を確立するには、天皇絶対の中央集権で臨み、覇道による時代精神を鼓舞し、自治政治の伝統を投げ捨てた。

西南戦争は大きな内乱であり、特権を失った武士の反乱だが、新政府内部では政策の対立があって、内治優先の大久保の主張が、西郷たちの路線に激突し、同時に徴兵制が影響した。戦争は金儲けのチャンスで、外債発行で戦費をまかなったから、それを利用する策士が輩出し、岩崎弥太郎は三菱財閥を築き、多くの戦争成金が生まれた。

日本の近代は文明開化で始まり、明治・大正と展開して、富国強兵を遂げたと教科書は書き、昭和には侵略路線を推進し、ファシズム路線になったと教える。だが、民主路線としての近代日本は、ご一新が実現した数年間だけで、クーデターを狙う維新勢力により、明治十四年の政変を転機に、中央集権体制による、家産制国家日本が生まれたのである。

当時の日本は経済力がなく、外貨の準備が乏しい上に、軍備の整備も手一杯だったから、戦争に臨んでも戦費がなく、資金の調達に四苦八苦した。それは板谷敏彦が著した、『日露戦争、資金調達の戦い』（新潮選書）や、萩原延寿（はぎわらのぶとし）の『陸奥宗光（下）』（朝日新聞社）を読めば、日清や日露の戦争に際し、生存のための資金の調達に、苦労した状況が明白である。

動き出した軍国主義の暴走

近代国家を作り上げるために、憲法の基に国内法を整備し、法治国家を作り上げる必要があり、明治の開化期から時間をかけ、法体系を整備したが、その例証は第4章に詳述してある。

当時は世界情勢の大転換期で、クリミア戦争（１８５３～１８５６年）や普仏戦争（１８７０～１８７１年）により、領土と植民地の拡大が続き、第一次大戦の前哨戦（ぜんしょうせん）として、日露の両帝国の死闘が、英仏の代理戦争の形で行われた。

明治から日本の仮想敵国は、南下を狙うロシアであり、北方の守りが国策だから、朝鮮半島が緩衝地帯になって、日清と日露の二つの戦争が、日本にとって通過儀式になった。大陸に足場を築いて、日本は満州に進出し、アヘン権益に魅惑され、支配地の拡大を目指して、侵略が中国領に広がり、戦線が大陸の全域におよんだ。

海洋国家である日本は、同じ植民地経営でも、台湾では後藤新平が、民生部を指導したことにより、壮大な構想に基づき、統治機構を整備した。だが、ロシアとの緩衝地帯の満州では、軍部色が強い統治を行い、隣接した朝鮮半島では、その影響を強く受けたために、軍人支配を採用したので、反日機運が強く苦労が続いた。

第一次大戦に際しては、日本は戦勝国の仲間に入り、「漁夫の利」で特需を謳歌したが、戦後の不況に見舞われ、混迷に陥って呻吟（しんぎん）し、天皇制ファシズムが台頭した。昭和初期の不況を契機に、日本は市場を求めて、大陸に向かって進出し、満州事変を契機に、満州国の建国に続き、侵略戦争にのめり込み、軍国主義の国に変貌した。

傀儡国家の満州国を足場に、大陸に権益を拡げた日本は、列強と利害の対立を招き、ＡＢＣ

D包囲作戦の発動で、太平洋戦争に突入して、負ける戦争に踏み込んだ。国力では米国は10倍であり、石油は米国に完全依存で、すべての面で劣勢に立ち、日本に勝利の目算はなく、敗北は分かっていたが、対米戦争に踏み切った。

インドネシアの石油が、強奪する目標になり、満州の守りは放棄し、南進に国策を改めると、大急ぎで陸軍当局は、兵隊を南方に展開したが、計画はあまりに杜撰(ずさん)だった。準備不足の欠陥が目立ち、生命線の補給路を断たれ、兵隊は風土病と飢餓で、次々と倒れて行ったために、死の行軍が続出して、最後は玉砕で終わった。

国力が十数倍の米国を相手に、真珠湾奇襲を仕掛け、太平洋戦争に踏み切ったが、日本人は戦闘は得意でも、補給や兵站(へいたん)には無知で、戦争を理解しなかった。情報や資源を統合して、戦略発想するのが苦手で、突撃と前進にこだわり、戦術に固執したために、柔軟な兵備の運用はできず、無謀な戦いに終始した。

無謀な戦争と不問のままの政治責任

真珠湾奇襲の作戦目標は、米太平洋艦隊の撃破だが、航空母艦は取り逃がし、中古の戦艦を撃沈したが、それを戦果だと錯覚して、戦争を武力戦と見誤った。だから、補給や兵站基地を軽視し、燃料タンクや修理施設には、打撃を与えないで済ませ、大戦果だと喜んだが、これは情動のレベルであり、自己満足にすぎなかった。

海軍の作戦はその延長で、情報の価値を理解せず、ミッドウェー海戦に臨み、虎の子の空母艦隊を失い、全滅に近い状態になり、制海権を喪失してしまった。しかも、南方の島々での作戦は、護送船団方式が破綻し、散開した兵隊の７割が、補給が途絶えて餓死しており、虎の子の戦艦「大和」も、戦闘行為をしないで、海の藻屑（もくず）になっている。

岸信介商工相［左］と東条英機首相［右］（1943年）

陸軍の場合はもっと悲惨で、インパール作戦では、食料用の牛を背負い、山岳地帯を超えたために、兵隊の白骨街道が出現し、『レイテ戦記』の戦場では、人肉を食う光景が続出した。しかも、沖縄では住民を巻きこみ、本土決戦を叫ぶ狂乱は、東京をはじめ大都市の空襲や、広島や長崎の原爆で、何十万人も市民が、犠牲になって死んでいる。
この時期に戦時体制の指揮は、東条英機首相とともに、軍需次官の岸信介であり、戦闘部門は陸軍と海軍だが、補給と兵站の不備で、日本兵の７割が餓死した。「国破れて山河あり」の状態で、大日本帝国は解体され、占領を経験しており、戦禍と焦土から立ち直って、戦後の復興を遂げたが、無謀な戦争の責任について、自らの手でその追及をしていない。

しかも、戦争犯罪人の岸信介は、戦後に首相になっており、A級戦犯だった岸信介が、釈放になった理由は、CIAのエージェントとして、米国の傀儡(かいらい)になったからだ。このことは公開文書により、誰でもが知っているが、この事実は不問のまま、反省能力のない岸の孫の手で、戦前回帰が推進された。

このように日本人は、過去を総括する面で、厳しさに欠けており、起こしたことをすぐ忘れ、自己に甘い欠陥を持ち、同じ過ちを繰り返して、墓穴を掘ってしまうのだ。それを見破ったアメリカ人は、軍事作戦だけでなく、外交交渉に利用して、いつも勝利を手に入れ、優位に立っていたが、日本人はそれに気付かずに、国益を損ない続けてきた。

仕組まれた魑魅魍魎(ちみもうりょう)による政治劇

太平洋戦争が終わった段階で、次のボリシェヴィキ体制として、支配権を握った独裁者が毛沢東であり、彼は『矛盾論』と『実践論』を武器に、中国大陸における支配権を確立した。その結果が「文化大革命」で、赤い表紙の『毛沢東語録』を掲げ、紅衛兵が暴れまくったが、狂気の嵐が通りすぎた荒野に、餓死者の遺体が残って、その数は数千万と言われている。

それに似た過ちとして、日本軍は太平洋戦争で、柔軟な戦術は採用せずに、つねに突撃を繰り返したし、杜撰な補給計画に頼り、補給線を切断され、大量の餓死者を出した。多様性を排除して、純化を求める国民性は、少数意見の抹殺により、上意下達を強行するために、全体主義に毒されるが、その結果が敗戦だった。

焼け跡の闇市で始まった、日本の経済的な復活は、傾斜生産方式を使い、産業界が活力を取り戻し、朝鮮戦争による特需景気で、輸出体制の構築に成功した。だが、敗戦による戦禍の被害は大きく、国力を示すGNPでは、1950年に米国の15%にすぎず、アルゼンチンやチリの半分で、メキシコやブラジルとは、肩を並べていた状態で、日本は発展途上国だった。

しかし、朝鮮戦争の特需景気で、石炭と鉄鋼業が息を吹き返し、繊維や精密機器工業に加え、造船や機械工業が蘇り、1960年代に復興が、本格的に始まっている。高い技術力を武器にして、電化製品や自動車を中心に、生産力が充実し輸出に励み、1970年代初頭のGDPでは、1人当たりで英国を抜き、バブル期には米国に肉薄した。

1970年代には技術力を誇り、「日本列島改造論」を煽(あお)り、環境汚染の克服に全力を傾け、それを国家目標にして、国民が熱心に働いたので、世界第二の経済大国になった。戦後政治を支配したのは、保守本流の宏池会(こうちかい)で、利権政治を活用して、談合による箱もの作りを中心に、高度成長政策を推進し、経済大国になったのである。

技術力が経済成長を促し、活力をもりあげたので、「ジャパン・アズ・ナンバーワン」とおだてられ、「外国に学ぶものなし」と慢心して、驕(おご)りの心が蔓延し、それが没落の原因を作った。そして、カジノ経済とヤクザ政治が、土地投機熱をもりあげ、膨れ上がったバブルが炸裂して、不況と低迷に落ち込み、それが30年近くも続き、使命感を持つ政治家が姿を消した。

国際政治での冷戦構造は、日本に有利に働いたが、リクルート事件の余波と、１９８９年のベルリンの壁崩壊で、バブル景気の崩壊により、株式市場の暴落を招き、平成の不況に落ち込んで行く。日本経済にとっては、１９８０年代後半が絶頂期で、平成とともに失われた30年が始まり、１９９９年の世紀末を契機に、自公体制の発足に続き、小渕の死を背景にクーデターが起きた。

明白に手配されたクーデターの仕掛け人

そんな状況下で起きたのが、小渕恵三首相の怪死で、茶番劇が仕組まれて「密室談合」が行われ、森喜朗(よしろう)内閣の誕生の形で、政権交代が実現した。私は『小泉純一郎と日本の病理』（光文社）の中に、以下の歴史の証言を残し、次の世代の検証のために、ヒントを提供しているが、この謎を解明してほしい。

「小渕恵三は2000年4月2日に脳梗塞を発症し、順天堂大学医学部付属医院に担ぎ込まれた。そして、そのまま病院を出ることなく、官房長官の青木幹雄を首相代行にして、首相を辞任することになり、発症から1カ月あまりした5月14日にこの世を去った。……入院後の青木幹雄の発言が嘘で固められ、国民を欺瞞していたことが、その後に判明したのだった。」

小渕首相の突然死に対して、強い疑問を抱いた私は本の中に、小渕の入院クロニクルをまとめているが、同じことを橋本首相についても、誰かやってみる価値があると思う。当時はこの本が焚書になり、記録が消されてしまったが、今では電子版で復刻されたので、権力の隠蔽に穴を穿てば、情報を取り出すことができる。

密室談合を行った五人組は、自民党の傍流の国家主義者で、清和会に軸足を持つ顔役だし、彼らはクーデターの首謀者であり、この時に大転換が行われた。世界史を俯瞰すればよくあって、どさくさ紛れに元首や首相を拉致し、重病や死亡だとニセ情報を発表し、権力を簒奪する手口を使う、クーデターの時の常套手段としては、傀儡政権作りによく使われている。

参考までに五人組の顔ぶれが、どんな派閥に属すかを調べて、それを一覧にしてみると興味深いことが分かる。

・森喜朗幹事長（森派）
・青木幹雄内閣官房長官（小渕派）
・村上正邦参院議員会長（江藤・亀井派）
・野中広務幹事長代理（小渕派）
・亀井静香政調会長（江藤・亀井派）

小渕派と亀井派が手を結んで、森喜朗を首相に担ぎ上げて、クーデターを仕組んだ構図が明白になるし、日本会議だから当然であるが、彼らは神道政治連盟に属する国家主義志向の政治家たちだった。とくに注目すべき政治家として、村上正邦を挙げる理由としては、彼が拓大の「暴れん坊」として知られ、生長の家の玉置和郎（かずお）の子分で、中曽根康弘の代理人である上に、札付きの政治ゴロだった。

しかも、「日本を守る会」のリーダー役で、生長の家の活動家の村上は、「戦争は進歩の母である」と強調して、政教一致の実現を目指し、政界の旗振り役として老骨に鞭打（むちう）ち、「日本会議」をまとめていた。また、村上も青木も参議院のドンだが、村上は翌年ＫＳＤ事件に連座して、受託収賄の容疑で逮捕され、実刑で収監された、そんな人物が森を首相に指名し、ゾンビ政治の時代の幕が開いた。

クーデターは歴史の中に登場して、権力内部の抗争の形を取り、軍隊が関与していることが多いが、最近は支配権の奪取の形で、ソフトなものが増えている。だから、拙著に2カ月遅れで出版された、平野貞夫元参議院議員は、『亡国・民衆狂乱』（展望社）に、この事件の持つ重要性を論証した、次のような恐ろしい犯罪について、私の危惧を裏づける指摘をしている。

「一国の宰相が突然倒れたときに、残された一部の政治家の談合によって、後継者が決められるなんて、こんな恐ろしいことがまかり通っていいはずはない。私はこの暴挙に対して、『一種のクーデターだ！』と糾弾した。こんな理不尽なことが許されるなら、意気軒高な首相を拉致して病院に隔離し、「重病」だと発表し、首相の意向で臨時に首相代理をつとめることになった、と宣言することもできる。都合のいい新首相を決め、傀儡政権を作って、権力奪還をすることすら難しいことではない。小渕首相の場合も、医師の診断書すらないまま、それが実行されたのだから、まことに恐ろしい。」

戦前回帰路線に舵を切った政治

世紀末の頃の日本の社会は、物は豊かでも心が貧困で、連帯感と信頼が希薄であり、政治が劣悪化していて、何が起きても不思議ではなく、日本人はそれに気付かなかった。だが、米国に30年も住んだ私には、それがクーデターの一種だし、新たな翼賛運動だと感じたので、後に明白になったが、背後には日本会議が控え、新型のポピュリズムだと理解した。

クーデターで生まれた森喜朗内閣は、失態を繰り返し短命で終わったが、続いて小泉純一郎が登場し、自由と民主の看板が崩壊して、日本の運命は完全に狂った。売国政治に終始した小泉は、狂乱劇の中で暴君化を遂げ、「郵政民営化法」の否決に反発して、議会解散の禁じ手まで使い、刺客を差し向ける暴挙で、議会政治を徹底的に踏みにじった。

刺客選挙もクーデターの変種だが、当選した100人近い新人議員に、派閥への参加を禁じた小泉は、「小泉チルドレン」と呼ばれた、突撃隊を組織までして、反対勢力への防御壁に活用した。だが、反対勢力が野党でなく、自民党の旧守派だったから、「長いナイフの夜事件」（1934年）の日本版であり、ナチスは突撃隊を粛清したが、小泉は突撃隊を作って親衛隊に、転換する布陣を敷いた。

小泉が演出した劇場政治は、『小泉純一郎と日本の病理』に書いたが、無慈悲な時代を生み出し、私利私欲と独り占めが支配して、分かち合いを徳性にする、日本文化を徹底的に破壊した。米国で仕込まれた竹中平蔵は、売国路線を持ち込み、郵便局を国民から取り上げ、働く人を派遣労働者に追いやり、ブラック企業の奴隷にしたので、貧富の格差の拡大が進み、日本人が誇る連帯感が消えた。

小泉に続く安倍内閣の登場で、社会を包む規範が狂い、統治のコードが蹂躪（じゅうりん）され、暴政が常態化したために、20世紀の初めの20年間は、戦時体制への幕開けになった。しかも、官邸要員の質の低下で、中国人が「兵匪（へいひ）同一」と呼ぶ、政治の劣悪化が定着して、主権在民の精神は踏みにじられ、議会政治の伝統は溶融し、日本は愚者の楽園に成り果てた。

権力を首相官邸に集中させた安倍政権

自公体制がお粗末だったので、棚ボタ的な茶番劇が起き、民主党政権が誕生したが、「小沢チルドレン」を中心に、幼稚な政治運営をして、潰れる運命は時間の問題になった。しかも、松下政経塾の「トロイの木馬」が、隙（すき）を狙って浸透して、乗っ取り工作を進めたので、あっという間に政権は潰れ、元の木阿弥（もくあみ）に戻っている。

安倍晋三の復活のために、統一教会と日本会議が働き、国粋主義者の狙いは、戦前回帰の路線であり、見識のない安倍を操って、統治システムを解体し、そのために不正選挙を活用した。メディア工作は米国仕込みで、電通が得意にしている情報操作をフルに使って、新聞・雑誌をはじめテレビ局が、露骨な形で干渉を受けたが、こうした工作に関しての記述は、苫米地英人の『洗脳広告代理店・電通』に詳しい。

「日本会議」を仕切ったのは、事務局の日本青年協議会である。生長の家の信者の稲田朋美（いなだともみ）は、村上正邦とともに推薦議員で、それが明らかになった時に、アッキード事件が発覚した。稲田は『生命の實相』を掲げ、教祖への敬仰を明示したが、万民に真の楽しみを与える気など、持ち合わせない弁護士に、大臣の資質がないのは確かだ。

20世紀の最初の20年間で、日本の変質が明白になり、低迷する日本を中国が追い越し、生産基地の中国は、ＧＤＰで日本の2倍を超え、世界第二の規模を誇っている。日本が停滞した責任は、国民の生活の豊かさより、株価の高さを優先して、浮薄な発言と人選を繰り返し、権力を私物化した首相が、奢（おご）り高ぶりの姿勢を取り、支離滅裂な支配をしたせいだ。

安倍内閣で目立った手口は、権力を官邸に集中して、コード無視が日常茶飯事になり、規範に基づく節度が崩れ、官僚がヒラメになってしまい、公の精神が見失われたせいである。21世紀の冒頭の日本では、立つべきところに不適切な人が立ち、あるべきところに資金がなく、持つべきでない人が力を持ち、社会の尊厳が大きく歪み、信用と連帯感が消えてしまった。

近代的な政治機構では、世界基準の法治思想で、国会・内閣・裁判所という機関が、三権分立の理念に則(のっと)って、憲法の下に統治されるが、憲法は国家と人民の間の契約である。ところが、日本では憲法の理念が、文明開化から１００年経っても、政治家や官僚に理解されず、権力支配として国家が営まれ、憲法の規定を護るのが、権力だとは考えられていない。

政治を利権にした世襲議員や、天下りを目指す役人が増え、統治の機構としての国家が、議論をしない状態で、強行採決や閣議決定により、運営される状態が続いてきた。政治の実態が空洞化し、民主主義が崩れているが、それが放置されているのは、メディアを政府が支配し、愚民工作で洗脳が進み、国民が思考力を失い、羊のように隷属したためである。

異胎としての日本の「ボリシェヴィズム」と米国のＡＩＣ

閣議決定は国会での議論を省き、大臣だけで国政を決め、民意を政治に反映させない点で、世界にはソ連の例があり、これを「ボリシェヴィキ体制」（後述）と呼び、現在は北京政府が踏襲している。ボリシェヴィキは多数派を意味するが、少数派が不正に権力を手に入れ、多数派を名乗り人事権を握り、強権化を図ることによって、弾圧で政治を行う体制を指す。

ロシア文学者の内村剛介は、「ボリシェヴィズムは人間的だが、ネアンデルタール風という意味であり、これは人類学的な範疇に属し、人道的な意味合いはない」と論じた。しかも、具体的な説明を加えて、「ボリシェヴィキは言葉に弱い連中に、とりわけ、人道的という言葉に弱い連中に使う、プラグマチズムを持ち合わせるので、人心攪乱と幻惑性の存在を証明する」と書く。

ボリシェヴィズムの根っこには、どんな価値も信じずに、大衆の支配を目論むニヒリズム思想があり、人間の弱みを知り抜くことが、操作する上での秘訣だし、それを使って国際政治は動かされてきた。米国のニューヨークでは、ウォール街とマジソン広場の周辺が、情報操作の拠点であり、陣取る顔ぶれを知ることで、その指令者が誰かが分かる。

ボリシェヴィキを支援したのは、ＡＩＣ（アメリカ国際会社）と呼ばれるが、この沈黙の組織の出資者は、モルガンやロックフェラーの財閥で、この仕掛けに無知だと、20世紀の歴史は分からない。なぜならば、（Ａ）のアメリカに続く（Ｉ）のインターナショナルは、コミンテルンの別名であり、ともにピラミッド構造を持ち、両建て戦術で世界を支配した、ビッグブラザーの別名でもある。

それを示すエピソードは、ソビエト体制の絶頂期に、スターリニズムが登場し、虐殺と粛清の嵐が吹き荒れたが、その資金をＡＩＣが担当し、暗黒の歴史を綴っている。また、第一次大戦で惨敗したドイツでは、ワイマール体制を乗っ取り、親衛隊を中核にしたナチスが、「最終的解決」を掲げたし、侵略戦争に明け暮れた背景に、投資の仕掛けが潜んでいた。

ＢＩＳ（国際決済銀行）の表向きの役割は、ドイツの連合国側に対する、第一次世界大戦の賠償金の支払いで、初代総裁にはチェース・マンハッタン銀行の元頭取で、連邦準備銀行総裁のゲイツ・マグロウが就任した。だが、ＢＩＳは正反対の機能に転じ、英米の資金をヒトラーの金庫に流入する窓口の役目を演じ、その資金を軍事資金にして、第二次大戦を遂行したのが、国際金融の秘密の物語だった。

日本を支配した「ヤマトニズメーション」

密談で登場した森内閣に続き、小泉のネオコン政治になり、次に安倍政権が生まれて、一時的に民主党になった後に、再び安倍晋三が復帰し、ボリシェヴィキ体制が確立した。その実態は人類学的なもので、ネアンデルタール人の精神に似て、幼稚だが粗暴な性癖を持ち、近代社会を特徴づける、ヒューマニズムとは無縁で、野蛮極まりないゾンビ政治だった。

ゾンビとは「生ける屍（しかばね）」を意味し、西インド諸島の住民の間で、生きた呪（のろ）いの霊魂と信じられて、民俗学でブードゥー教と呼ばれ、アフリカに起源を持つ、太古精神の痕跡をたたえて

いる。私は『虚妄からの脱出』（東明社）の中で、日本における四つの文明期を論じ、記事を執筆した40年前に、狂気現象が現れて、石原慎太郎が都知事に立候補した時に、「ヤマトニズメーション」に関し、私なりの病理診断を試みた。「ヤマトニズメーション」の和訳は、「日本主義化現象」であると書いて、私は『虚妄からの脱出』の中に、次の「若書き」を残している。

「社会現象として最初に顕在化するのは、享楽主義や神がかり的なものであり、次第にそれが皇国主義や、体制神聖視化にと置き替わり、最後には狂気が吹き荒れて、すべてが完結していることは、わが国の文明期の没落の過程に、明白に現れているのである。こういった現象の全過程を、『日本主義化現象』と名付けたらいい、と私は考えている。また、この太古時代を彷彿とさせる、初源的なヤマトニズメーションの動きは、文明を内部から腐蝕してしまう、強力な解体機能を持つが、日本列島の上に展開している、ヤマト民族の系統発生を決定づける、原形質のようなものだと思う。」

「ヤマトニズメーション」を論じるには、ここでは紙数がないので、詳細は原著に当たってほしいが、それは風土病の一種だし、進化した病原菌による発症は、ボリシェヴィズムの顕現になる。また、ゾンビ体制下では、「セルローズ化」して炎上し、猛威をふるって断末魔を迎える。ファシズムやナチズムも風土病で、熱病として時代精神を犯すし、より軽度の伝染病の仲間に、ポピュリズムやニヒリズムがあり、１９１８年のスペイン風邪に似た形で、猛威をふるうことになる。

過去の遺物になった「井戸塀（いどべい）政治家」

立法府の弱体化が進み、行政機構がガタガタになり、社会生活の歪みが増え、経済活動の空洞化が目立ち、国民は閉塞感に支配され、不況の底に沈む状態が続く。そのために議会政治は融解し、ボリシェヴィズムが根付けば、官邸と閣議ですべてが決まり、官僚機構の腐敗が加速して、小室直樹が指摘した『危機の構造』が猛威をふるう。

かつては政治への参加には、財産や教養が求められ、名望家や実績を持つ人が、議員になったものであり、そうした基準を持つ社会では、政治は名誉職だと考えられた。だから、名誉職を遂行する人は、手当や利益は伴わず、政治によって生計を立てる考えは、ギリシア時代の昔から、賤しむべきことだと考えられ、腐敗の源だと決めつけられた。

そうした政治環境では、国事に奔走して家産を失い、残るは井戸と塀だけになる、井戸塀政治家が存在したが、古代のノブレス（貴族）に似て、地主などの名士が議員になった。だが、多くの人が政治に参加し、議会を舞台に生活して、サラリーを稼ぐ政治業者が登場し、政治が利権の一種になり、金バッジが闊歩している。

人気投票で議員になって、政治を動かす社会では、議員は歳費で生活をまかなうので、政治家の経費は血税だのに、高い収入がお手盛りになり、国庫から貪る状況が横行する。代議制の民主主義では、多数決によって決定するが、少数意見を軽視しがちだし、時には強行採決によって、数の優位を盲信するので、少数意見は無視される。

このシステムに慣れると、人数合わせの働きだけで、決定が行われるから、民主的ではなくなってしまい、選挙も儀式に成り果て、そこで選ばれた者が、今は国会議員扱いである。かつて政治家と呼ばれた人に、財界人、政治家、官僚政治家、学者政治家、軍人政治家、言論政治家がいて、思想と信条を政治に生かし、熱心に使命を果した人もいたが、「今は昔」の物語である。

最近では世の中が変化し、「官僚ゴロ」、「企業ゴロ」、「組合ゴロ」、「宗教ゴロ」、「芸能ゴロ」、

「防衛ゴロ」に属す、新種の利権集団が、国会を舞台に殷賑を極めている。そうなると政治を論じるに際し、新しい用語と分類が必要だが、政治を扱っている社会学者は、それに対し無関心であり、使命感や品格がなくても、人気だけで国会議員を名乗っている。

国会を無視した独断と専横

ギリシアやローマ時代の昔から、議会制の共和政体では、政治は選ばれた者（selected）による奉仕であり、責任感を伴った形で、資質と義務を組み合わせ、古代社会の健康維持に貢献した。また、ローマ帝国やシナ王朝では、統治は社会における、規範に基づくものと考えられたし、ギリシアやローマの共和制が、５００年近い寿命を維持して、健全な社会を営んだのは、遵法精神があったからだ。

共和制が長命だった理由は、議会では議論することで、問題の解決を図ったから、それで議会制の民主政治が、近代政治の手本になり、三権分立が尊重されたのである。だが、独裁者は議論を嫌悪し、独断専行を好むために、権力を持つと話し合いを避け、精神の汚染を進行させ、それが社会を溶融する。

日本の民主主義が壊れ、内閣の暴走が本格化し、政治が異常を呈したのは、小泉政権になってからで、それが動機になったから、『小泉純一郎と日本の病理』を書いた。すると、小泉が政権を手渡し、閣僚経験のない安倍が、未熟な見識で首相になり、デタラメをやりはじめたので、危険を警告するために、私は『さらば、暴政』を書いた。

ところが、小泉劇場に陶酔して、思考力を喪失したようで、本にする出版社がなく、買い取りという条件を飲み、市場に本を送り出したが、書評はわずか一つだった。『ゾンビ政治の解体新書』に、言論弾圧組織として、平野元参議院議員が、発言した証言を収録し、「三宝会」の暗躍について、報告した機能が働いたのである。

日本のマスコミ界は、権力によって懐柔され、一定水準以上の批判は、徹底的に弾圧されていて、それが自己検閲の形を取り、ソフトなファシズムが進み、ＮＨＫも腰砕け状態だった。それを担当していたのが、小泉政権下の安倍で、安倍内閣では強化が進み、本格的な政権批判の本は、書店から姿を消して、政権礼賛本が山積みになり、翼賛体制のお花畑だった。

その典型がゾンビ政治であり、議論を無視した強行採決で、議事録さえ残さないまま、好き放題が日常茶飯事化し、公文書の改竄は野放しになり、緊急閣議を好むようになる。しかも、戦争の開始ができるように、日本版のＮＳＣ（国家安全保障会議）を作り、内閣に置いた。首相官邸の下部機関化し、実質的には首相、内閣官房長官、防衛相、外相の４大臣会合だけで、開戦が決められるように改組した。

自民党ジャックから政体ジャックへ

田中真紀子の気まぐれにより、小泉内閣が出現した時は、真紀子節の口車に乗せられ、この変人首相の演技政治に、たぶらかされると予想もしないで、改革という絶叫に幻惑された。しかも、私党にすぎない自民党に、「ぶっ潰す」と脅かした小泉が、調子に乗ってデタラメ政治を行い、政体までガタガタにしてから、安倍が破壊し尽くすとは想定外だった。

小泉が抜擢（ばってき）した竹中平蔵は、日本の経済力抑制を狙った、国際金融資本の手先で、技術者や技能工の育成が、困難になる雇用制を導入し、日本の人的資源の劣化を進めた。技術の進歩で経済は成長し、教育や技術訓練により、人材が育つというのに、正規雇用を縮小させて、日本の技術が停滞し、企業は国際競争力を失い、ガラパゴス化を強めて衰退した。

しかも、刺客を使った郵政選挙で、与党議員の粛清劇を演じ、そのせいで自民党は粉々になり、国民に愛想をつかされ、民主党に政権を渡したが、この政権交代は幕間狂言だった。松下政経塾で裏切り術を学び、反乱要員として送り込まれ、「トロイの木馬」を使った、乗っ取り劇によって、民主党政権が自己崩壊し、安倍は「棚ボタ」で政権に復活した。

短命だった民主党政権がつまずき、自滅同然で解体したおかげで、抵抗勢力が雲散霧消して、勝ち取ったのではないが、安倍晋三の一人天下が生まれ、やりたい放題が出現した。小泉が自民党ジャックを実現し、郵便事業を解体して、貢ぎ物をご主人様に捧げたから、安倍は何の苦労もしないで、政体ジャックの成果を入手し、小姓内閣を率いたのである。

　安倍内閣の閣僚の9割が、日本会議の構成メンバーで、衆参両院の自民党議員のレベルでは、半数が日本会議議員連盟に属し、仲間が順ぐりと閣僚になった。会長の麻生太郎をはじめ、副会長は安倍晋三、石破茂、菅義偉（すがよしひで）で、首相、元防衛相、官房長官が並び、元文科相の下村博文が、幹事長だったから、日本会議派の自民党ジャックは、政体ジャックの様相を呈した。

天皇制ファシズムの源流の「国本社」

　しかも、神道政治連盟はさらにひどく、安倍政権の閣僚のほとんどが、極右団体のメンバーであるし、改憲と臨戦態勢を支持し、英国『エコノミスト』をはじめとして、フランスの『L' Obs（オビス）』までが、狂気への警鐘を鳴らした。カトリックの麻生までが、会長職を務めていた背景には、イエズス会との関係から、親ナチ路線の歴史があり、危機感を強めたのは当然である。

　日本は狂信の土壌があり、蔓延して猛威を振るう、異常心理と結ぶ信仰に、オウム真理教や大本教があり、創価学会や統一教会が続き、政教分離が危機である。戦前に大組織を誇った大本教は、国家から徹底的に弾圧され、多くの新興宗教の源流として、生長の家を経て日本会議につながり、創価学会の母体の大日本皇道会も、天皇制ファシズムと結んでいた。

天皇制ファシズムの政界版に、戦前、検事総長の平沼騏一郎（ひらぬまきいちろう）が率いた、極右の「国本社」があり、この超国家主義的な団体には、将軍を含む官僚や財界人が属し、上杉慎吉や弟子の弁護士が結集した。平沼騏一郎が得意にした、冤罪（えんざい）を使う権力支配は、昭和史の暗黒部を象徴するが、「国柱会」はその仲間で、宮沢賢治もメンバーだった。

日本会議を論じた通俗書には、源流が「日本を守る会」とか、「生長の家」だと論じたものがあるが、それは浅薄な史観に基づく、戦後史の枠で見たもので、江戸時代の崎門派（きもんは）にまで遡る（さかのぼる）。昭和史の枠組みで見ても、政治が宗教的な狂信と結び、一国の運命を狂わせた点で、「国本社」や「国柱会」は、天皇制ファシズムにつながり、安倍内閣と日本会議の関係に、歴史の相似象が読み取れる。

自分より能力が劣る人物を好む安倍晋三の性癖

進化論や系統発生を学習し、系統樹を作る習慣を持ち、地球の医者（構造地質学）として生きた私には、安倍内閣と日本会議の間に、ゾンビ仲間の生態を見て、戦前回帰を痛感させられた。すでに安倍政権は終わり、菅内閣に引き継いで、過去の歴史になったが、日本の政治を大きく狂わせ、異胎を生んだ母体に、菅政権が共通だから、ここで安倍政権の総括が必要だ。

優れた使命感とビジョンを持ち、自らの頭で考えて、判断ができる人なら、若い時から批判精神を鍛え、困難に挑んでいるし、独立自尊で個性を持ち、豊かな指導性を発揮している。だが、菅義偉は官房長官として、安倍政権を支え続け、7年以上もの長期政権維持に、貢献したとは言っても、首相個人に忠実だったが、日本の国政に貢献した点で、評価できる特性は少なかった。

発言は不誠実の極みで、内閣官房の権力により、前代未聞の暴政を行い、安倍内閣の不始末の多くは、官房長官の不見識が原因になっていたし、2人の無能が相乗効果を発揮した。だから、以下に数え上げた、安倍内閣の不始末は、菅義偉にも責任があるのだし、共通している欠陥として、今後に予想されるから、用心すべき問題点だと言える。

安倍内閣で目立ったのは、首相の好き嫌いに従い、有能な者を排除して、残りカスに似た者を選んだため、不適任な大臣の任命が続き、見るも無惨な結果を生んだ。大臣候補の身体検査が甘く、恥のかき捨てに属す、お友だち人事を繰り返し、迷走と暴言が続出して、新大臣のスキャンダルで、政権の信用は暴落し、そのつど嘘と欺瞞でゴマ化した。

安倍晋三は自信がないので、自分より劣った人物を選び、周辺を茶坊主で固めたが、歴史の中によくあっても、無能大臣のオンパレードは、見苦しいだけでなく、政体末期の症候群だった。自分より有能な人を選び、仕事を任せるのが実力者で、「自分より優秀な人材を集め、その能力の活用法を知る者、ここに眠る」は、アンドリュー・カーネギーの墓碑銘だ。

人材の劣悪化と無能大臣の系譜

説得する議論の能力に欠け、論理性と問題の抽象化に弱く、理性的な思想がない首相は、官僚が書いた作文に頼り、それを棒読みするだけで、国民にその正体を見抜かれていた。国語の基礎学力の不足で、自分の言葉で語らずに、見え透いた言い逃れに終始して、姑息（こそく）な手口を見抜かれ、バカにされているのに、本人は気がつかないでいる。

議会制度は英国人が作ったが、独裁を阻止する予防措置に、閣議は全員一致という慣例を守り、閣僚全員の同意を集め、賛成を獲得するのに、そんなルールにも無知である。だから、閣僚の顔ぶれとして、イエスマンを集めており、一度閣議決定したものでも、簡単に中止する始末で、過去の経験や知恵に学ばず、ご都合主義が蔓延している。

人間が作る社会組織では、似たような仲間を集め、身内意識で固まると、自家中毒を起こし、弾力性とともに純化の特性で多様性を失い、腐敗しやすくなってしまう。しかも、資質や能力を問わずに、使いやすい者を大臣に任命し、政策を進めた弊害として、行政機能の低下が目立ち、安倍内閣の出来の悪さは、憲政史上最低の記録だった。

だから、無能大臣の失態が続出し、大臣の自殺事件まで起き、内閣の機能マヒと迷走が露呈し、世界から嘲笑されたが、国民も愛想を尽かして、閉塞状態が全土を覆った。実例は枚挙に遑がなく、いかにもお粗末な顔ぶれが、醜聞の温床になったについては、次のリストでも分かり、粗悪品の博覧会だった。

・自殺の松岡利勝・農水相
・絆創膏の赤城徳彦・農水相
・尻軽の小池百合子・防衛相
・暴言の高市早苗・総務相
・軽量級の石原伸晃・国交相
・暴力団の紐付きの野田聖子・総務相
・嘘八百の稲田朋美・防衛相
・経済オンチの世耕弘成・経産相

・税務斡旋（あっせん）の片山さつき地方創生相
・誤読の安倍晋三・首相
・加計（かけ）闇献金の下村博文（はくぶん）・文科相
・失言と暴言の麻生太郎・財務相
・裏資金の小渕優子・経産相
・賄賂の甘利明（あまりあきら）・経済再生相

こんな顔ぶれを大臣に選んだ、首相のお粗末な人事力は、前代未聞というしかないが、未熟者は自分より劣る、追従者を抜擢するので、政界は恥さらしのお花畑だ。人間は法の下で平等だが、指導性や品格では差があり、鍛錬や努力で実力を備え、責任者の資質を身につける。

それにしても未熟さが歴然で、誰の目にも不適任だと、すぐに分かってしまう、劣悪な品性と能力しかない、粗悪な顔ぶれの組閣は、ゴミ大臣の百貨店だった。公安を監督する総務大臣が、暴力団関係者を夫に持ち、ヤクザ政治の温床になり、首相がねずみ講の広告塔を演じ、詐欺商売に協力すれば、世の中が乱れて当然である。

様変わりした政界と粗悪人材の集積

分類は理解するための作業で、政治のあり方を整理するのに、傍観者の立場に位置する私は、「岡目八目」の階層図を作り、試案に名前と序列をつけたら、次のような形で名称が並んだ。政治学者が試みないので、こんな分類を作ってみたが、退嬰的(たいえい)な空気が支配するので、日本のジャーナリズムは、はたして受け入れるだろうか。

・Statesman(ステイツマン)(立派な政治家)
・Politician(ポリテイシヤン)(政治屋)
・Selectician(政治ゴロ)
・Mobotician(衆愚屋)

ポリテイシヤンは政治家だが、私利を目的にする者もいて、「政治屋」を意味することが多く、手垢(てあか)のついた呼び名に属し、卑下的な意味としても、使われることが多い。それに対して、ステイツマンは指導性を持ち、危機を回避する先見力で、既存の枠組みを変革して行く、識見を誇る政治家を指すので、尊敬の念を含む言葉だが、最近は例外的にしか登場しない。「政治はあまりに重要な事柄だから、政治家に任せて置けない」とは、シャルル・ド・ゴール（仏大統領）の名言と伝えられ、「政治は情熱と判断力を駆使して、硬い板に穴を刳り貫く作業だ」という指摘は、マックス・ウェーバーの言葉だ。政治に関与する人の生態は、知るとか行動する形で、生態的な観点に立つほうが、リーダーの能力に迫るから、地位や役割より本質に肉薄し、問題の理解により近くなる。

だが、情熱と判断力の要素が、今の政治家に対して、はたして求められるかは、大いに疑問であるために、どれだけの国会議員が、この指標に適合し、政治を任せられるのかは、検討の余地がありそうだ。また、ステイツマンに対して、ポリティシャンの違いが、政治の枠組みにおいて、どれだけ意味を持つかは、未解決の問題であり、文化や制度によって答えは異なる。ただ、教科書的な一般論では、「より大きな全体を向くか」、あるいは、「支持者を向くか」であるが、問題を決めるにしても、現在の国民国家が、どうなるのかに関して、過渡的な状態に位置する。だが、小選挙区制度下では、政治家のほとんどが、良くて政治屋になってしまい、政治ゴロや衆愚屋も、圧倒的な存在になる。

しかも、指導性は教わるものでなく、気付くことで身につくし、安倍政権の後継者選びでも、人材払底だったように、今の日本の選挙制度では、必用な資質を持つ人は皆無だ。日本の政治システムに大きな問題があるが、世界の政治のレベルでも、時代精神は悲劇的で、コロナ恐慌の混乱を通じ、新世代から指導者が現れ、地平を切り開くのではないか。

カキストクラシー（Kakistocracy）が支配する時代の悲劇

カキストクラシーは聞きなれない用語だが、これはギリシア語のkakistos（極悪）に由来し、アリストクラシー（優秀な者による支配）の真逆であり、最悪の人々による政府を意味している。だから、統治形態としては劣悪であり、暗愚な人間が好き勝手に振る舞い、暴虐無尽が荒れ狂う点では、泥棒政治（Kleptocracy〔クレプトクラシー〕）に等しいという人もいて、政治の支配形態で最低だ。

カキストクラシーという用語は、英国のトーマス・ピーコックが、１８２９年に最初に政治用語として使い、資質に欠ける閣僚が居並ぶ、最悪の政権を指したもので、別の言い方にはゾンビ政治がある。衆愚政治（Ochlocracy〔オクロクラシー〕）がさらに悪化し、最後に行き着くのがカキストクラシーであり、単なる独裁支配に留まらずに、奴隷根性の蔓延を好む衆愚屋（Mobotician）が、その権勢欲を満喫する政体だ。

リーダーは組織に属すメンバーが、ビジョンに従って力を合わせ、実現のために協力するならば、政治が説得力を持ち、人々を導く使命観を備え、最終責任を取る倫理観を伴う。だが、安倍晋三の場合は、まともな教養もないまま、外相の父の秘書になり、かばん持ちをやった外遊経験で、国際感覚を持つと慢心して、定番の出世コースに乗って、政界に登場した世襲代議士だった。

実力のない若手の議員が、父親の安倍晋太郎の七光りで、森や小泉から贔屓の抜擢が続き、出世街道を登りつめ、若手のホープとして脚光を浴び、閣僚の実務経験のないまま、首相の印綬を受けている。これは出世の近道で、幸運に恵まれているが、実力が伴わなければ、張子の虎と同じであり、肩書を有難がる信仰は、指導者の資質に無関係である。

官房副長官の安倍は、官僚の操縦術を学んで、三段跳びで幹事長に就任し、自民党議員たちの弱みを握って、小泉に続き党の総裁になり、あっという間に首相になった。だが、将棋で「歩」が成って「と金」になるように、実戦抜きの成金の安倍は、閣僚経験がまったくなかったので、行政的な経験に乏しく、第一次安倍内閣は病気を口実に、発作的に政権を投げ出している。

高い地位についていても、訓練され鍛えられた資質である、決断力・誠実さ・責任感・適応力という、リーダーの能力に欠ければ、それはボスであっても、指導者であるとは言わない。ビジョンや使命感のないボスが、組織のトップに君臨し、権力をもてあそべば最悪の事態が生まれ、それをカキストクラシーと呼び、安倍政権の実態はその典型で、ゾンビ政治の暴政が開始した。

リーダーシップのない愚民政治とパラダイム大転換

血統主義は競馬の世界の掟(おきて)で、人間の組織では指導性や、能力が決め手になるのに、政界では血統重視が君臨し、祖父が首相で父が外相なので、資質不足でも安倍が自民党総裁になった。日本では与党（多数派）の総裁が、自動的に首相になるので、米国のネオコンに忠誠を尽くし、小泉の腰巾着の安倍でも、首相として組閣したけれど、実力不足で迷走した後で、政権を投げ出している。

その結果は衆愚政治の蔓延で、民主党政権の登場になり、「トロイの木馬」作戦で自己解体し、再び登場した安倍内閣によって、本格的なカキストクラシーの時代になった。それを危惧した現在の上皇は、悪逆非道の政体の跋扈(ばっこ)に対し、時間の断絶の必要性を感じて、回天による日本の再生を願い、汚れきった国の大掃除のために、生前退位の大決断をした。

「歴」と「暦」の文字を比較した時に、歴史は時間を「止」めるが、暦は下に太陽の「日」があり、動きを示す意味論があって、これから大変革が始まるし、パラダイムシフトになると分かる。これまでは求めて蓄積して、大きな量を集めた資本主義が、与えて分かち合うシェアに転換し、社会が大きく変わるが、安倍内閣はその意味に無知で、古い体質のまま滅びることに、気付くこともできなかった。

大日本帝国が潰れた理由は、血統主義で近衛文麿が首相になり、無責任に政権を投げ出した尻拭いで、東条英機が首相に就任し、無謀な真珠湾奇襲に踏み切った。日本の仮想敵国はソ連であり、ノモンハンで大惨敗して、恐れをなして南進政策に大転換し、慌てて真珠湾を奇襲したが、すべてが出たとこ勝負で、戦略も適材適所の構想もなかった。

日米開戦直前の駐米大使は、海軍大将の野村吉三郎だが、彼の英語力があまりに酷かったので、外務省は困り果ててしまい、ドイツから補佐役の特使として、栗栖三郎駐独大使を米国に派遣した。だが、泥縄的な人事だったために、宣戦布告の出し遅れを生んでしまい、「卑劣な奇襲」という口実を与え、日本は体面を大いに損なったが、似た過ちを相変わらず繰り返した。

支離滅裂なゾンビ政体の大本営

和製ＮＳＣで幼稚な首相を囲んだ、４閣僚の中で稲田朋美防衛相が、辣腕のジェームズ・マティス国防長官に、無能な上に無知を見破られ、訪米した安倍はトランプ大統領から、「あの役立たずを交代させろ」と命令され、うろたえた話は周知である。現在は国民国家の時代であり、対外関係の要は外交と国防で、もっとも優先順位が高い領域だのに、最大の欠陥がここにあって、日本のアキレス腱になっている。

安全保障会議は、安倍にとってボリシェヴィキの最後の砦で、首相官邸で独り舞台を演じるために、決め手になる装置だから、「枯れ木も山のにぎわい」として、ハリボテでも飾る必要があった。安倍が首相の資質に欠け、素養と徳性や責任感において、指導者として力量不足なことは、第一次安倍内閣の敵前逃亡で、すでに実証済みのことである。

新世紀になっての自公体制が、いかに粗雑な政権だったかは、外交が対米追従に明け暮れており、防衛大臣が人気取りの目玉で、国防の意味や情報の価値を知らない、小池百合子や稲田朋美が就任し、おざなり人事がもてあそばれた。また、独裁者として戦争を開始するため、日本版NSCを急造したが、いくらハコ物作りが得意でも、ソフトのないコンピューターと同じで、ポンコツ同然だったし、玄関に看板は出しても、人材難で頭脳としては機能せず、それにさえ気付かなかった。

『財界にっぽん』の2007年3月号に、国家安全保障会議について触れ、米国と韓国における、ケースを取り上げて、日本に比べて充実していると、次のように論じたことがある。まず米国の国家安全保障会議（NSC）の役割は、安全保障と外交政策の立案と、その実施に関与するのだが、機構としては次のような内容であり、韓国は米国を完全に模倣している。

「諮問会議に参加する正式メンバーの顔ぶれは、正・副大統領、国務長官、国防会議議長、安全保障担当補佐官であり、CIA長官も必要に応じて参加するほどの権威を持つ。しかも、NSC事務局長の下には、120人の専門スタッフがいて、調査と分析のプロとして仕事を担当する。……次に韓国における安全保障会議は、大統領が議長を務める（NSC）の下に、国務総理、青瓦台秘書室長、国家安全保障補佐官（NSC事務部長）がいる。韓国のNSC補佐官は首相並みであり、その下には外交補佐官、国防補佐官がいるという具合で、組織系統が機能するとともに、外国人に尊敬される人材が選ばれ、谷内正太郎（やちしょうたろう）レベルが議長の日本とは、人選面での洗練度が格段に違う。……だが、日本の補佐官は令外官（りょうげのかん）であり、法的権限や責任は何もなく、首相の茶飲み相手に毛が生えた存在で、ペット的な腰巾着が目立ち、能力や見識は二の次である。おそらくパキスタンをはじめとして、北朝鮮やエジプトの場合でも、国家のトップになるためには、試練を通じた実力競争があり、大臣の経験なしの首相とか、代議士になれば補佐官になれる、そんないい加減さはなくて、もっと厳しい状況のはずである。」

米国に比べて遅れているのは、属領日本の立場から当然でも、韓国やエジプトの国防体制に比較して、遥かに劣るのは仕方がないが、パキスタンや北朝鮮に劣れば、お粗末すぎないだろうか。トップの人材が劣悪であり、国際基準に達しない頭脳力のまま、経済指標の数字に満足して、札束の威力に陶酔しているが、世界の目はそれを見抜いている。

愚者の楽園として聖域化した首相官邸の闇

こんな異常な政治状況が続き、複雑化している国際情勢に対し、わずか数人の未熟人間の判断に基づき、国政が動いているのは、多様性が求められる状況下で、きわめて危険な状態である。しかも、首相官邸に陣取るのが、日本が誇る選び抜かれた人材なら、未来に希望が託せるのに、どう見ても菅官房長官以下、三流の顔ぶれぞろいだから、愚者の楽園が聖域になり、危機をチャンスに生かせない。

その理由は官邸がメディアにとって、情報をもらう場所になっており、情報を取ろうとする勇気や調査力がなく、首相官邸の暴走を放置し、誰も調査報道のメスを入れていない。官邸のゲシュタポ化について、『財界にっぽん』の2017年10月号に書き、それがYouTubeで紹介されて、多くの人から「あの記事は盲点を突く報道で、日本に欠けた視点だ」と評されたが、外国住まいをする私の指摘の前に、国内から記者が登場してほしかった。

「出る杭は打たれる」と言って、控えめで目立たないことが、日本では美徳とされており、皆が遠慮する姿勢が支配し、積極的な意思表示を押さえ、行動を慎むために民意が生きない。忍耐の蓄積が活力を削ぎ、シャッター街や過疎村を作り、連帯感の喪失につながって行き、地方の町が寂れているが、勇気を持って立ち上がれば、中央政府の支配は解体し、地方の活力は取り戻せる。

日本には優れた人材がおり、批判精神を身につけた彼らが、適材適所で活躍すれば、勇気ある発言が拡散して、現在の退嬰的な空気を破り、日本の社会はもっと元気になる。ところが、権力の横暴が放置され、メディアが牙を抜かれて萎縮し、愚民政策を放置しているために、洗脳工作が進んでいて、閉塞感が支配している。

だが、世界は広大に広がって、地平線の彼方には、新天地が待ち構えるし、宇宙に向けて上昇すれば、天空から鳥瞰的に眺め、補助線を引く足場から、人間世界を遠望できるのである。その観点で捉えたのが、この章と次の第４章で、国内で「井の中の蛙」として考え、大海の存在を知らずに、井戸の底を世界と思い、安倍の暴政に騙され続けた、蒙昧さに気付くのではないか。

常識だと考えられていることが、大きく変わって行く時は、その中では変化に気付くのは困難で、安定状態が続くと感じて、パラダイムの変化に気付かず、現状維持が最良だと思いがちだ。だが、「岡目八目」というとおりで、客観的に見る視点は貴重で、歴史を鏡に使って比較すれば、わざわざ国外に行かなくても、抽象化で同じ効果が得られるし、より高い次元に立てて、それをゲシュタルトと呼ぶのである。

第4章

史上最悪のゾンビ政体の病理診断

ダイアグノシス（診断）の価値と最高指導者の病理の悲劇

その道で古典に属す本で、戦後1976年に出版され、世界から注目を集めた『現代史を支配する病人たち』（ちくま文庫）は、センセーションを巻き起こした。「歴史上つねに重大な、役割を演じてきたのは、狂人、妄想家、幻覚者、精神衰弱者、精神病者である」という、序文の書き出し自体が衝撃的で、私は引きずりこまれて読んだ。

パリの『レクスプレス』誌で、医療担当記者のピエール・アコスと、ジュネーブ大学医学部内科や、ニューヨーク科学アカデミーに属す、ピエール・レンシュニック博士の共著は、実証的で啓蒙（けいもう）的だった。ルーズベルトに始まり、ヒトラーやチャーチルなど、スターリンや毛沢東まで、20人以上の各国指導者が、病跡学的な観察に基づき、病理診断を下されて、その意味合いが考察してある。

私は20度ほど読み返して、その手法を学び取り、地球の医師の立場から、自分のノウハウ化を試み、心理学や精神分析に、活用して裁判に使って見た。米国は詐欺師の天国であり、ビジネスをしたおかげで、何度も被害を受けたし、訴訟には高い授業料を払い、弁護士の無能さを学び、政治家の限界も理解できた。

この貴重な経験からして、欧米と中東系の詐欺師に、手強い連中が多かったし、華僑系が二流ならば、日本人は独創性がなく、物真似が多いためもあり、四流という格付けになる。政界はもっとお粗末で、外交下手に見るとおり、大局観がなく、目先の利益にこだわる近視眼のため、嘘も幼稚ですぐにばれ、大悪党よりは小者が圧倒的だ。

超一流の詐欺師は英国人であり、シャーロッキアンの国には、凄い紳士が大量にいて、世界を舞台に謀略を試み、それが詐欺にならないうちに手じまいするので心憎い。流石はジョン・ローの国で、日本の幕末騒動から、日露戦争の経過を含め、熟考すれば、日本は乗せられ手玉に取られたことが、後知恵として分かってくる。

その典型の例として、サザビー商会があり、ロンドンのこのオークション会社は、骨董品や絵画を入札で捌き、原価の数万倍で売却し、偽札よりボロい商売で稼いだ。入札は公開取引だから、誰も文句を言わないが、偽物が何割も混じっても、鑑定人も仲間に組み込み、犯罪を知能で偽装して、世界に君臨し続けてきた。

そんなことを思って、安倍政治を観察し、病気の顚末を横軸に、政治の流れを縦軸に使いながら、『現代史を支配する病人たち』を下敷きに使い、随想的にまとめて楽しんだ。活字になったものに、月刊誌『紙の爆弾』をはじめとして、断片はネット上の記事の形で、公開されている。安倍は病人であるが、誰も辞任を勧告しないから、辞めろという「紙礫」を飛ばした。

病状を呈している日本のメディア

ある考えが蔓延して、大衆が理性を失い、妄想が蔓延すると、宗教はカルト化を強め、政治は暴虐化するし、経済活動は詐欺の蔓延で、社会の秩序は崩れ去る。人間の歴史の実態は、その繰り返しだが、教科書には描かれず、社会の深層底流として潜み、情報メディアを通じて、それが表層に伝播(でんぱ)する。

私の読者にはジャーナリストが多く、最近の彼らは覇気を失っている。書く記事に掘り下げと統合性がなくなり、閉塞感が支配的な理由は、強い「うつの気分」のせいだ。閉塞感はストレスの原因で、病気の8割はストレスに由来し、気が病むと病気になるが、ゾンビ政体の支配が続き、日本中が意気消沈して、元気なのはゾンビ仲間だけだ。

国民の幸せを実現するのが、政治の使命であるのに、それを忘れた政権は、法治国家の真逆を行く形で、人治政体を突き進み、法律を無視し続けて、長期政権を維持している。国会における討論は、嘘と欺瞞に包まれて、不誠実さが丸見えで、猿芝居が露見しているのに、ジャーナリストは追及する元気を喪失しており、日本の現状は異常そのものだ。

国内にいると分からないが、世界からそれを見れば、一目瞭然の異常現象でも、前頭葉がマヒしてしまうと、五感が機能しなくなり、情報への感受性が消え、取材能力を喪失してしまう。そして、記者クラブに陣取って、役人が作った記事をもらい、それを配信をするだけで、創造的な仕事をしないから、ジャーナリストの気力が衰え、元気がなくなるのは当然だ。

新聞社や通信社に行くと、最近は社内の立ち入りが、厳しく規制されていて、内部に入った私の観察では、記者の多くがモニターを眺め、ペンを走らせる者はいない。現場で患者に触れない限り、医者は診断できないし、つねに鍛える努力を怠れば、観察力や判断力が衰えて、盲目になってしまうが、権力の監視が報道ではないか。

同じことは公人の報道が、個人情報の秘匿の壁で、情報公開が妨げられ、忖度（そんたく）に似た自主規制が働き、取材を放棄しており、必用な情報であるのに、国民に知らされないままだ。メディアは中立を装うが、情報を提供する責任があり、判断は読者の選択に任せるのが、円熟社会の常識であるのに、新聞社や出版社は萎縮し、日本では岡目と大局観が消えている。

安倍内閣になってから、言論統制が強化されて、首相を批判した記事は、官邸が刑事告訴をすると、お触れを出したので、出版社は自主規制し、安倍を批判した本は姿を消した。その前段階にヨイショ本が、書店に平積みになり、ゲッベルスの手法に学び、プロパガンダを狙う形で、巧妙な情報工作として、全国展開されたのである。

安倍晋三が首相になるために使ったパクリ本の錬金術

安倍がかつて自分の著書と称し、『美しい国へ』の題で発表したが、ペテン性を見破った私は、この本をテコに総裁になり、君臨した手口について、『さらば、暴政』の中に書いている。ロサンゼルスのブックオフで見かけ、表紙と目次を一見して、私はこれは選挙用に作られた、本を装った選挙用パンフレットで、インチキ本だと見破り、次のように分析結果を書いた。

「経験と指導性の上で、未知数だった安倍晋三が、ドサクサ紛れに首相の椅子に座った理由は、自民党議員の人材が、枯渇していた事実とともに、巧妙な宣伝工作を展開したことが重要である。総裁選挙の二カ月前に、安倍の政権構想とされる、『美しい国へ』と題した新書本を、文藝春秋が発行したのだ。そして、全国の本屋の店頭に、平積みになったが、カバーに巻いた帯には、安倍の顔写真がカラーで印刷されており、選挙ポスターとしての宣伝効果を狙っていた。メディアの注目を集めた、この作戦の採用によって、安倍は顔写真の主として話題を集め、それを人気に転じ総裁選挙に勝利した。」

それだけではなくて、『美しい国へ』の題名もじつにいかがわしく、国際勝共連合の久保木修己会長が書いた、『美しい国　日本の使命』のパクリで、内容も換骨奪胎だったのである。どうせゴーストが書くのなら、三流でなく一流のゴーストを使い、化けの皮が簡単に剝がれる幼稚な小細工はしないほうが良いのに、根が卑しいから、そこまでは考えなかったのだ。

だから、『さらば、暴政』では1章を割き、安倍のネオコン政治について、徹底的に批判したために、出版妨害で書評は限りなくゼロで、斎藤貴男の『サンデー毎日』が唯一だったが、それも間もなく削除された。安倍時代は言論干渉が著しく、批判的な言論人が干されて、メディアから追放されたし、「寿司友」の突出が目だったので、洗脳工作が著しい時代だった。

小泉純一郎と安倍晋三はサイコパス

名誉毀損の訴訟が増えたので、新聞社や出版社がおよび腰になり、自主規制していることもあり、『小泉純一郎と日本の病理』でも、サイコパスに関する記述は、出版社側の忖度で削られた。英語版の世界向けの『Japan's Zombie Politics』では、診断部分を復元しておいたが、サイコパスの特徴としては、平気で嘘をついて罪悪感がなく、自分は正しいと信じ込み、やりたい放題をするのである。

サイコパスは感情移入の欠如で、良心や他人への思いやりに欠け、平然と口から出任せを言うし、嘘をついて期待を裏切り、責任を取らず好き勝手に振る舞う。だから、「自民党をぶっ壊す」と言って日本を破壊した、小泉純一郎の行動様式は、直情的な当たって砕けろ方式であり、議論抜きで強行採決に終始し、平気で虚言を使いまくって恥じない点で、安倍晋三の生き様も同じである。

フクシマでの原発事故では、東電も政府も事実を隠蔽し、中性子を含む放射性蒸気の流れが、地球全体を包み込んで、トリチウムで汚染した水が、太平洋に拡散して生命を脅かしている。こうした大きな犯罪に対し、安倍が責任を感じないで、原発の再稼働や海外に向け、原発を売り込んだ行為に、はっきりと表れていて、その天罰が東芝の破綻危機である。

すべてが衰えて退化する時代は、感情的なものが支配力を強め、独善的な時代精神が卓越し、客観性や理性が尊重されずに、信頼感が姿を消して、社会の劣化と崩壊が進む。暴政が君臨しているので、戦前回帰への路線が、時代精神を支配するために、退化が社会の原動力になって、歪んだ価値観が日本を

覆う。

嘘も方便を使いまくる点で、政治家、弁護士、投機師が三羽烏(さんばがらす)で、倫理を喪失して詐欺師として、利権を漁る仲間になり、闇の世界と手を結んだ、卑しい者が多数派である。そのせいもあって、サイコパスの本が売れており、ベストセラー化して用語も定着したが、学問的には後進国だから、小泉純一郎に抜擢(ばってき)された安倍晋三も、同じサイコパス仲間だとは、論じる者がいまだいない。

地球を患者として鍛えた診断術

１９６０年退陣した岸信介の孫で、世襲で議員になった安倍は、独裁体制の確立で知られている、スターリンと共通であり、ルサンチマンに取りつかれ、自分より優れた者は退け排除した。小泉政権の官房副長官で、メディアいじめとともに、官僚支配の醍醐(だいご)味を味わい、公安の持つ力を意識し、内閣に人事局を作ると、官僚を完全に支配下に置いて、ボリシェヴィキ体制を敷いた。

私は医師の免状は持たないが、地球を患者に観察し慣れて、社会診断の分野も取り扱うので、『平成幕末のダイアグノシス』（東明社）を書き、診断ではプロとして鍛えた医師に、似た立場にいると自負する。だから、数年前に出た『生命知の殿堂』（ヒカルランド）は、副題に「現代医学と日本政治の病理を抉る！」とあり、謳い文句は「ガイアドクターのメタ診断」で、勝負どころは診断の冴えにある。

だから、扉にあたる冒頭のページには、

「かつてオイルマンだった私は、医学と石油開発の相似象に魅了された。鉱物資源は地球における『がん』化物質であり、石油は膿にすぎないし、炭田や鉱床は腫瘍に相当すると考え、地球の生理異常を診断する医師として、30年も前からそう書き続けてきた。」

と宣言し、病跡学（Pathology）的な考察を試みている。

最近はナノテクノロジーの進歩で、分子生物学が発達して、ナノサイズのコロイド分子の働きに理解がおよんだせいもあり、H_2Oのコロイド分子の働きが、生命におよぼす威力の認識が改まった。水素の原子転換では、水蒸気の中のナノ分子が、体内で核融合に似た働きをし、フクシマ産の放射性水分子に、悪魔のミッションがあっても、日本には手を出す人もない。

リニア（直線的）発想しかしないので、水素とヘリウムが離れて見え、右と左を対極と考える頭脳は、周期律表を平面で見るが、これは円環で見るべきで、トーラス発想が必要になる。

それを理解する頭脳には、ポアンカレ予想の理解が、必要とされているし、そのためには複素数を使い、自然現象を観察して、科学が変わる必要がある。

個人の健康を維持するために、多くの逸材が医者の道を選び、その努力の総意が結集したことで、近代的な医療制度が完備し、世の中がよくなったように見える。だが、現代医学の基本姿勢が、その場しのぎが中心で、本質的に治すことでないと論じ、『医学不要論』（三五館）を出した、新進気鋭の臨床医が登場し、私でも驚愕（きょうがく）する意見を吐き、大いに活躍しはじめている。

現場で学んだ悲惨な実態の告発

１９７４年生まれの内海聡（うつみさとる）博士は、気鋭の内科医として、医療の現場の荒廃を痛感し、この本を執筆しているが、政治の現状を観察し、『ゾンビ政治の解体新書』を書いた私と、共通の危機意識を持つ。だが、医療の現場の第一線で、活躍している若い彼が、患者に接した医師として、仕事を通じて得た実感は、いかに現状が深刻で、日本人の洗脳のひどさを物語る。「岡目八目」で離れて観察し、歴史の相似象で考えるので、現場の生々しい雰囲気を感じ、敬意を捧げたいと思うが、本来は現場を担う医師に、政治家の病理診断を期待したい。

「現代医学や医療の本質は、人間を悪くすることになっているのだ。毒を盛り、嘘を付き、体を壊し、さらに医原病を作る。実際のところ、医学の大半はこれしかやっていない。」

と決めつける能力で、政界の現状にメスを加えてほしい。

『医学不要論』の執筆理由に、「本当の医学とは、本質的な治癒をもたらすものであり、それ以外は医学とは呼ばない。病院に行かなくても済む状態になることが、治癒であり、それ以外を治癒とは呼ばない。」という、こんな痛快な言葉を聞けば、医師への信頼は磐石になる。これだけ自信を持って、患者の診断を行い、適正な処置ができるのなら、診察の上で治療に関し、適切な治療措置をしてほしい人がいる。

それは安倍首相であり、彼は潰瘍性大腸炎という、悪質疾患を持病に持ち、過酷な仕事や判断は無理で、首相の重責は任に耐えず、より健全な人に任せて、治療に専念すべきではないか。飛行機のパイロットが、重い病気である時と同じように、辛い仕事をさせることは、一億人の運命を考えても、非常に危険なことであり、国家の安全上から看過できない。

名医の診断と処置の役割が、いかに重要であるかを、歴史的に総括した後で、腸機能について考察し、私が下す診断については、この章の後部で論じ、臨床医の批判を仰ぐことにしたい。歴史を振り返って見ると、『現代史を支配する病人たち』が、示す多くの例症では、国家のトップが患い、重大な局面において、判断を誤ると亡国の悲哀を味わう。

現場の医師が発言する、正鵠を射る診断が生かされ、それが政治に反映し、理性的に国政が営まれていれば、日本の政治の現状は、これほどひどくならず、私がペンを執る必用もなかった。だが、これが日本の現実であり、医療の世界も政界も同じで、社会は溶融状態になって、ガタガタ状態の日本は、閉塞感に包まれ「酔生夢死」である。

「愛の宇宙方程式」とゾンビの透視

１９９０年代の半ばだが、ビジネス生活を辞めて、５年ほどだが聖地を訪れ、世界を放浪して歩いたことで、私は幸運な50代を迎え、冴えた心眼を伴った、魂と結ぶ還暦へ歩み出していた。訪れた数多くの遺跡は、エネルギースポットで、そこで浴びた波動の効果により、不思議な力が生まれ、ゾンビの姿が透視でき、目の前の情景が一変した。

こんな奇妙な出来事が、自分に起きるなどとは、夢にも思わなかったのに、それが現実に起きたことに、我ながら驚いたけれど、後で出会った本の中で、似た体験をした人がいて驚いた。それはジュネーブ大学で、量子力学を研究して、「ヤスエ方程式」を発見した、保江邦夫博士が書いた、『愛の宇宙方程式』を読み、彼の人生が私の体験に、とてもよく似ていて驚いた。

彼は合気道をやっており、私は岩登りが趣味で、ともにアルプスを眺めて、青春時代を過ごしているが、生命力の根源をはじめ、ルルドの水に興味を持ち、心と魂について思索をするのが好きだ。しかも、四股を踏み固めたり、腹式呼吸を好んで、審美の世界に関心を持ち、隠者を求めて山に行き、『華厳経』に敬意を払い、数理発想が得意だから、こんなことを本に書いている。

「物理学や数学の世界では、新しい原理や方程式は、『作る』とは言いません。『発見する』『見つける』と言います。すでにあるものの中から、誰かがそれを見つけるのです。……疲れ果て、思考力もほとんど止まった時、ふと方程式が出てきます。……カール・フリードリッヒ・ガウスも、アンリ・ポアンカレも、中世の頃から現代に至るまで、著名な学者のほとんどがそうでした。発見したものが凄いものであればあるほど、その発見の仕方は同様でした。」

訓練した創造力が、右脳と左脳を鍛えて、左脳を止める能力を身に付け、呼吸を整えた時に、直観が生まれると思い、私は保江博士の考えに賛成し、現象を観察し背後に潜むものを透視して診断する。

しかも、興味深い一致だが、保江博士は仕事中に、耳が聞こえなくなり、幻覚と幻聴に襲われて、大腸がんと診断され、緊急入院で治療を受け、退院後に便秘を患い、今度は本格的手術をした。その入院の体験が、私の場合にそっくりで、保江さんは水に関心を持ち、ルルドの泉を訪れて、興味深い体験に関し、詳細な記録をまとめ、本の中にレポートしている。

彼は雪解け水について、次のように理解し、そこからルルドの泉に、関心を向けるようになっている。

「水は氷から液体の水になる間に、すべてが完全に離れ離れになった、水分子になるわけではありません。平均すると10個くらいの水分子が集まって、大きめの水分子集団を作り、水となっています。それが日光に当たったり、日数が経つと水分子集団がさらに壊れて、水分子が離れ離れになった、普通の水になりますが、雪解けして2日くらいでは、水分子はいまだくっつき合っている状態です。……生命力を蘇らせるのは、この解けたばかりの水なのだ。……抗癌治療に費やす費用と時間でルルドに行き、その奇跡の水を頂こう。」

私は2週間の予定で、台湾から米国に行き、苦しい便秘を患って、医者に行ったら潰瘍と診断され、運よく保険があったから、米国の医療を調べようと、手術を受ける体験をしてみた。

その体験は『生命知の殿堂』に、レポートしておいたし、ルルドの泉の特性については、『アポロンのコンステレーション』の、第3巻に次の仮説を論じ、学者の批判を仰いでいる。

「ルルドの聖水の秘密は、ドロマイト化の一種で、地殻内における原子転換であり、石灰岩の苦灰化でCa（カルシウム）がMg（マグネシウム）に置換し、稀有の治療効果をもたらす。CaがMgで置き換わって、石灰岩が苦灰岩化するプロセスは、トランスミューテーションに属し、湯治効果の高い温泉や。聖なる水が湧く泉を生じる。……ルルドの訪問者は水に注目し、聖水として有難がり、神の奇跡を讃えて巡礼を繰り返し、100年以上も継続するが、岩石の観察を忘れていた。だが、マサビエルの洞窟においては、泉源の露頭に見るとおり、断層面の上は白色石灰岩で、下層は黒っぽい苦灰岩化し、その違いは明白だのに、水を見て母岩を見落とした。……フランスのルイ・ケルブランが、生体内で酵素や細菌の作用で、生体内で元素が原子転換する、元素転換説を発表した1960年代は、それが疑似科学だと決めつけられた。だが、その後にユタ大学であった、常温核融合事件に続き、各種の元素変換の報告は、現象の発見の段階から、メカニズムの検証に進み、新技術が仮説を実証している。」

私は神や霊は信じず、瞑想（めいそう）で宇宙につながり、現象の背後を透視し、見えないものが心眼で見え、それが洞察だと信じ、発言しているために、大衆に生意気と言われた。だが、さまざまな現象の背後には、必ず原因が潜んでいて、そのプラットフォームが、一段高い次元に位置しており、階層構造に気がつけば、現象を作る構造が見え、機能原理が分かるから、それが私の発見になる。

名医が憧憬（どうけい）した国師のイメージ

最高の医師は名医と呼ばれ、ひそかに隠れ住む人として、患者が捜し求める存在だが、戦国時代末期から徳川にかけ、名医として仰がれた医師に、１５０７年に京都で生まれた曲直瀬道三（まなせどうさん）がいる。権力者がもっとも恐れるのは、敵に弱みを握られて、秘密を知られることであり、病気は極秘が当然で、秘密を知る医師の仕事は、危険と背中合わせだった。

大衆が相手の医師なら、そんなに問題はないが、侍医（じい）や御殿医（ごてんい）になると、秘密を知ったことが理由で、スパイ容疑で殺されたり、秘密厳守に口封じされた。ところが、安土桃山の戦乱の時代に、時の英雄の医師として、敵味方に関係なく招かれ、足利将軍の診察をはじめ、彼は管領（かんれい）の細川晴元や、三好長慶（みよしちょうけい）を治療している。

グラビア特集
「ルルドの聖水」を求めて…
文と写真　藤原　肇
ルルドのノートルダム大聖堂（バジリカ）と泉に向う病人の車の列
聖水を汲んだりポリタンクに詰める人たち
巡礼用の大きなローソクをかつぐ人たち
マサビエルの洞窟とマリア像
遠望するピレネー山脈の石灰岩（この岩がマサビエルの洞窟を作っている）
◀マサビエルの洞窟と巡礼たちをガブ川の対岸から望む。
下はルルドの泉の源泉（ガラス窓からのぞく）
35
財界にっぽん　2006・8
36
2006・8　財界にっぽん

田代三喜

曲直瀬道三

しかも、松江では毛利元就を治療し、京都で正親町天皇を治して、続いて織田信長、豊臣秀吉、徳川家康まで、患者として治療を受け、宣教師のオルガンティノも、曲直瀬道三の治療を受けた。権力者の多くが治療を受け、巨大な秘密を握ったのに、無事に生涯を全うしたのは、名医と文化人の功績で、彼は医学中興の祖と仰がれた。

これだけの栄誉に輝いた彼は、自分は患者の医師であり、彼の足利学校の恩師だった、田代三喜を国師だと敬い、「私は人を治し、国師は国を治す」と賞賛した。田代三喜は明に留学したが、最高学府の足利学校で教え、医聖・田代三喜と言われており、名医の上の国師として、貴重な『三喜流秘伝書』を遺し、それは診断の奥義書だ。

武漢ウイルス騒動では、不手際の続出により、安倍内閣は醜態を演じ、ドタバタ騒ぎに終始したので、危機管理能力のなさが、露見してしまったため、医療先進国の化けの皮が剝がれた。御用学者が政治家や役人と、トリオを組んで指揮したけれど、危機の本質が分からず、右往左往しただけで、いくら日本に名医がいても、彼らの力を活用できずに終わった。

診断は観察がすべての始まりで治療行為の入り口

診断は身体が示す情報を読み、生理異常の原因を探り、患者に施す適切な措置を決め、患者を苦痛から救う、重要な医療プロセスで、もっとも基本的な行為である。診断が正確に行われて、治療が始まるのだし、判断力をつける厳しい訓練が、医療関係者に施されて、鍛えた人材を集める形で、文明に医療制度ができた。

だが、診断は患者の観察だが、観察を軽視する医者が増え、患者を看ないし触らず、医師の多くがモニターを眺め、処方箋を書く仕事が、日本の医療の中心になった。患者の観察を出発点にして、「望診」「問診」「聴診」「触診」で、異常を発見して症状を知り、次に処置を決めるのだが、医師の施術のイロハは、診断が正しいことにある。

体躯（たいく）や身振りの観察で、健康状態を判別できるし、目の輝きや声の調子で、精神状態を読み取ることは、日常生活で活用しており、誰でも知っていることだ。舌の色や神経反射により、健康を識別する方法は、漢方も西洋医学も共通で、もっとも親しまれているのが「触診」だが、医師に身体を触られて、人間は患者の自分を意識する。

医者のシンボルの聴診器は、患者の胸や腹に当てて、音の反響で身の内部を感知し、病因を見つけたが、それが診断の基礎で、波動は情報を伝達する。聴診器と呼ばれている道具は、接触して音を聞く装置で、治療の入り口を象徴し、宗教家は太鼓を叩いて音を聞き、音楽家は弦や声帯を震わせ、共振関係で調和を確認する。

修験は地質学者の祖形で、手にした錫杖（しゃくじょう）で大地を叩き、響きで岩の金属含有や性質を知り、鉱山開発の調査に使うが、鉄道員は車輪を叩いて、亀裂の具合を調べた。石や岩の含有鉱物や密度は、手応えで組成が分かり、ハンマーを聴診器に使い、大地を相手に医業を営み、私は波動の価値に親しんだ。

生命活動の根源を司る腸管の役割

動物の腸管は口腔から肛門まで、管状の器官の総称だが、大腸や小腸が主要器官を構成し、食物の摂取や吸収をはじめ、排泄（はいせつ）作用まで担当して、それが生命活動の基礎を支える。腸管がさらに分化発達して、心臓や肺臓などの臓器になり、生命体の基本を作り上げ、十数億年の進化の過程で、ホモ・サピエンスに発展し、腸管には生命の根源が宿る。

安倍は潰瘍性大腸炎を患い、17歳の時に発病したが、１９９８年には３カ月間も入院して、徹底的な治療を施され、慢性化して医療措置を受けた。60キロの体重が40キロに減り、ステロイド治療を続けたので、いまだに血便症に悩むし、疲れる仕事は体力を損なうから、ストレス作業は厳禁である。

副腎皮質ホルモンのステロイド治療は、多くの副作用を伴い、感染症や消化異常に基づく、うつ病や異常興奮が表れ、それはクッシング症候群で、健康状態の劣化が読み取れる。ステロイドによる弊害には、睡眠障害を伴うことが多く、副腎機能と異常なホルモン分泌で、冷静な判断ができなくなり、興奮や嗜好（しこう）に変調が頻発し、思考や行動に表れるために、首相の激務は危険な賭けになる。

潰瘍性大腸炎でも、腸管全体に転移して、直腸と肛門を切り取り、食事療法に頼る段階になると、ステロイド治療以外に、解決策がなくなるし、薬が次第に効かなくなる。免疫不全の仲間だが、症状が落ち着く寛解期と、再燃期が繰り返し、普通人に似た活動は可能だが、医者仲間の会話では、定期的な治療が必要で、激務は避けるのが賢明だという。

健康な人でも激務は大変で、重要な決断のためには、冴えた判断と理解が不可欠だから、体調が健全でない時には、責任ある仕事から離れて、まともな精神の持ち主に代わることだ。それができないのはエゴで、サイコパスだと分からずに、首相が感情にかられヤジを飛ばし、正常だと思い込んでいるが、達人には異常だと見抜ける。

醜聞は「悪事千里」で世界に拡散

嘘はつき馴れていても、無意識の支配はできず、声を周波数分析をすれば、細胞レベルの変異が分かるし、それを使うメタ心理学は、全世界で利用されている。35年ほど前のことだが、中曽根康弘が訪米した時に、ホワイトハウスはＮＬＰ（神経言語プログラム）を使い、各国の要人の発言を分析し、発言の真偽を判定していた。

米国は詐欺師の天国だから、この技術の訓練を受け、裁判の時に活用して、私は非常に役に立てたが、ＮＬＰ技術は隆盛を見せ、最近は日本でも流行している。

顔は望診の最初の対象だが、国会答弁の安倍の顔は、欺瞞を隠すふて腐れで、むくみが強く表れているために、精神的な疲労が目立つが、医者で指摘をする人がいない。

米国や中国の監視部門では、ヒューミントの調査の他に、映像や声紋分析を使い、首脳陣の健康度を調べており、兆候は隠しても丸見えだから、読まれていると知るべきだ。首相が口から出任せを言い、官僚が用意した原稿を、抑揚もなく棒読みして、書き込みに従い水を飲む仕草は、「悪事千里」で拡散している。

しかも、興奮して首相が喚(わめ)き散らし、醜態を演じた安倍の姿は、プレスリーの館でロカビリーを踊り、ブッシュ大統領が苦笑した、小泉純一郎の仲間扱いで、侮蔑(ぶべつ)の目が安倍に注がれた。小泉劇場の昔から、20年近くも続くので、猿芝居を見慣れた国民は、下手な演技を見飽きたが、大臣までが大根だから、国会が場末の「掛け小屋」だ。

本人は気付かなくても、ストレスで疲弊した時は、ろくな判断ができないが、追い詰められるとメッキが剝がれ、空威張りも空虚であり、誰の目にも疲弊が見える。見栄を張っていた独裁者が、ちょっとつまずくと元気を失い、スターリングラード攻防戦（1942～1943年）の敗北の後で、大本営を訪れた国防軍の将校は、ヒトラーについて次のように書いた。

「目が膨れて頬に赤いシミが浮かんでいた。目の動きは減少し背中は曲り、左手と脚の痙攣が見られ、歩く時ひどく脚を引きずった。身体の動きはぎこちなく、興奮しやすくなっている。言い出したことは頑固に執着し、同じ思い出を繰り返し話し続けた。」

疾病に苦しむ独裁者の姿には、共通の病理が表れるが、安倍が興奮して早口でしゃべりまくる時に、自制力の衰退が目撃でき、これはタダならないと、思わず心配になった。ヒトラーはパーキンソン病が亢進し、手が震えていただけでなく、精神の集中もできなかったために、彼を撮影した映像では、手の部分の写真は放映禁止だった。

系統発生と生命力の根幹の健全な腸の活動

「系統発生は個体発生を繰り返す」で知られた、「反復説」と呼ばれるヘッケルの仮説は、進化のプロセスを論証し、生命科学における、非常に偉大な理論である。この系統発生を徹底的に研究し、生命の神秘を解明した、西原克成博士の仮説は、多くの実験と解剖学的考察に基づく、画期的な新免疫理論だが、『内臓が生み出す心』（ＮＨＫブックス）を著した、彼は口腔外科医である。

西原理論があまりにも画期的だし、白い巨塔の伝統に背いたので、学界や大学では黙殺され続けたために、学位を取り東大医学部講師になり、定年も講師として迎えた彼の経歴は、陰湿ないじめに耐えた人生だった。三木成夫（みきしげお）博士の生命形態学をベースに、相対性理論の重力を組み合わせ、進化の秘密に迫った西原理論は、ノーベル生理学・医学賞部門において、受賞候補になって良いと思い、私は西原博士と何度か対談を試みた。

多細胞生命体は腸の発生で始まり、腸管の両端に口と肛門ができ、腸管は３層構造だとする西原理論では、鰓（さい）（口）腸、腹腸、肛腸に分かれ、それぞれの腸から臓器が発達する。鰓腸（さいちょう）は肺から頭部を構成し、神経中枢の機能を果たすが、中間に位置する腹腸はもっとも重要で、生命をエネルギー面で支え、肛腸は排泄や生殖機能を司る。

しかも、腹腸は腹部の主要臓器として、腸、心臓、肝臓、膵臓（すいぞう）、胃、筋肉などが、酸素や養分の循環や吸収を司り、生命活動の根幹と情動を支配し、ホルモンや体液の分泌や調整を行う。38億年にわたる生命の歴史は、嫌気性である単細胞の精子と、好気性で細胞分裂する卵子が組み、複雑な進化のプロセスを経て、ホモ・サピエンスに至る進化を遂げたが、生命の根源は腸の働きに依存する。

　鰓腸は活力と精神を制御して、生命活動を支える腹腸とともに、体壁筋肉系との共役関係のおかげで、大脳新皮質の発達を促すが、精神と心が調和して結びつき、ホモ・サピエンスを誕生させた。健全な腹腸の働きにより、均衡と調和に満ちた心が生まれ、安定した精神状態を作り出し、長い進化のプロセスを通じて、文化と文明が育まれた結果が、現代社会の誕生に結びついた。

腸の機能不全は生命力の欠陥

　紀元前３世紀に活躍したヒポクラテスは、コス島に診療所を開き、医聖として敬われた名医だが、彼は「すべての病気は腸から始まる」と言い、この言葉を医師たちは２０００年も信じてきた。また、ノーベル生理学・医学賞を受賞した、ロシアの微生物学者イリア・メチニコフ博士は、「死は大腸から始まる」と喝破し、脳疾患をはじめほとんどの病気の原因が、免疫に由来する腸疾患である。

　腸管の中には大量の微生物がおり、この複雑な体内環境に対し、マイクロバイオーム（微生物叢）と呼んでいるが、身体の活動や感覚的な反応は、すべて体内環境の健康状態で決まる。

大腸に住む１００兆個の微生物は、生理機能や免疫システムを司り、腸の健康度に脳は強い影響を受けるのに、腸に重度の疾患を持つ人間が、首相として権力にしがみつき、重大な案件を決定するのは問題だ。

自我が腸に宿るとする西原理論だと、健全な腸による代謝機能が、細胞のリモデリングを遂行するのであり、難病の潰瘍性大腸炎を患(わずら)って、クッシング症候群だと誰にも分かる病人が、トップとして判定を下すのは、危険この上ないことだ。国会審議の中継放送は、外国でもYouTubeを使い、観察ができるので、安倍の顔を望診し、ステロイド中毒だと知るには、Ｇ５までを使う必要はない。

悪性疾患の治療に、安倍が特効薬を求め、米国で極秘に愛用され、悪名の高さで知られている、アドレナクロムを服用し、頑張っているのなら、禁断症は恐るべきだ。一億人の乗客を乗せた日本号が、重症なパイロットの舵取りで、時代の激流の中を飛行するなら、日航１２３便墜落の運命に似た、不吉な未来を予想させる。

しかも、活況を呈した中国経済は、成長が鈍化して景気が低迷し、シャドーバンクの破綻が著しい上に、世界の市場は生産の過剰で、物が売れない状況が始まっている。ドイツ銀行はＣＤＳ（クレジット・デフォルト・スワップ）を抱え、７０００兆円の債務超過で、倒産は時間の問題だと言われ、行く手にリーマンショックより大きな、金融破綻が待ち構えている。

社会を支える共通善に無知で、自分だけ正しいと信じる安倍は、ハリネズミのように身構えるが、狐の知恵には無縁だし、複雑多岐な国際政治において、無知を露呈して外交をもてあそんでいる。合理的な判断による決定と、叡智(えいち)に基づく深慮を抜きに、嫌悪の感情で動く安倍には、賢慮と結ぶフロネシス(中庸を守る徳性、実践的な知)がないし、目先の利害とネポティズム(縁故主義)に頼り、日本丸を舵取っているが、その航跡は支離滅裂である。

ナチスがオーストリアを併合し、英国に亡命する途上のフロイトが、パリで精神分析に詳しい精神分析学者のマリー・ボナパルトに会った時に、「患者が病院を占拠したら、精神科医は逃げるだけだ」と嘆いたが、同じ状況に日本は置かれ、国の運命が危険に瀕(ひん)している。大腸を病んでラドン・ガスに頼る人が、能力の限界を超えた形で、政治をもてあそぶのは無責任であり、権力への妄執を断ち切って、日本丸の難破を避ける必要がある。

遺跡を見る目と患者を診(み)る目

古代の遺跡を訪問して、そこにしばし佇(たたず)んで、過去の時代を追想し、在(あ)りし日のことを思い描けば、過去の情景が頭の中に、生き生きと蘇るので、私は遺跡への旅が好きだ。旅人として訪れて、景観を眺めるならば、目の前に広がった、崩れた石垣や石柱は、観光客の目で観察し、

ヒポクラテス

コスの町の中心にあるアゴラ(市場)の遺跡

コス島のアスクレピオス神殿

夕日のコス島

エフェソスの図書館の遺跡の前で

通りすぎた場所で終われ、それは古代の遺跡にすぎない。

だが、訪れる前の準備に、改めて歴史書を読み、そこで起きた事件を知り、登場人物や物語について、予備知識を持つなら、現場で腰を下ろせば、眺めるだけで歴史が蘇る。確か、トインビーだったが、「歴史家は過去を眼前に、現れているように見る」と言い、直観と判断力を生かし、過去との対話のために、遺跡訪問を楽しんでいた。

私はトルコ西部のエフェソスを訪れて、図書館の廃墟の前で、隣町ベルガモンにあった、図書館をしばし偲(しの)んだが、ベルガモン図書館は、羊皮紙の蔵書を誇り、パピルスの蔵書を集めた、アレクサンドリア図書館と、ともに古代の知恵の宝庫だった。このエフェソスには、豊穣(ほうじょう)の女神アルテミスが、豊かな乳房を誇示した、大理石像を産出して、ギリシア神話の世界を物語り、何度訪れても楽しく、地中海文明の楽園である。

歴史家が遺跡を訪れ、遺物の破片を見るだけで、古代の情景を思い描き、歴史の細部を組み立てて、全体図を再現するように、名医なら患者を望診し、病気について読み取ってしまう。そのための修行には、単なる知識ではなく、積み重ねた経験とともに、冴えた直観力が必要で、その訓練を積むならば、通行人を観察すれば、健康の度合いが分かるという。

そういった診断能力が、曲直瀬道三にはあり、国師の水準に達して、歴史に名前を残したし、そのレベルではなくても、多くの医師は診断を行い、訓練だけで顔色は読める。半世紀も世界を歩き、自然を観察したので、私は山や川の容貌を見れば、岩相くらいは識別できるし、人の顔相を見るだけで、健康の度合いは分かり、安倍の顔の動きは情報の宝庫だ。

第一線から身を引き治療に専念すべし

ヤルタ会議

一国のトップが健康を損なって、判断と洞察力が衰えたことで、致命的な失敗をしたケースの代表に、フランクリン・ルーズベルトの高血圧症があり、それは「アルヴェルス病」に属す、自覚症状のない血管発作だった。これはパーキンソン病の仲間で、ヤルタ会談に臨んだルーズベルトは、スターリンに引きずり回されたが、それを見たチャーチルは腹を立てて、「この老いぼれめ」とつぶやいたという。

同じパーキンソン病だった毛沢東は、ずり足をして歩いたので、ワシントンはすぐそれを察知し、異常事態が起きると予想して、次の状況に向けて手を打った。北京にいた外交筋のプロたちは、脳軟化症であると察知し、英国はそれを効果的に使って、米国に教えて恩を売ったが、これが国際政治における常識である。

　こうした歴史の前例を見れば、病人は第一線から身を引き、治療に専念するのが最大の貢献であり、いくら強い信念があっても、劣化した健康の危険信号は貴重だ。自動操縦装置を備えていても、突発事故はよく起きるので、パイロットの異常事態に備え、航空機には副操縦士がいる。だが、交代する者が皆無だと言い張り、党則を変えて任期まで変更し、独裁制の維持を続けたのは、狂気の沙汰と言うほかはなく、日本人は想定外の思考力がない。

　判断力が乏しくなったトップが、諫（いさ）める力のない茶坊主に囲まれ、誤った路線を突き進むことは、破局の旅への一里塚であり、悲劇の道を突き進むことになる。一時は世界に向け大見得を切り、軍事大国を誇ったソ連では、国内をボリシェヴィキが睥睨（へいげい）したが、それはベルリンの壁とともに崩れ、鉄のカーテンも地上から消えてしまい、千年王国の夢は雲散霧消した。

　同じことが日本の運命に関係し、自公体制が絶対多数を誇っても、満月が欠けるのは自然現象であり、天の摂理が教えているとおりで、フランスの数学者ルネ・トムはカタストロフの存在を論証している。しかも、『平家物語』が伝えるように、「盛者必衰」は宇宙の法則であり、「わが世たれぞ常ならむ」だし、病人や無能者は潔く身を引いて、姿を消すことが世のためだ。

ゾンビ政治が残した狼藉(ろうぜき)の宴(うたげ)の後

ここまでの分析と診断は、２０１６年に書き上げて、平野貞夫前議員と共著で、出そうと試みたのに、出版に至らなかったが、その経過は「まえがき」で触れた。そこで共著は中止にし、数章を書き加えて、単独の本に作り直し、『ゾンビ政体・大炎上』にまとめ、出版社に交渉したが、誰も出す勇気がなかった。

そこで緊急事態だから、電子版で公開したが、校閲が不十分であり、誤植が目立ったとはいえ、病人が舵取りをして、国の運命を損なうのは、危険で愚かかを訴える責務を感じた。プロの医者が沈黙して、誰も発言しない以上は、地球の医者を任じる私が、言わざるを得ないし、「黙っていることは共犯」だから、執筆コラムの記事を使い、病気と政治責任を論じた。

その代表が『紙の爆弾』で、「安倍晋三は一線から身を引き、治療に専念すべきである」だが、これは臨床医により、大手の総合誌において、論じられるのが欧米での常識だ。だが、日本における現状は、精神的な鎖国とともに、専門の枠組みという縄張りが、総合的な発想を拒み、大局観から遠ざかり、国民を視野狭窄症(しやきょうさくしょう)にしている。

安倍の持ち前の無能と、行動に乱れを痛感して、こんな人物が首相では、日本の運命が危ういと思い、安倍が頼る知人の僧侶に、辞任しろと忠告を促す、依頼の手紙を私は書いた。それは2007年の夏で、その手紙のコピーは、経済誌上で公開したし、文面は池口恵観和尚への手紙として、『皇室の秘密を食い荒らしたゾンビ政体』に、全文を収録しておいた。

すると、手紙を出して2週間後に、政権を投げ出して、安倍は慶應大学病院に入院し、政界から突然姿を消したから、国民は呆気に取られ、メディアは敵前逃亡だと騒いだ。だが、狐に摘まれた感じで、政界は混乱したが、誰も原因を追及しないまま、うやむやになって、『FLASH』の2008年正月号に、それを追う唯一の記事が出た。

自公体制が崩壊して、民主党に政権交代し、311の東日本大震災と、「トロイの木馬」作戦により、民主党政権の自滅で、自民党の政権が復活した。そして、安倍政権が再登場して、長期政権を維持したが、詐欺のアベノミクスで、国民をたぶらかしたために、日本は国としては、悲惨なまでに溶融し、メタメタ状態に成り果てている。

そして、敵前逃亡から12年目で、大阿闍梨の池口和尚から、首相の引退を勧告された同じ時に、安倍は病気を理由にし、首相の座を降りると発表した。当人はアサコールを使ったが、効かなくなったので、レミケードを服用しても、ダメだと分かったから、長期治療が必要だと、ゴタクを並べ格好をつけた。

そんな下手な弁解は、聞かされる必要はなく、医師が発表する事柄で、決断力のない首相により、日本がいかにダメにされ、食い荒らされたかに関し、誰かが総括すべきである。8年近い期間の新聞を、全部集めたとしても、戦争中の新聞報道と同じで、大本営や政府発表が、横並びでまったく役に立たない。

そんな時にYouTubeで、「いまこの本を読め」に、『100日で崩壊する政権』が、著者へのインタビューで紹介され、四コマ漫画として、毎日連続で記録されていた。私は漫画は読まないが、この企画は素晴らしく、庶民のレベルで暴政に対して、執拗（しつよう）に追及することで、次の世代への教訓が、伝わると思い心から声援を送った。

第5章

生命体としての経済社会に無神経な経済学

通貨と体液に見る相似象の相関

通貨は人間の血液と同じで、流通して活力を生むし、生命力を活性化させるが、滞留すれば鬱血症や血栓に似て、経済活動は阻害され、社会の機能は低下する。だが、数字をもてあそぶのに馴れ、システム全体については、政治家や経済学者の多くは考えないから、目先の対症療法に幻惑されて、社会の生理現象が理解できない。

おカネは溜め込む存在ではなく、スムーズに流れて機能し、身体における血液の役割は、養分や酸素を補給し、廃棄物を排泄する働きで、生命活動の維持を司っている。ところが、実際に行われるのは、体液の通貨を過剰供給し、それを株式市場への投資や、日銀の預金口座に集め、流通の循環機能を奪っている。

おカネの物理的な側面は、物質のコモディティで、歴史的には金や銀から、紙幣や数字に移行した、通貨としての特性を持つ、価値としての情報である。より抽象度の高いレベルでは、記号としての意味を持ち、価値としてシンボルの役を果たし、社会生活を営む上で、人々に幸せをもたらす、「経世済民」を実現する媒体だ。

物質と精神の豊かさの基礎は、バランスが取れていて、過不足がないことで、昔から「足るを知る」ことが、人間の気高さを示すし、社会での高貴の象徴だった。宗教は欲望の制御を求め、徳のある人を讃えて、聖者として敬ったが、人間には欲望があって、その制御が難しく、権力を持つに従い、所有欲が肥大するために、人間は闘争の歴史を綴った。

産業革命から以降は、大量生産や消費の一般化で、所有欲の肥大化が、自由の名で放置されて、商業市場の卓越により、家を単位の互酬から、市場型の利益追求が主役になった。それで経済は活性化し、労働集約から技術集約に、社会は変貌を遂げて、富の蓄積が評価され、所有物の量を誇る気持ちが、現在では殷賑（いんしん）を極めている。

血液の相似象で捉えたカネは、１億円という金額でも、それは歳入、税金、給与、賄賂、謝礼、裏金をはじめ、喜捨による贈与、貯蓄、投資のように、カネの存在の仕方が違う。そのために、物神崇拝に毒されて、大局を見失った現代人は、情報としてのカネでなく、全体としての意味より、部分の魔力に幻惑されている。

そのために現代人は、生命体としての社会が、どのように健康を維持し、人体における体液の役割が、自然界での水に対比し、ターレスが考えたように、宇宙の根源として思索しようとしない。古代ギリシアにおいて、哲学の基礎を築いた、ミレトス学派の哲人たちは、何が根源(arkhē)（アルケー）かを思い、的を外すことがなく、問題の核心に接近していた。

生理としてのホメオスタシス

ホメオスタシスは恒常性だが、外部の環境変化に対応し、組織体の状態を一定に保つことで、安定性を維持する機能であり、ストレスへの対処が重要だ。体温や血圧を一定に保持し、正常値からの逸脱を防ぎ、汗を出し興奮を抑えることで、機能を整えるこの働きは、生命の安全の維持に、先天的に備わった働きである。

この恒常性を保つ機能は、生命体だけでなくて、鉱物にも存在しており、自然が持つ基本的な働きで、広義の生命現象に属し、根源的な宇宙原理である。宇宙、地球、社会という形で、この原理は物理世界を統一し、そこに動的秩序を作っているが、現代社会はこの機能が狂い、健康が損なわれており、末期状態を呈している。

貸借対照表をマトリックスと見て、総資産や国債を比べれば、当座預金勘定が肥大して、国債の3倍近い資金が、中央銀行の貯金として、日銀に固定していることが分かる。富を社会に還元して、再投資することにより、コモンウェルスの活性化を通じ、生活が豊かになるが、決算書至上主義のために、資本主義は機能不全を呈している。

しかも、社会の通貨のポンプ役で、心臓の役を果たす日銀は、血液循環を担当しているのに、通貨が心臓に凝縮し、循環系として機能せず、異常事態を呈していると誰でも分かる。これは病理領域に属し、動脈硬化や心臓マヒを起こす寸前を示す症候群であり、日本の経済は危機的で、処置を誤ればお陀仏（だぶつ）だから、緊急な対応が必要である。

一国の経済システムは生命体で、ホメオスタシスの機能が、何にもまして重要であり、人体と同じで生命維持に、生理現象を営むのだが、日本には理解できる医師がいない。海外に逃避して遊んだ、小泉や安倍のような世襲代議士が、首相になったにしても、国家の生理には無知で、患者をいじくり回して、健康だった日本を慢性病に追いやり、瀕死の状態に追い込んだ。自分の手に負えないなら、適材適所で人を選んで、財務管理を任せられる、見識と実行力を持つ者に、名医の役割を与えれば、瀕死の患者も元気になる。

ところが、竹中や麻生のような、ヤブ医者以下の詐欺師が、脈を取り血を抜いて、国家の体液の財政を利権化し、20年近く食い荒らしたので、日本は全身衰弱により、体力を失い瀕死状態である。

生理学の発想ができない経済学の限界

インドに「群盲象をなぜる」という寓話（ぐうわ）があり、足に触れた人は柱だと言い、牙に触った人は棒だと答え、尻尾を握り縄だと述べ、部分で全体を思い描き、皆が間違った理解を示した。現在では経済学者や政治家が、狭い専門領域にこだわり、数字を見ても意味が読めず、「船頭多くして船山に登る」が起き、日本の経済は混迷の底に沈む。

平面的な次元と立体の間には、次元の差があるために、コンテクストと意味を理解した上で、メタ情報を捉えない限り、数字を見ても意味が読めず、単なる数量にすぎないと見る。隠れた真実に迫るには、数字をマトリックスで捉え、頭の中でパターン化し、幾何学的な展開をして、動態的に捉える必要がある。

幾何と言うと図形を考え、円や三角形を思い浮かべるが、幾何学発想は補助線を引き、次元の展開が秘訣であり、それには修行が必要で、名医やマスターはそれを心得て、生理を掴む奥義を知る。それを知りたければ、日銀の貸借対照表を調べれば良く、安倍内閣が誕生した2012年と、2018年の数字の変化を比べ、資産内容を検討することだ。

項目	2012年	2018年	倍率
総資産	140兆円	530兆円	約4倍

国　債	87兆円	４５０兆円	約５倍
社債と株式	６兆円	26兆円	約４倍
当座預金勘定	34兆円	３９０兆円	約12倍

この数字が物語っているのは、通貨の発行量が４倍に増え、日銀による株式の購入も比例して、日銀が企業の大株主で、民間会社を支配してしまった。しかも、日銀券を大増刷りしたが、資金は設備投資に回らず、銀行が日銀に当座預金し、景気の回復に貢献せずに、日銀の金庫で眠っている。

それだけでは終わらずに、低金利政策を利用して、ハゲタカ・ファンドが円を借り、日本の企業の海外投機で、ＴＯＢ（株式公開買い付け）の会社買収に使われ、国民の貯金が海外に流れている。しかも、残りは株式市場に流れ、株式バブルを煽っており、国内の景気浮揚に無関係に、日銀と年金基金が株を買い、官僚が会社の国有化を進め、ビジネスの活力を劣化させた。

日銀は紙幣を増刷りし、大企業の景気づけを行い、金融緩和だと自画自賛するが、マイナス金利の導入で、金融ビジネスの体力は衰え、景気は少しも良くならない。しかも、指導力がないために、肩書だけの追従者を集め、首相の顧問や日銀総裁に抜擢し、ろくな政策ができないので、金融界は瀕死の状態だ。

時価総額肥大の錬金術と外国企業の買収劇

過去20年間で世界のGDPは、平均で2・5倍になったが、日本は例外的に同じで、GDPでの成長がなくて、日本人はそれだけ貧しくなり、低金利で国民は収奪に甘んじた。実質賃金が減ったので、生活は苦しくなったが、輸出奨励金の還付があって、大手企業の内部留保は増え、500兆円近くあっても、給料に支払われる代わりに、外国の企業買収資金の形で、海外に大量に流出した。

海外企業を買収するのは、自分で新製品を作れず、将来性のある商品開発や、成長力を持つ会社を買い、帳簿上の時価総額を増やし、見栄えをよくするためだ。会社が持つ真の価値と、時価総額は関係がなく、米国流の詐欺ビジネスが、その源流に位置しており、株価の操作を使って、ババ抜きゲームをやり、売り逃げを狙う錬金術である。

その代表がソフトバンクで、時価総資産の手品を使い、海外の会社を買いまくったが、2兆円の有利子負債は、6年間に19兆円に膨張し、いつ破産しても不思議ではない。ソフトバンクの経営路線は、海外でのＴＯＢ作戦と、ＩＰＯ（株式公開）の組み合わせだが、東芝やファイザーと同じで、株主を欺く詐欺商法に属し、ファンド商売の多くは博打に近い。

ここ数年に行われた、外国の会社の買収で、目だったものとして、次のような案件が知られている。

社　名	買収額	買収先
武田薬品	６・９兆円	シャイアー（アイルランド）
ソフトバンク	３・３兆円	ＡＲＭ（英国）
ＪＴ	２・25兆円	ギャラハー（英国）
セブンアイ	２・21兆円	スピードウィチ（米国）
ソフトバンク	１・９兆円	ボーダフォン（英国）
サントリー	１・９兆円	ビーム（米国）

ソフトバンク	1・8兆円	スプリント（米国）
アサヒビール	1・2兆円	カールトン（豪）

数千億単位は目白押しだが、評価の力がないために、厚化粧の粉飾決算が見抜けず、低金利の借入金を使い、高いのれん代の買収劇は、ババの摑み取りになっている。その典型が東芝であり、ウエスティングハウスの買収は、膨大な含み損の発覚によって、巨大なババを摑まされ、東芝は倒産寸前で、虎の子の電子部門を売却した。

30年前の米国において、この種のポンジ・スキーム（詐欺商法）は、たくさん目撃したので、それを著書に書いたし、今なら分かる人も増え、書き手も多いので任せ、これ以上は介入しない。なぜならば、ババ抜きよりも高度で、プロが腕を競う世界に、デリバティブを使った、ブラックジャックがあり、その極致が保険と金融詐欺だが、これは英国人の独擅場（どくせんじょう）である。

アメリカ流の金銭至上主義の弊害

ジョン・ローを生み出し、ルイ王朝を潰しただけに、英国が誇る錬金術は、ケインズが財務官として、経済学や金融に対し、およぼした影響でよく分かる。

しかも、ニュートンが造幣局長で、保険の発明がトマス・ヤングなら、科学の大家が金融を扱って、システムを作った以上は、それに学んだアメリカ人が、弟子にすぎないのは当然だ。

米国や中国に続き日銀まで、大量の国債や通貨を発行し、通貨が商品そのものに変質して、通貨が通貨を買い漁り、資本主義が狂い出し、異常が常態化してしまった。生産活動が生み出す価値が、通商で得る利益に比べ、目を見張るほど小さくなり、本来的な富の源泉である、真の価値が姿を隠して、虚構の富の洪水が猛威を振るう。

通貨から派生した富は、真の豊かさに無関係で、株価や債券は仮想の数値を生み、複素数の計算式では、マイナス１になるのに、多くの人は虚数（i）が分からない。小学生だった頃か

ニュートン

トマス・ヤング

ら、「鶴亀算」に親しんで、高校で「数Ⅲ」までやり、「逆」や「対偶」を理解し、マトリックスが分かれば、「ねずみ講」は一目で見破れる。

欧米が中心の先進国では、生産設備の過剰で、経済活動が金融中心になり、暇が多い貴族の一部は、投資に見せかけた賭博ゲームの案出を楽しむ。それが情報時代の一面だが、ハッカーが最先端で、時代を先導する時代は、目先の利益を狙う者は、カモになるだけであり、愚民化政策に乗せられ、考える力を喪失してしまえば、生存競争では餌食(えじき)の役だ。

今の停滞を克服するには、古典的な企業家精神で、技術革新と生産性を向上させ、新製品生み出して、富を働く者に配分し、社会の活性化を図ることだ。だが、政治の劣化が進んで、民主主義が形骸化し、利権漁りで連帯感が消え、為政者の倫理観の低下が、人々の生き甲斐を奪い、社会の活力が消えている。

1980年代の新自由主義は、「規制緩和」「小さな政府」「民営化」を通じ、経済活動を放任したので、グローバル市場の拡大が、レーガノミクスの骨格になった。だが、対米追従に明け暮れ、他人の考えを真似て、日本人は新自由主義を取り違え、構造改革を有難がり、目の前で始まったデフレに、インフレ用の処方を適用した。

アメリカ流の拝金思想で、プラザ合意の円高に、日本人が神経を集中した間に、投資銀行ソロモン・ブラザーズによる、バブルの炸裂工作が、日本攻略用に手配された。その背後で進行したのが、円資金の操作を使った、スター・ウォー（ＨＡＡＲＰ作戦）だったし、それがソ連経済を行き詰まらせ、デフレを深刻にして、１９９０年代半ばは混乱期だった。

混乱して右往左往した世紀の転換期

１９８９年末に大天井を迎え、日経ダウは大暴落に転じ、総量規制と公定歩合引き上げで、数年間で株や土地の価格は、３分の１に大暴落し、日本経済は不況に突入した。しかも、天安門事件やベルリンの壁崩壊が、冷戦構造の終了を招き、湾岸戦争やソ連解体に続き、元号改定に伴う不況で、世紀末の混迷が卓越した。

自衛隊の中東派兵を種に、資金提供の脅かしで、米国は奉加帳を日本に突きつけ、戦争支援資金を名目に、90億ドル（１兆３０００億円）を巻き上げ、遅延利息まで受け取っている。アメリカは対日攻略に、仮想敵国の弱体化を狙い、イニシアティブを発動したが、政治家と役人は国民を偽り、「日米構造協議」と誤訳して、失政をごまかそうとした。

しかも、不動産融資の総量規制で、住専7社の破綻ドミノが生まれ、北海道沖地震や阪神淡路大震災が、日本経済に痛打を与え、１９９７年の金融危機が襲来した。バブルの投機熱に酔い、金融界が負債解消に使った、「飛ばし」の後始末が大混乱を招き、世紀末の金融破綻を生み、世紀末の日本は亡国同然で、政体は完全に狂乱に陥った。

その隙に五人組のクーデターで、森内閣に続き小泉内閣が生まれ、日本中がポピュリズムに酔い痴れ、劇場政治に熱狂して、ゾンビ政治が登場した。２０００年問題を伴う新世紀は、ニューヨークでの９１１テロ事件で始まり、ブッシュと組んだネオコンが、覇権主義の大暴れを演じ、世界中に戦場が拡大して、この世の終わりを象徴した。

日本だけでなく世界が、大きく狂ったために、激動の渦巻きに巻きこまれ、あまりに身近すぎたので、異常性を誰も総括せず、それが不可能だと諦めた。ことの本質を見抜くには、空間的に距離を置くか、時間的に離れることで、メタ次元に位置して、観察する必要があるが、狂気の発言だと卑下され、黙殺や嘲笑される覚悟が要る。

21世紀の始まりが、あまりに混乱に支配され、ニューヨークのテロ事件をはじめ、アフガンやイラクの戦争で、次々に混乱が巻き起こり、人々は事件に振り回された。本来ならばこの時期に、大転換が起きていても、当然だったのだが、どういう風の吹き回しか、運命が狂った新世紀の冒頭は、アメリカではブッシュが、日本ではゾンビ一座の歯車が狂って、転換期がしばらく後ろにずれた。

郵政改革をめぐる悪党の暗躍

森から小泉に、政権が移る形で始まり、ともにネオコンが君臨し、ポピュリズムが蔓延した。米国を支配したネオコンは、合衆国を食い物にして、善良なアメリカ人の多くが、その犠牲になったので、資本主義も自由社会も崩壊し、私はハルマゲドンを実感した。

狂信的なシオニストは、最終戦争を渇仰して、イラクの滅亡を狙い、ブッシュ政権を焚きつけ、イラクは悪の枢軸だと、大量破壊兵器のデマを流した。だから、核戦争が始まりそうで、危機感に煽られたので、落ち着いた思考ができず、次々に起きる不祥事に、追い立てられる気分に、世界中が巻きこまれた。

だから、愚劣な小泉の演技政治に、日本人は陶酔しており、その異常性に気付かないで、小泉が参謀に登用した竹中平蔵の使命が、国際金融の手先役だと気付かなかった。だから、日本の社会は徹底的に、金融担当の竹中の手で、売却処分されたのだし、小泉内閣の後半では、総務大臣の竹中により、郵政は徹底的に解体処分された。

郵政改革に血道を上げた、小泉を煽動したのは竹中で、国際金融資本にとっては、郵便貯金と簡易保険が持つ、３００兆円の資金とともに、広大な一等地の不動産は、利権として得難かった。また、総務省が管理していた、電波事業の持つ利権は絶大で、副大臣の菅にとっては、マスコミの支配道具として、絶大な威力を秘めていて、警察国家を築く秘宝だった。

郵政改革をめぐる選挙で、小泉は刺客を送り込んで自民党が割れる騒動になり、背後に潜む利権の大きさが、いかに絶大かを考えさせられたのである。

経済の生理を理解できない愚鈍な支配者たち

第1章でも述べたが、郵便制度を作った前島密は、英国の制度を手本に、全国一律のサービスを目指し、日本全土に郵便局を置き、それを交通網で結び、細胞と毛細管の仕組みにした。だが、国の事業にするには、あまりにも緻密だから、民間の力を活用して、地方の名士や実業家に、協力を仰いで特定郵便局として、全国を結ぶネットワークを完成した。

だから、民営事業は組み込まれて、組織体として機能しており、郵便の集配は公共性が高く、ユニバーサルサービスは、収益性が低いために、利益を生む貯金と保険を組みこんだ。こうして郵便制度は、明治の初期から培った、社会におけるインフラとして、日本文化の一つとして、文明開化に貢献してきた。

だが、利に目敏い金融資本は、銀行と保険の資金を狙い、それを奪おうと企んで、手先になる竹中を育て、日本に送り込んだが、その口車に乗ったのが小泉だ。言うならば臓器移植で、腎臓や脳下垂体の価値が、貴重だからと考えて、毛細血管や神経を残し、金目の臓器を取るために、郵便制度を解体したのだ。

これが郵政改革の正体であり、解体作業の担当者が、和歌山の下駄屋の息子の竹中で、日本郵便は赤字だから、株式の上場は無理で、そのまま現状維持にする。だが、銀行と保険の部門は、法人化して株を上場し、民間会社にしておけば、機会を見て経営権を奪い、支配することによって、資産を自由に手に入れる。

これくらいの策略は、高校生でも思いつくし、ＭＢＡで学ばなくても、普通の株屋でも考えるが、システムとしての郵便に、生命体との相似象を考え、生理を理解するには頭が要る。この頭脳がなかったのが、湘南の遊び人の小泉で、強姦容疑でロンドンに逃げ、帰国して代議士になり、稲川会の顔役が選挙参謀だった件は、『小泉純一郎と日本の病理』に書いた。

しかも、銀行と保険を上場して、外資に売ろうとした竹中は、システムである郵政事業が、解体されればその結果、生命力の喪失により、組織が腐敗すると考える、そんな知恵は持ち合わせない。こんなチンケな人物が、大学教授や大臣をやるから、世の中が乱れるのだし、若者たちは結婚もできず、奴隷の境遇で人生にあえいだり、派遣労働者の仲間になる。

世界の支配者の砦と大学で結ぶ地政学

ここでヒントを提示して、次の仕事の予告の形で、公開に踏み切る情報は、世界におけるタブーであり、30年米国に住んだ体験から、自信をもって書く禁断の仮説だ。断片しか今は書けないが、20世紀問題として、多くの人が扱うテーマになり、後続の書が次々と登場し、百花斉放になる点で、時代の嚆矢になるものである。

王族と公族を区別せず、同じと考える人が多いが、欧州の公族はユダヤ人と組み、金融ビジネスを支配し、ネットワークを張り巡らせ、地上に金融帝国を築いてきた。欧州ではウィーンとロンドンだが、アメリカではシカゴとニューヨークが拠点で、その頭脳中枢としては、ウィーン大とシカゴ大に置き、ロンドンとニューヨークに活動拠点がある。

ロンドンとニューヨークはシティ（金融街）を持ち、ニューヨークのシティは、その後に移転して、ワシントンD.C.に移っており、似たような機能を果たすが、次元が大陸から地球にと、トポロジカルに転換した。イングランド銀行と東インド会社があり、シティの役割と歴史に精通すれば、その意味が洞察できるのに、限られた人だけが理解し、ほとんどの人はそれに無知のまま、世界支配の歴史が続いて来た。

この問題についての議論は、天木大使との対談記事が、『皇室の秘密を食い荒らしたゾンビ政体』に、収録してあるので、ここでは繰り返さない。だが、大陸の中心部の大学に、なぜ拠点を持つかは、ヒントの中に鍵があり、それはハートランドだからだ。シカゴ大学はネオコンの砦だし、ノーベル経済学賞の中心という、インチキ賞で知られるが、ウィーン学派も20世紀における、論理世界の覇者として知られている。

それに対しロンドンとニューヨークは、リムランドの拠点の港町で、交易や金融を取り扱う拠点であり、ベニスの流れをくむ交易都市だが、世界史上の役割を理解すれば、その性格と意味が分かる。しかも、地政学的な意味とともに、セファルディムとアシュケナジの差や、保守派と改革派の対立をはじめ、自由経済と計画経済の対立として、冷戦構造の深層にもつながる。

ここにきてネット上で、ディープ・ステートの名が、金融支配の裏勢力として、頻繁に取り沙汰（ざた）されはじめ、多くの人によって論じられ、注目を集めるようになった。欧米におけるこの言葉は、キリスト教と密着し、一神教の特性を持つが、第2章で触れた青幇（チンパン）をはじめ、中国や中東の秘密結社に、どう展開するかが問題だ。

歴史に見る腐敗と変革のパターン

ギリシアの歴史で興味深いのは、共和制が500年も続いた秘密が、何度も繰り返した社会変革にあって、変革がキーワードになり、それが歴史に円環運動を生み出す。市民が働き社会が豊かになり、貧富の差が拡大した時に、民主化闘争で法改正が行われ、国内矛盾が解決すると、今度は拡大路線を通じ、戦争が始まってドン底を迎え、立ち直って復興を目指す。

ギリシアの共和制の生命循環は、市民が再び働く時の訪れで、次の円環運動が繰り返されて、積み重なった負債の処理が、先送りのロンダリングで破綻する。そして、徳政令や踏み倒しの果てに、最後は国家破産するが、その結果が共和制の終わりで、アレキサンダー大王の遠征や、ローマ帝国の誕生につながった。

しかも、安定した社会が保守化し、人々が政治に無関心になり、腐敗と貧困が支配する時には、危機感の中で改革が叫ばれ、ポピュリズムの気風が社会を覆う。だから、政治家は社会変革を掲げ、政治生命を懸けるのが定石で、オバマはChangeを訴えたが、小泉も変革を旗印に掲げ、大衆の心を摑(つか)むのに成功し、権力者として一世を風靡(ふうび)した。

日本の産業界が衰退期を迎え、「労働集約型」から「技術集約型」まで、正規雇用より派遣労働を好みはじめ、労働者を使い捨てる形で、低賃金と長時間労働が定着した。それは日本の労働者にとり、職業を選択する自由の圧縮で、今ほど労働の価値が軽視されて、次の世代への配慮に欠け、人間の使い捨てられた時期は、戦後の日本では前例がない。

資本主義が継続するには、労働力の再生産が必要で、低賃金と長期労働が続けば、休養や学習の時間がなくなり、労働者は疲れて自滅し、再生産が途絶えてしまう。しかも、首相をはじめ大臣の劣化や、国会議員の質の悪化で、政治の混迷は目を覆うほどで、官僚の士気の低下は憲政史始まって以来だ。

目の前の困難に挑戦するには、短期的なレベルではなく、長期的な戦略発想が必要だが、課題を先送りすることで、責任を回避をしたのが日本流だ。日本の国力を見るならば、１９８７年に世界の20％だったＧＤＰが、30年後の２０１７年には６％に激減し、国富は３分の１に減ってしまい、カラパゴス化が全産業に及び、急速に途上国化してしまった。

独立性を捨てた日銀と支離滅裂な金融政策

２０１８年のダボス会議において、２０１７年に生まれた富の82％が、世界のトップ１％の富裕層の手に渡り、貧富の差が加速化していると、世界経済フォーラムは警告した。また、国連のユニセフの報告だと、日本の所得格差の実態は、世界の41カ国のワースト8位で、雇用の半数が非正規社員だし、若者は低収入で結婚もできない。

個人レベルの貧富の差が拡大し、底辺の貧困化が進んで、大企業は優遇されて栄えていても、中小企業が没落し続け、大都市が賑わうのに比べ、地方はシャッター街の続出だ。東京や大阪のエゴイズムが、大都市への一極集中を生み、過剰と過疎が対立するし、大都市は出稼ぎ人であふれ、地方は過疎で村や町が寂れて、鉄道も廃線や無人駅が続出だ。

日銀は中央銀行だから、総裁が蔵相と肩を並べ、独自の金融政策を論じたが、今は二重の構造に変貌し、「日銀」と「月銀」になって、「月銀」はニューヨーク時間で働き、その責任者は正田巌だった。また、総裁は白鼠から黒鼠に交代し、日銀まで首相官邸の指揮下に入り、異次元緩和の新路線を採用して、円安と株高を金融政策の軸にした。

日本の急激な貧困化は、２０１２年からだと統計は示し、第二次安倍内閣の誕生と重なり、日銀総裁が財務大臣に盲従して、自公体制の迷走が本格化した。無能な閣僚が安倍一座に並び、国会で猿芝居をする光景は、心ある真面目な国民に、辟易(へきえき)した気持ちを与えて、士気の衰えは絶大で、日本人が誇る気概が消えた。

エートスの価値とそれを教える歴史学

大衆が情動支配に巻きこまれ、「カテコラミン過剰分泌」で、神経中枢の大脳が機能異常を起こし、株価興奮症に陥ったのは、自家中毒の進行のためだ。日本は産業の空洞化で、体力と免疫力が衰えたが、甘いお菓子がやめられず、慢性の糖尿病が加わって、ホメオスタシスが変調すれば、エートスまでが狂ってしまう。

マックス・ウェーバーは資本制を論じ、資本主義の精神（エートス）こそが、決め手であると論証したが、彼の思想の普及に尽くしたのは、経済史家の大塚久雄教授である。『プロテスタンティズムの倫理と資本主義の精神』は、大塚史学の中核を構成するが、徳性として骨格を作る、心の習慣のエートスについて、大塚教授は次のように解説する。

マックス・ウェーバー

「「エートス」は単なる規範としての倫理ではない。……いつしか人間の血となり、肉となってしまった、いわば、社会の倫理的雰囲気とでもいうべきもの。……客観的な社会心理が「エートス」だ。」

アカデミックすぎるので、噛み砕いて言うなら、エートスは社会の「倫理的雰囲気」を指し、時代を支配する価値観が、何で支えられるかの問題だ。現在はそれが拝金主義で、収奪や欺瞞が放置され、政治が弱肉強食のために、金儲けに毒された日本は、賤民（せんみん）資本主義になって、「経世済民」が姿を消している。

エートスの語源はギリシア語で、アリストテレスの用語だが、性格や人柄を意味しており、徳を論じた倫理問題に属し、社会や経済生活の根幹をなす。また、自然の探求者アリストテレスは、自然の観察と分析を通じ、エネルギーのダイナミズムを考え、実体が変化する動きに、生命の本質があると理解した。

「経世済民」は南宋で流行した、統治のための指導理念で、江戸時代は行政全般を指したが、政治の主体は「経世済民」だが、農業が自給自足の要だ。だから、太宰春台（だざいしゅんだい）は『経済録』の中に、「天下国家を治むるを経済と云（い）い、世を経（おさ）め民を済（すく）ふ義なり」と書き、「経世済民」の意味論を展開し、統治の基本原理だとしている。

貨幣化できない貴い価値

今の経済学者の多くは、金融問題を中心に考え、金融が経済における中心課題で、金融を操作する仕方に、解決策があると思って、大きな勘違いをしている。だが、経済はギリシア語の「オイコス」（家）に由来し、家計は資源を管理する術で、経世済民には家計や共同体のコードが、語源として含まれており、経済学史的な理解が不可欠だ。

経済学史は経済学の基盤で、知恵が勝負の分野だから、駆け出しの若者でなく、豊かな経験と幅広い学識を持つ、円熟した教授が担当して、蘊蓄（うんちく）を傾ける学問に属す。だから、若い頃には数式を使って、数理的な展開を得意にした者でも、学識が深まり知恵がつけば、経済史、政治史、科学史のように、各分野の歴史を総括するのが、一流の学者がたどる道である。

若い頃に専門分野に挑戦し、研究を通じ問題を理解して、円熟に達した段階で原点に立ち返り、ギリシアの学問を論じるが、その時ミレトス学派に至る。経済学はその例に準じて、アリストテレスにたどりつき、彼が宇宙の基本として論じた、モノとコトの交換の問題に触れ、財と財の交換を扱う時に、交換の主役に貨幣が登場する。

アリストテレスの学問は、実在を探求する立場で、目に見える現象的なものを重んじ、交易

プラトン［左］とアリストテレス［右］

に通貨や財を中心に置き、最近の経済学の立場に似る。哲人であるディオゲネスは、プラトンやアリストテレスに学び、貨幣の価値に疑問を抱き、貨幣の偽造をしたことが、『ギリシア哲学者列伝』の中に、エピソードの断片を残している。

それは贋金作りに関係した、ディオゲネス、ニュートン、小栗忠順などが、洞察力と思考能力において、ケインズに連なる頭脳で、経済が哲理と結ぶことを示す。だが、現代の経済学者の多くは、日銀総裁や財務大臣とともに、その頭脳レベルから遠く離れ、金融危機に直結するが、それに誰も気付かないのだ。

カネとは何かの教科書的な定義は、以下の三つの役割があり、

①交換の手段
②価値の尺度
③富の保存

とされるが、この三つの要素をベースに、経済学は意味づけを行い、その役割について考察している。

だが、それは物理的な側面で、抽象度が高い機能面は、環境に適応して流れることが、通貨の役割を決めるのであり、それがカネの働きについて、考える上での決め手である。カネを具体的な数字で捉え、社会での生命活動を忘れ、動態的な役割を理解せず、末梢的な株価や数値として、論じている経済学には、多くの問題がある理由が、根強いアリストテレスの影響だ。

経済には目に見えなくても、重要な働きが存在するし、カネの移動を伴っていない形で、子育てや家事労働をはじめ、貨幣化されない活動に、互酬（ごしゅう）に属す奉仕活動がある。サービスの形行われる活動は、ＧＤＰに含まれないことが多く、シャドー・ワークを論じたのが、イヴァン・イリイチ神父であり、これは重要な意味を持っている。

社会の活力の源泉と通貨の役割

生き生きとした共生を意味する、convivial（コンヴィヴィアル）という用語を使い、イリイチは共同体の次元の共生が、大切であると強調したが、とくに学校や病院における活動は、問題があると示唆している。イリイチの考えの基盤に、カール・ポランニーの経済思想があり、彼は人類経済学の視座で、非市場型の経済社会において、交換は儀礼や贈与の形で、社会に埋め込まれていると論じた。

人類の歴史を振り返るなら、社会における統合の仕方に、以下の三つのものがあるし、それが社会を動かした。

①互酬（reciprocity）
②再配分（redistribution）
③交換（exchange）

最後の交換が市場に登場したのは、比較的に最近になってで、物々交換が素材である通貨を経て、ソフトマネーの紙幣になり、記号の数字になったのが、通貨と信用制度の歴史だ。しかも、信用制の基本はトークン（象徴、記念品）で、シュメール文明の遺跡から、粘土製のトークンが出土しているし、金融市場の王者のデリバティブや、仮想通貨もトークンである。

ブロックチェーンの普及で、最近はフィンテックと呼び、ビットコイン熱が高まっているが、地域通貨が注目されはじめ、大手銀行も取り組みだした。だが、地域通貨の主役として、時間とともに減価する点で、ゲゼルの「自由通貨」が重要だのに、注目する経済学者は少なく、ピントはずれの金融論が盛んだ。

通貨は体内の血液と同じで、流動性に価値があって、滞留するのは最悪だのに、財務省や日銀は理解できず、金融政策で滞留化を強め、経済社会を絞め殺している。こうした無能な人たちが、生命体の日本を衰退させ、国民を苦しめている犯罪に気付き、反省する秘訣としては、『エンデの遺言——根源からお金を問うこと』を読んで、人類学と歴史を学ぶことだ。

歴史理論としての経済人類学の貢献

家庭内では互酬が主体で、家族や共同体での再配分は、宴会や祝祭がその代表であるし、農産物の生産力が高まった時に、食料の剰余を活用して、神殿やピラミッドを建設した。レヴィ・ストロースの『悲しき熱帯』や、ブロニスワフ・マリノフスキの『西太平洋の遠洋航海者』には、贈与経済の観察が記録され、「クラ」という貝の交易が存在したし、ギリシアから近代直前まで、負債による賦役や奴隷制があった。

古代における通貨には、貝殻、石、米、道具、家畜などが、物品貨幣として使われたし、エジプトやメソポタミアで、金属製の貨幣が鋳造され、金貨、銀貨、銅貨が流通した。金属に続いて手形が登場し、紙幣を経て信用が使われ、カードから認証になり、最後は数字が記号として、一人歩きするようになった。

おカネは情報でエネルギーだし、循環して流れることで、その役割を果たしていることは、Currency の語源のラテン語が、走るや流れを意味していて、Currere であることからして、停滞することはよくない。ところが、日本における現実問題は、増発した日本円が流れずに、日銀の中で停滞しており、購買力として機能しないので、景気振興の役に立っていない。

しかも、情報革命で通貨が情報化し、流通が加速化しているのに、現在の日本では政治が行き詰まり、国家が信用を損なって、金融政策が破綻状態である。こんな失政が続いていて、財政破綻の尻拭いする形で、愚劣な金融政策を強制され、収奪に等しい暴政を放置し、株価の操作に興じるのは、犯罪への共謀にほかならない。

見忘れられた「経世済民」の精神

意味論が理解されない世界では、古代ギリシアで評価された、古典的な教養がなおざりにされ、自由七科の基盤を占めた、文法、論理、修辞の三学が軽視され、その重要性が忘れられている。大局を見失って枝葉に注目し、「木を見て森を見ない」ために、細かい数量にこだわり、経済の問題が矮小化（わいしょうか）され、すり替えられた個々の数値で、国民は騙（だま）されてしまう。

「経世済民」は世の中を統治し、人々を苦しみから救い上げ、幸福の実現を目指すはずだのに、デフレ不況によって苦しみ、硬直化し空洞化のせいで、産業は衰退する一方だ。健やかな人生を楽しみ、安定した生活の実現とともに、公共善に対し敬意を払って、その理念を政治に反映し、人々が信頼し合いながら、ともに繁栄を喜ぶのは楽しい。

かつての日本は自治の精神に富み、地方が自立性を誇ったし、集中が過度でなかったおかげもあって、コミュニティが多様性を誇り、地方文化が健在で輝いていたものだ。極東の島国という環境で、日本列島の自然条件を生かし、大陸とは異なる発展を記録して、城壁のない共同体を作り、独特な社会を築き上げ、日本人は郷土文化を育てた。

大陸文明からの影響には、ユーラシアの騎馬民族をはじめ、インドの仏教やシナの儒教を通じ、習俗や生活態度を学び取り、南方の海洋民たちからは、漁労生活や言語を受け入れた。宗教や文化を担う国体は、天皇制が持つ権威の形で護り、行政や軍事担当の政体が、幕府や執権として世俗を統括し、日本列島の歴史を綴ってきた。

世界史の枠組みで考えれば、大陸や海洋の影響を受け、空間的にも時間的にも重なり合い、多層構造を作ったのが、日本の社会の特徴であり、古層を含め多様性に富んでいた。確実な祖先は縄文人だが、ユダヤ人や弥生人の文化遺産も、海洋民族の刻印とともにあり、混血と遺伝子の組み合わせで、多彩な民族性を形成したのである。

多様性に富む日本の歴史と生活史

　多様な地形を持つ環境の中で、海洋民や狩猟民族の他にも、山岳民や農耕民族の生活が息づき、彼らは複雑に混じり合い、古代の日本列島上には、住民が自然とともに生活した。初期の採集や狩猟の段階では、シャーマン的な集合を生み、それが部族的なものになり、権威と権力に分化するに従い、大陸から宗教や文字が伝来して、律令期の古代社会が生まれた。

　それ以降の千数百年にわたり、天皇を囲む文化勢力に対し、豪族や武士などの政体勢力との間で、支配圏を分け合う状況が、日本列島の上で紡ぎ出され、聖俗がからむ民族史を綴った。聖と俗で分かつ支配圏には、文化に特有の歴史が刻まれ、精神世界と物理世界を分け、時には統合や分離が起き、日本の近代では奇妙なことだが、国体と国政と呼ばれたりした。

　幕末は帝国主義の時代で、危機意識で選択したのが、天皇主権の絶対主義体制で、明治から敗戦時までは、日本の政治は律令制に、逆戻りした体験を味わった。中央集権的な戦時体制は、行政の各分野に家産制を残し、戦後に公布された新憲法によって、天皇は「日本国の象徴であり日本国民統合の象徴」になり、政教分離が確定したが、国体は憲法に置き換わった。

一神教の世界の発想法は、陰陽、善悪、上下、左右のように、二項対立で考える発想に基づくが、多神教では中間点を想定し、ピタゴラス的に三角形で考え、三すくみで捉えるのを好む。宇宙は無限の三角形の網目で、どんな三角形でも垂線を下せば、二つの直角三角形が生まれ、ピタゴラスの定理が成立し、こうしてオイラーの等式が現れ、メビウスの帯やトーラスと結ぶ、フィボナッチ数列で統一されている。

「経世済民」は人間界の問題だが、ホロコスミクスの図版では、地上における領域内において、個体から社会までを含み、政体は社会を統治する機関だ。学問的に社会学の用語では、より上位から下位にかけて、次ページの図のような枠組みが階層として並び、上位のものが下位を内包し、ホロニック（階層）構造が成立する。

組織体を支配するホロニック（階層）構造

宇宙システムを支配するのは、電子や宇宙を含む物理世界が、無と空の間の仮想空間において、多次元構造を作っており、その模式がホロコスミクス図だ。これは20世紀最後の年に、ニューヨークのＩＥＥＵ（国際地球環境大学）の紀要において、学術論文として発表したが、日本語訳した全文は、『皇室の秘密を食い荒らしたゾンビ政体』に、付録として添付されている。

だが、着想したのは35年前であり、ソウルの国際会議の講演の時に、公開している下記の図

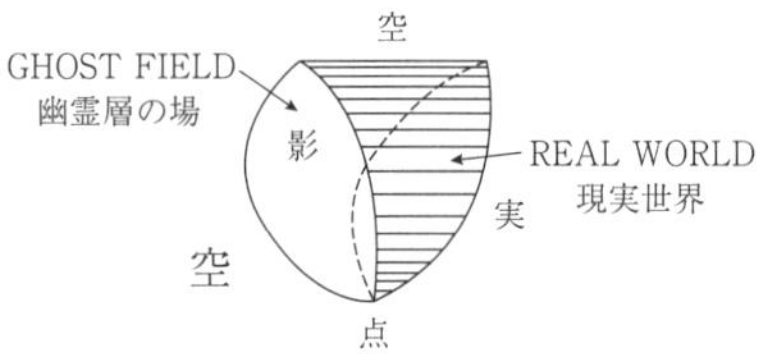

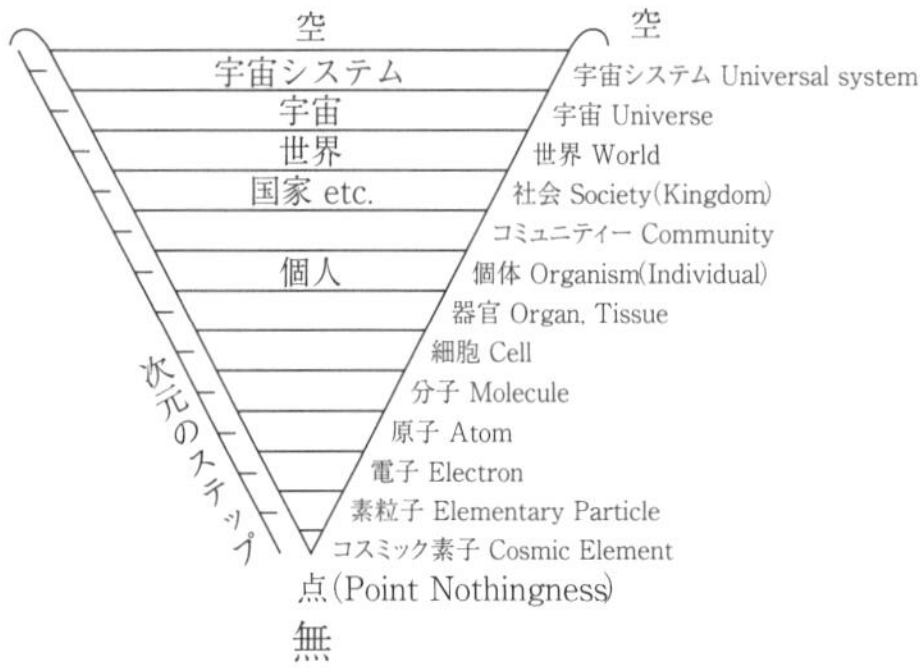

ホロコスミクス

メビウスの輪の
平面投影

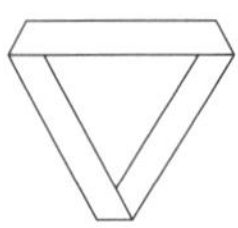

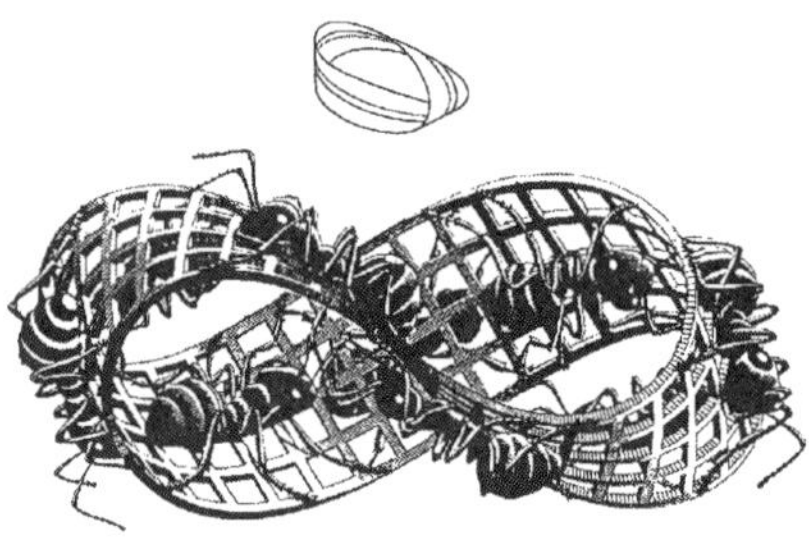

メビウスの輪
（エッシャー原図）

ホロコスミクスとメビウス構造

は、１９８４年に出した『無謀な挑戦』からの引用である。

図版は方程式と同じだから、それ自体が概念を物語り、解説する必要はないのだが、日本では解説をしない限り、認知されない奇妙な習慣がある。紀要の全文が日本語訳されたのは、『ザ・フナイ』（２０１２年４月号）で、ここに日米間の格差があるが、台湾大学での講演で使った図版は、『生命知の殿堂』（ヒカルランド）の末尾に、参考資料として収録してある。

ホロコスミクス図は簡明であり、個人は共同体の国や地域に属し、民族や家族のメンバーだが、社会は国家や共同体を内包し、個人は生活の場をそこに確保する。また、個体としての生命活動は、体内組織の集合体である臓器が、独自の機能を発揮しながら、ホメオスタシスを営むし、細胞は生命活動の基本単位であり、水の生命化の反映である。

細胞は生理現象の基礎単位で、それ以下の分子、原子、電子、素粒子は、物理や化学の原理が支配し、生命レベルでの生成・発展から、衰退・滅亡に至るプロセスを通じ、細胞の活動状態に関与する。しかも、生命体は細胞の集合だから、細胞が元気であることは、生命力の強さを決定づけ、細胞は膜によって内と外に分かれる。また、細胞内液と外液の流動性は、イオン濃度によって決まるので、生理現象は電気作用だから、体液は流体力学に支配される。

幼稚な段階の現在のサイエンス

私は幼児期から蝸牛（カタツムリ）を愛し、渦巻き模様に取りつかれ、アンモン貝の採集にフランスを訪れ、地質の専門家になったが、水流のボルテックス（渦流）に親近感を抱き、流体力学について学習した。だが、流体力学の根底に位置し、動きを支配する基本原理は、電磁現象と同じであり、波動方程式の世界に属すので、電流と磁場の理解が重要だ。

しかも、この世界はじつに不思議で、磁極の転換の理解は難しく、ニコラ・テスラの天才が求められ、+が−になる魔術に対し、アレルギー反応を示しがちだ。地球は何度も磁場が転換し、ポール・シフトをしており、地殻変動に影響を及ぼしていて、地球の歴史を多彩にしたが、その成果が生命の誕生だ。

しかも、磁場の転移は太陽活動による、黒点の消長を反映しており、大きな経年変化に基づくが、メカニズムが未知なため、法則性はいまだ導けていない。現在の科学レベルは、幼稚な段階にあるので、分からないことが多く、今後の研究に期待するにしろ、宇宙の理解が決め手の鍵を握る。

現在のサイエンスの知識が、幼稚な段階に属しており、前途に未知の世界が広がって、待ち構えていることは、ニュートンが言明し、その知恵が伝わっている。地上にいる人間でも、真理の大海の前に立ち、自分の知識や営みを思えば、いかに小さな世界の中で、生きているかが分かり、宇宙の神秘に思いを馳せる。

「私は海辺で遊んでいる、少年のようである。ときおり、普通のものよりも滑らかな、小石や可愛い貝殻を見つけて、夢中になっている。真理の大海は、すべてが未発見のまま、目の前に広がっているというのに……。

I was like a boy playing on the sea-shore, and diverting myself now and then finding a smoother pebble or a prettier shell than ordinary, whilst the great ocean of truth lay all undiscovered before me.」

ニュートンでさえもが、地上で海を眺めただけで、視野の狭さを痛感し、大空を見上げるのを忘れ、嘆息したのが名言になり、人々に感銘を与えている。まして、宇宙から地上を見渡し、人間の営みを観察して、ばい菌の繁殖に比較して、その生態をカルテに書けば、文明や社会の病気は、診断できてしまうのだ。

動物の生命力の秘密は、体液の流動性にあり、水の流れ方を観察し、それを組織や社会に当てはめて、シミュレーションすれば、プロとしての判断力の涵養になる。そうして鍛えた眼力で、世の中の動きを読み、診断をすれば達人と言われ、患者を看れば名医だし、決算書を読めば名会計士だ。

複式簿記と「会計工学」に無知な経済学者と財務官僚

私はフィボナッチ数列が好きで、複式簿記の原理への関心から、『国際経済』に2年間連載になった、寺川正雄会計士の記事を読み、会計学の名人による発想に驚いた。流体力学がベースの寺川構想は、電磁理論の応用であり、渦流がカネの流れに共通し、複式簿記に会計工学を応用して、それで捉える独創発想に、「目からウロコ」の驚きを味わった。

出会いの機会を求めた私は、公認会計士と議論を試み、寺川正雄流の発想に学んだので、会計工学の威力を知り、オペレーションリサーチ（ＯＲ）の力が、日米の戦力の差だと理解した。この体験は衝撃的で、興味深い対談を試みたが、「『会計工学』を軽視する日本経済の蹉跌（さてつ）」と題し、『LA International』の１９９９年の6月号に出た。

「会計工学」の真髄にあるのは、ＯＲのダイナミックスであり、サイバネティクスを会計学に

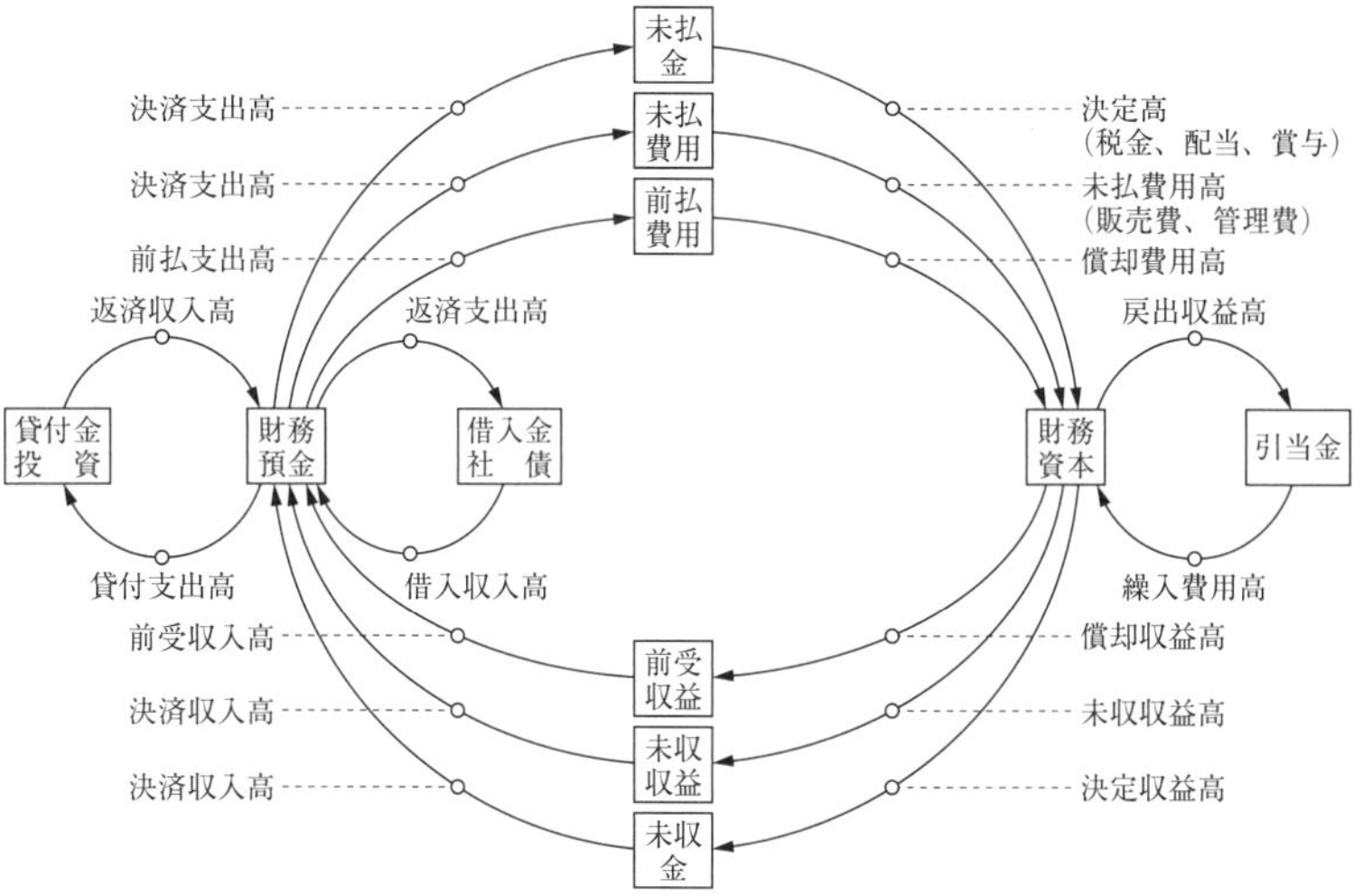

財務資本回路における流通量―位差量分布

導入し、制御工学に合成した理論は、世界の最先端を行くものだ。資本を流動体と見れば、水や電気の流れと同じで、システムを時間の変化で捉え、資本循環を動態的に理解し、それを金融政策に使う発想は、とても大蔵官僚にはできない。

　だから対談の中の発言として、私は、

「大蔵省の幹部は法学部の出身で、経済史や会計学の素養に欠け、多くが大福帳以下の発想だから、循環理論に基づく会計の基礎に無縁です。しかも、民間企業ではトップの多くが、労務や営業畑の人間であり、……決算書で経営する判断力がないし、他人が作った決算書のごまかしさえも、見破る力さえありません」

と嘆き、日本の弱点について指摘したが、それはいまだに変わらない。

投機による株高を使った好況の演出

経済や金融を監督するので、日本の生命力を握る役所は、現在では財務省と金融庁だが、「ノーパンしゃぶしゃぶ事件」や、「飛ばし」などの不祥事により、大蔵省が改組されている。奢(おご)りのために倫理観が薄れ、佐川宣寿(のぶひさ)の嘘と栄転をはじめ、片山さつきの不祥事のように、財務官僚の紊乱(びんらん)は目にあまり、伏魔殿化しゾンビの殿堂だ。

財務省と官邸筋が監督する、GPIF（年金積立金管理運用独立行政法人）は年金を運用し、世界最大のファンドとして、膨大な資金は株と債券を買い、日本の株価高を演じている。だが、昔は株の投機は博打だから、まともな人は接近しなかったが、今では日銀や年金基金を使い、役人や天下り官僚の手で、相場が張られているから、ヤクザ政治の実態は恐ろしい。

世界の年金ファンドの序列と運用資産残高

ＧＰＩＦ（年金積立金管理運用独立法人）	１兆２０００億ドル
ノルウェー政府年金基金	８９００億ドル
米国連邦退職貯蓄	４８００億ドル

ダントツで首位の日本のＧＰＩＦは、１６０兆円の運用残高を持ち、日銀と一緒に株を買い支えているから、株価が上がるのは当然で、これが国家資本主義の正体だ。ところが、税金である公的資金を使い、株価を買い支えていたので、政府は好景気のおかげで、株価が高いと宣伝して、これが金融政策だと称した。

しかも、個人投資家が逃げ出して、長期的視野で事業を育てる、健全な投資を考える人がいなくなり、株の値上がりだけを考え、証券市場が賭博場化した。そして、年金や税金を投入して、他人の金で稼ぎを狙う、役人や裏世界系の人物が、鉄火場的な感覚で投機し、株式市場をにぎわしており、ビジネスとは無縁になりかけている。

数学者のジェームズ・シモンズが創設した投資会社「ルネッサンス・テクノロジーズ」は、

ジェームズ・シモンズ

金融や経済の関係社員はゼロだが、物理や統計学のプロだけで、世界有数の利益率を誇るファンドだ。数理モデルで投資するプロは、クォンツと呼ばれているが、ルネッサンスのクォンツは、10年間で２５００％の利益を稼ぎ、平均年率４割の利益を記録して、ウォール街での花形になった。

熱力学と統計力学の前では、経済学は子供騙しに等しく、法学部出身の財務官僚に指揮され、日銀やＧＰＩＦの幹部の手で、年金を株で運用するのは、もはや正気の沙汰ではない。数学出身で財務官僚を体験し、辞任後に『日経新聞と財務省はアホだらけ』を出版し、経済オンチと愚劣さを笑い、官界の劣化を暴露した高橋洋一は、日本の経済学者をこき下ろすが、彼自身が統計の使い手にすぎない。

カジノ経済のペテンを「ユータナブ（Euthanabe）」と呼ぶ

支離滅裂な経済路線に対し、欧米ではユータナブと呼ぶが、日本の金融政策はペテンであり、フランス語の「安楽死（Euthanasie）」と、安倍晋三の（Ａｂｅ）をかけ合わせて、アベタナーブを想起する。フランスの放送番組に出場した時に、金融評論家のOlivier dela Marcherは、「アベノミクスは、日本経済の安楽死だ」と指摘し、新語が誕生したのだが、安楽死ではなく断末魔である。

日本の外に住んでいる私は、地球儀で世界を眺めるが、飛行機で飛び回る生活のせいで、「井の中の蛙」にはならず、「ゆでガエル症候群」にも縁がない。「ゆでガエル症候群」は、緩慢な変化に気付かず、危機に対応ができないまま、外が見えない閉鎖空間の中で、死滅する愚かさを指すが、このままでは日本人は「ゆでガエル」だ。

今の日本はメディアの堕落で、批判精神を喪失して、自らの足と頭で調査や取材をせず、役人が配る資料を読み、通信社の記事を読んで、切り張りした二次情報が多い。また、テレビやYouTubeを見ても、自分の頭で検証しないで、ゲシュタルト化をせずに、情報の選択や批判のない、完成度の低いもので満ち、メタ情報はきわめて少ない。

日本には名人気質があり、完成度の高いことを評価し、高品質のものを誇るので、中途半端な仕事を嫌い、手抜き仕事を卑しむが、この伝統が急速に崩れた。そして、中途半端を恥じなくなり、押っ付け仕事的なものが増え、時間を省くことを良いと思い、食事までインスタントだが、丁寧な準備と心遣いがなければ、料理だとは呼ばない。

安倍の政治はその典型で、じゅうぶんに議論を重ねずに、強行採決で法案を成立させたが、議会制民主主義の基本は、じゅうぶんな審議が必要なのに、この原則が崩れ去って久しい。議会が存在しているのに、中身を吟味しない法案ばかりで、法治国家が看板倒れだし、出たとこ勝負に明け暮れ、ゾンビ国家に成り果てた。

国富や北洋艦隊を並べても、頭脳部の中身が腐敗すれば、いくら大国だと胸を張っても、日清戦争の清国と同じで、亡国は焦眉（しょうび）の急であるし、死路への旅は駆け足になる。資本主義の制度下で、国家を経営するに際し、その理解能力がない支配者に、権力を託してしまえば、いかに危険であるかは、安倍内閣がそれを証明していた。

無能者が国を率いる罪と夜明け前の闇

共有財産のネーションは、国境と領土を持つ国家が、憲法を頂点にした各種の法に基づき、課税と再配分で統治し、国民国家を機能させている。だが、国民で構成している国家が、常識として認識されていた、その有効性を問われて、思考の枠組みが変わり、パラダイムの転換が言われて久しい。

国民国家の原理を空洞化し、三権分立や議会制を無視して、閣議決定と強行採決に明け暮れ、行政本位の独裁体制で、政治を私物化したのが、安倍政権の7年半だった。日本の経済社会の枠組みは、膨張と放縦に支配され、重工業製品の輸出に依存し、拡大路線を邁進したが、システムの有効性が問われ、その基盤が崩れて衰退する中で、世界から取り残されている。

　海外メディアの論調の多くが、日本の衰退に関して、その深刻さを指摘しており、異常な産業界の老衰とともに、少子化を加えた形で、国難として取り沙汰されている。格差の拡大で結婚できず、貧困で家庭を持てないし、子供を作れない若者が増え、人口の再生産の低さで、日本は先進国の中で最悪だ。

　しかも、行き詰まった産業界が、民生路線を放棄して、軍需を目指す方向に、大きく舵を切り変え、国家と産業界の一体化で、突破口を開こうとしている。原発や新幹線の技術輸出が、武器輸出の露払い役になり、首相が財界人を引き連れて、売り歩く外交路線は、じつにお粗末の限りで、目先の稼ぎが丸見えだ。

　だから、米国のブルームバーグは、「２０１９年は日本経済が、粉砕される年になる」と報じたし、世界の別のメディアが、「成長軌道が終点を迎えた」とか、「日本は立ち直れない」と書く。第三者の目でみるなら、安倍政権の統治の実態は、お粗末極まりないのに、日本人は洗脳されて、その事実に気付かない。

　幼少時代から甘やかされ、いじけた根性で育ち、世襲議員になった安倍は、未来を損なうと読まれ、バカにされて首相になり、羨望（せんぼう）が卑下にと転じている。だが、権力による愚民工作に洗脳され、日本人はそれに気付かずに、安倍内閣を支持し続けて、「愚者の楽園」に満足していたら、地獄に導かれたのである。

何も外国人に言われなくても、日本人は日常の生活を通じて、アベノミクスの破綻を実感しており、狂った政治に愛想を尽かし、強く締め付ける閉塞感に包まれている。だが、メディアが完全に腰抜けになり、必要な情報を報道しないので、本章ではアベノミクスの正体と、欺瞞について検証した次第だが、夜明け前は闇がもっとも暗いのである。

＊注記：この章はアベノミクスと呼ぶ、たぶらかしの手法を使い、長期政権を維持した、安倍内閣のペテン政治に、それが詐欺商法だと、告発した記事でできていた。だが、安倍内閣が姿を消し、このインチキ政策も、雲散霧消したので、この章でアベノミクスに触れた、不愉快な記述は削り、生命活動と結びつく、経済活動の部分だけ生かした。

第6章

現代史の虚偽と知的荒廃の蔓延（まんえん）

日本の政体に君臨する官僚機構

外交と内政が政治の中心だった、絶対王政が君臨した時代には、軍隊はほとんど傭兵(ようへい)に頼っていたので、資金を調達する財務長官とともに、治安担当の警察の長官の力が強かった。それに続き議会が力を持つが、近代的な国民国家の場合は、官僚の政体支配が決め手になり、治安と行政を取り扱うので、多くの国で内務省が力を誇っていた。

旧体制では税金は請負制で、人頭税や土地代金が主体だし、代官や請負人が徴税を扱ったから、税務を担当する役人の仕事は、あまり規模が大きくなかった。市場経済はローカルだったし、所得を把握する機能も弱く、塩税や鉱産物税のような形で、外形標準課税が中心だから、大蔵の財務権限も比較的に小さく、内務行政の一部門に属した。

大蔵や財務が重要性を帯び、権力を振い出した背景は、産業革命で経済活動が活性化し、資本の役割が大きくなり、カネの威力が強くなって、商取引が盛んになったからだ。明治時代の日本の官僚制は、富国強兵の国是にかかわらず、内務省官僚が権力を握って、出身母体の東京帝大法学部が、日本の政体を掌握していたので、法律万能主義が君臨した。

参謀総長や軍令部長をはじめ、特命全権大使のほとんどが、皇族と華族の指定席になっており、国外が活動の場の軍と外交が、門閥と閨閥（けいばつ）の既得権益だった。欧州の王族の伝統に準じ、天皇を囲む皇族や華族が、対外部門の要職を独占し、国際関係を掌握しており、それが大日本帝国の屋台骨だった。

それに対して国内の統治は、皇族を含む華族ではなく、特権階級に属さない平民に属しても、実力や資格を持つなら、門戸が開かれたシステムの形で、明治の日本はできていた。伝統が強いヨーロッパでは、貴族とともに王族が支配層で、国際部門の独占は特権だし、階級意識が濃厚だったために、堅固な身分制度が残っていた。

君主制と共和制の調整と鬼子としてのキメラ

欧米の圧力で開国を決め、近代世界に参加したので、欧州大陸の中核を構成する王制と、アメリカ合衆国やフランスが、共和制の国である現実を前に、日本は当惑気分を味わった。なにしろ、天皇を取り巻く京都の公卿（くぎょう）に対し、幕藩体制を支えた大名や武士が、君主制の構成要員になる形で、新秩序ができあがり、その定着が進行していた。

その例が皇女和宮（かずのみや）の降嫁で、仁孝（にんこう）天皇の娘が徳川将軍家に、正妻として結婚の実現が進行し、将軍家と外様大名をはじめ、住友家が近衛家と婚姻で結ぶ形で、閨閥や門閥の交錯が図られた。

しかも、日本独特の家族制度を作って、新秩序に吸収されたが、薩長の出身者の多くは卒族（下級武士）で、大久保利通や伊藤博文は、新支配層の異分子であり、その矛盾について自覚していた。

だから、近代国家に仲間入りした、１８６９（明２）年の段階で、華族や士族の身分を作り、中央集権体制の準備として、四民平等の原則を取り込み、版籍奉還と太政官制度を実施した。太政官制で発足した六省は、民部省、大蔵省、兵部省、宮内省、外務省、工部省だが、国内を統治するために、王政復古で改編を試み、民間の出身者に門戸を開いた。そして、内務省や大蔵省をはじめ、司法省、文部省、農務省などが、内政の各部門を担当して、そこに下級士族を登用した。

その筆頭が内務省であり、プロシアやフランスを手本に、公安や情報を掌握した警察部門が、治安や秩序を統括して、国内交通や医療を含む形で、内政を包括的に管理した。１８８９（明22）年に憲法が公布され、国会の開設で内閣制度とともに、三権分立の近代国家が、大日本帝国として発足したのであり、この体制は敗戦まで続き、それを歴史学では政体と呼ぶ。

国家の原理と国民国家

近代を特徴づける国民国家は、国境、国土、国民の三要素からなり、主権を重視したジャン・ボダン（1530〜1596）や、秩序で考えたホッブズ（1588〜1679）をはじめ、自然権として捉えた、ジョン・ロックの理論が古典的だ。また、憲法による社会関係から、社会的な契約を論じたジャン＝ジャック・ルソーや、国権中心に考えたヘーゲルまで、近代における国家論として、多くの学者が論じたが、君主制と民主制の根底にあるのは、主権の所在の問題だった。

国家とは何かという問題は、プラトンが活躍した昔から。多くの見解が存在しており、マキャベリやロックを経て、理屈の多いヘーゲルに至るまで、さまざまな理論が登場した。近代国家は主権の概念と密着し、国家の機能の第一には、市民の保護だと位置づけ、秩序や安全と公共善の実現を目指す。そして、古典的な「夜警国家」論に対し、新しい「福祉国家」論があり、その調整が論じられた。

福祉は政治の主要課題で、福祉を政府の責任とするか、個人の権利と考えるかにより、米国では権利の民主党と、自己責任の共和党が対立軸を作った。ヨーロッパ諸国の場合は、社会責任を政治に反映させ、社会民主主義の思想が普及し、それが政治課題の中心になり、福祉国家を志向する傾向が強い。

だが、自由競争を尊ぶ米国では、自己責任論が支配的で、社会保険より任意保険が中心だし、防衛も個人が武器を保有して、自分で守るという思想が支配的だ。これは歴史の違いにより、領主や地主の力が強い旧世界に対し、建国の理念が違う米国では、自由農民の意思を反映して、中央集権的な国家観に、反発する思想が強いせいだ。

国民国家と表裏関係の政体と国体

国家の議論は古代から存在し、都市国家中心のギリシアでは、ポリスと結びつけて論じられ、イタリアではプブリカ(共和国)や、キビタスとして考察された。また、議会を持つ共和制の国家は、議論を省くことで独裁制に転じて、共和制から帝政になり、それが歴史の教える教訓だ。だが、最終的には人民主権である、共和制が世界の潮流になり、君主制と共存する形を取った。

歴史的には君主と人民の間に、交渉の場として議会が位置し、立法する議会が行政部門を指揮して、立法、行政、司法が三権分立で、近代国家の土台が成立している。三権分立が機能する基盤に、権力者と人民の間の契約として、最高法規の憲法が存在するが、これは権力行使に制限をつけ、暴政を防ぐための知恵であり、この法概念は近代の産物であり、多くの君主は統合の象徴である。

分立する三権を統括する形で、国家の運営をする者が、政体部門の運営責任を付与され、憲法が定める規定に従い、法治国家の統治を任されている。この統治機構を政体と呼び、憲法が掲げる国是を示す、ソフトな理念を国体と名付け、モナドに似た形を取り、全体を体現している憲法に、近代国家は最高権威を与えた。

だから、政体と国体は統一国家では、一枚の紙の表裏関係に似て、ソフトとハードの関係で、補い合っているのだし、世界の常識はそのように理解する。ところが戦前の日本では、国体が万世一系の形で、血統と結ぶ天皇信奉だけが、許された国体観だとされ、盲信が荒れ狂ったのであり、それが太平洋戦争に駆り立て、大日本帝国は滅亡している。

大日本帝国憲法の制定と法治国家の誕生

現代の「屈原（くつげん）」は不在でも、憂（うれ）い嘆（なげ）く心は世の中に存在し、隣国に詩人の独裁者が君臨した時代に、田中角栄は『離騒（りそう）』を巻頭に含む、『楚辞集註（そじしっちゅう）』を毛沢東からもらってきた（第9章参照）。たとえ、それが狂乱物価の仕掛け人に、皮肉のメタファーだったにしても、楚（そ）の宰相の屈原が汨羅（べきら）の淵（ふち）に残した、悲愴（ひそう）な思いは墓碑銘に刻まれて残る。

明治の建国の草創期においては、文明開化の訪れに感激して、新しい国を作り上げようと理想に燃え、誠心誠意の命を賭ける心で、国作りに取り組んだ日本人たちがいた。だが、その熱意は「明治六年の政変」（征韓論政変）で葬られ、明治の政治は覇権を目指したが、不平等条約を改めるには、欧米化することだと考え、近代国家になる努力をした。

日露戦争が終わる時期までは、国を挙げて努力したので、強靭（きょうじん）な官僚制度を持つ国として、国民国家を作り上げ、公務員の自覚で国を運営し、国民の幸せの実現を願い、志を持つ役人が活躍した。教育界には多様な人材が集まり、大志を抱く人が理想を持ち、人材の育成に情熱を注入し、近代化を実現するために、多くの若者が世界に雄飛した。

日本人の向学心は評価が高く、パリはコミューンで騒然だったので、より安定だったリヨン大学に学び、そこで学位を得た留学生には、梅謙次郎（うめけんじろう）や本野一郎（もとのいちろう）などがいて、若い法学博士がキラ星だった。また、ロンドンのミドル・テンプル法学院で、バリスタ（法廷弁護士）を得た日本人には、穂積陳重（ほづみのぶしげ）や星亨（とおる）などがおり、ハイデルベルグ大学の穂積八束（ほづみやつか）をはじめ、ドイツやオランダで学んだ若者が、法治国家づくりに貢献した。

米国派の鳩山和夫や小村寿太郎は、アメリカ探題（偵察隊）だった、キングズ学院を継ぐ、コロンビア大を卒業したが、法律の先進国はヨーロッパで、法曹界の雄を誇る中央大学の由来に、ミドル・テンプルの令名が託された。本場で鍛えた明治の法曹人たちは、教養と見識を誇る逸材で、弁護士資格を持つにすぎない、政界御用の口説（こうぜつ）の徒に属す、今時の橋下某や稲田某に比べたら、「月とスッポン」の差を持っていた。

国家の暴力装置を支配下にした薩長藩閥政治

1881年の「明治一四年の政変」で、大隈重信（おおくましげのぶ）が政府から追放され、自由民権運動を抑えるために、伊藤博文は10年後に国会を開設し、憲法を制定するとの詔書を出した。民法はフランスの影響が強く、学者や行政官僚が主導したが、憲法や行政法はドイツが手本で、官僚が政府に協力する体制の整備に、憲法をつくる作業を開始した。

1882（明治15）年春に伊藤博文の一行は、憲法調査のためにドイツを訪れ、ビスマルク首相が憲法を学んだ、ベルリン大学のグナイスト教授と、ウィーン大学のシュタイン教授に指導を受けた。憲法の草案は行政学者のアルベルト・モッセ判事と、シュタイン教授の弟子の河島醇（かわしまあつし）が協力し、手本がプロシア憲法だったので、日本政府顧問のヘルマン・ロエスレルが、草案の仕上げ作業を手伝った。

憲法の草起は「夏島草案」として、伊藤博文や金子堅太郎の手で、横須賀の夏島で作られたが、言葉のチェックが主であり、文案はモッセと井上毅（こわし）がまとめた。井上はプロシア国体の信奉者で、法治国家の帝国を目指す日本に、万世一系の天皇制の思想を適用し、近代日本のデザイナーと呼ばれるが、アジアで最初の大日本帝国憲法は、1889（明治22）年に公布された。だが、明治の歴史には隠蔽が多いし、まともな歴史教育がなく、司法を長州閥が支配するとともに、警察を薩摩が一手に握った事実は、ほとんどの歴史書が詳述しない。しかも、公安よりも派手な軍事組織に、歴史や小説がフォーカスを当て、最高裁に等しい大審院院長が、初代の玉乃世履（たまのよふみ）の時から、長州藩が握りしめていたし、警視総監の大警視は薩摩の独占で、公安は軍部とともに薩長が支配した。

人脈として陸軍は長州の独占で、海軍は薩摩閥だったから、明治国家は昭和に至る長期にわたり、国家の暴力装置は薩長が握り、それが明治の藩閥政治の正体だった。しかも、薩長を結んだ坂本竜馬の背後には、武器商人であるグラバーが長崎に控え、アヘン戦争を演じたジャーディン・マセソン商会が、長州ファイブを操っていたし、日本の運命を取り仕切った。

田布施（たぶせ）と横浜の接点と歴史を結ぶ人脈

ここまで書いたところで筆が止まり、奇妙なスランプに襲われ、明治の政治史で内務省の力が、絶対的だったと書くのに、疑問を感じた私は休息の旅に出た。母方の出身が津和野で、両親の墓が松江にあるから、墓参に中国地方を訪れ、不思議な縁で山口県に入り、初めて田布施に立ち寄った。

この町は大室寅之祐の出身地で、奇兵隊の根拠地であり、明治天皇の都市伝説とともに、周辺は幕末から明治期にかけ、名だたる人物が輩出していた。伊藤博文（首相）や岸信介（首相）をはじめ、佐藤栄作（首相）、安倍源基（内相）、木戸幸一（文相）、難波大助（テロリスト）、賀屋興宣（蔵相）、河上肇（学者）などが、この町の周辺の出身者だ。

田布施町が本貫の人の中から、権力者がこれほど登場し、明治から昭和に君臨する形で、権勢を振った理由には、明治天皇になった人が、ここの出身とする伝説がある。最近はそれに触れた歴史書が、山のように出版されており、多くの人が知識を持つが、私がその話を聞いたのはカナダで、1970年代の冒頭だった。

学位を取ってサウジで仕事をし、フランスに戻り結婚した私は、カナダに渡り石油会社に勤め、早川聖氏に出会ったが、彼は横浜生まれの引退外交官で、興味深い秘話を物語った。明治の横浜で生まれた彼は、貿易で財をなした豪商の息子で、横浜の太田町の屋敷に住み、吉田茂の養父の隣家だったから、外交官の道を選んでいた。

吉田茂の養父の吉田健三は、福井藩士の渡辺謙七の長男で、長崎で言葉を習って英国に密航し、二年後に帰国して、横浜に住みついた。そして、武器とアヘン貿易で悪名が高い、ジャーディン・マセソン商会に、支店長として勤務した後で、独立して商売をした。

吉田茂は養父の健三の養子で、土佐の竹内綱の息子だが、綱が国事に奔走していたために、息子を吉田健三が引き取り、自由三昧に育て上げた。竹内綱が長崎時代に、芸者に生ませた子供が、竹内茂の出自だが、横浜の豪商の養子に入り、牧野伸顕の娘の雪子が、吉田茂の妻になり、それが官界で出世の契機になった。

牧野伸顕は大久保利通の息子で、11歳の時に父と一緒に、岩倉使節団の留学生で渡米し、フィラデルフィアの中学で学び、帰国して外交官として活躍した。だから、若い外交官の吉田茂は、牧野の強い庇護を受けて、出世街道を驀進し、駐英大使になったが、彼の貴族趣味は英国仕込みだ。

日本の歴史の宝庫の横浜と埋もれた秘話の発掘

吉田健三の巨大な財産は、ビール、トタン、フランネルの輸入の他、醤油醸造や電灯会社を設立して作った。東京日々新聞の経営にも参加したが、隣人の早川聖の父親は、お茶の輸出で財を成し、神奈川新聞を起こしていた。だから、吉田の隣人の早川聖氏も外交官になり、暗号解読の責任者として、秘密の仕事をした体験は、歴史の貴重な資料だから、私は彼と何冊か共著を出した。

暗号解読の仕事の話は、『情報戦争』に、多くのエピソードとともに、記録が収録してあり、10年近い聞き取り情報は、カセットテープで数十本に達した。彼との出会いのおかげで、老人からの聞き書きが、私の情報源になって、歴史の検証に結び、多くの秘史の本が生まれた。

敗戦で外務省が機能停止になり、終戦連絡事務局に変わったので、彼は鈴木九万横浜支局長の部下として、横浜駐在の事務官になり、じつに興味深い経験を蓄積していた。自殺した東条を野戦病院に訪ね天皇の見舞い品を届けた体験や、占領軍からの重大な命令に驚き、鈴木所長と対策を練った話は、現代史懇話会の『史』に掲載してある。

占領軍からの「三布告」の話は、日本の運命に関わる命令で、GHQが対日政策で執行しようとした驚異的な内容の秘話であり、最初に英文を日本語にしたのは、担当した早川事務官だった。

・英語を公用語にする。
・ドルの軍票をB円として、日本の通貨として使う。
・アメリカの軍法下（治外法権）に置く。

早川さんからの聞き書きの量は、テープで100巻を超えており、山のような秘話の宝庫に卒倒したが、その中の孝明天皇暗殺の話は、彼が友人の広橋真光伯爵から聞いた話だ。広橋真光は内務官僚の事情通であり、戦後に千葉県知事をやった人だが、父親の広橋賢光は伯爵（名家）で、内務省の高級官僚だった。

広橋伯爵は憲法調査の使命を帯び、伊藤博文と一緒に渡欧し、船旅の最中に伊藤から聞いた話で、息子に他言は無用だと伝え、それを私がまた聞きしたことになる。弁護士の鹿島昇にしゃべったら、それを彼は著書の中に引用し、鹿島昇も「浜っ子」だから、私が早川氏から聞いた話や、欧州の貴族の家系の話に結びつけ、『裏切られた三人の天皇』に、「解説」を書いてほしいと頼まれた。

皇室をめぐるタブーと明治天皇の都市伝説

皇室には多くタブーがあり、国民の好奇心の的になるが、日本ではメディアの自主規制が強いため、英国流の報道の自由がなく、菊のカーテンが厚い壁を作っている。プレ・オリンピックでは選手をやり、グルノーブルの冬季大会の時は、市長の五輪アタッシェを務め、欧州の貴族と知り合ったおかげで、私はゴシップ的な話はたくさん耳にし、錯綜した家系の謎に馴れていた。

地球が誇る１３７億年の歴史は、プロの私の領域であり、古代から現代に至る歴史の謎について、多くの学者が挑戦したが、彼らの歴史感覚は小刻みであり、近視眼的で大局観に欠けている。『鉄仮面』を読めば分かるが、欧州の王家を貫く歴史を熟読すれば、語られていないものが潜み、ビクトリア女王が双子だった話をはじめ、秘密の闇に包まれていて、紙背に透徹する眼光が必要だ。

明治天皇の話も似ているが、三笠宮が高松宮の弟だとは、10歳の年齢の差からしても、信じられないと私は考え、皇室の系図に疑いを抱くが、歴史のプロとしての直観である。だから、それを織り込んだ解説を書き、筆名を使った記事を送ったところ、ペンネームでは困ると言われ、『裏切られた三人の天皇』の改訂版には、別の人の解説が収録された。

鹿島昇は２００１年に死んでおり、亡くなる1週間ほど前に、地下鉄の銀座のホームで出会い別れたが、私が米国に戻った時に、連絡が届きタブーに挑んだ友は、暗殺された可能性が閃（ひらめ）いた。現代史は虚偽の百貨店であり、明治天皇周辺の謎はタブーだが、都市伝説で終わっているし、安倍政治のペテン政治についても、誰も真相に迫らない状態が続く。

日本の官僚制が実力主義になった大正時代

　日本の現代史を学んだのは、1950年代末の高校生の頃で、警職法や「治安維持法」への嫌悪から、戦前の内務省への疑念を抱き、江戸っ子の私は薩長支配が大嫌いだった。警察を支配した薩摩人脈は、初代の川路利良(としよし)大警視から、何人かの土肥の例外を除き、13代、17代、19代も務めた21代の安楽兼道(あんらくかねみち)に至るまで、警視総監を独占し続けたと知って、薩長が日本を悪くしたと思った。

　鉄道などの交通網や医療施設は、警察が神経網として扱い、都道府県の隅々にまで張り巡らし、情報を握る内務省の管轄で、特高警察が猛威を振っていた。三木清を愛読していた私は、疎開先の町で彼が逮捕され、拷問で獄死していた関係で、若かった私に生々しく迫り、内務省を悪魔だと思い込んだ。

　だが、落ち着いて明治史を調べ、思想弾圧以外の分野に関し、内務省の働きについて検討したら、県知事の人選を除いた場合に、大した成果がなかったと分かった。県知事の任命に関しては、次官クラスが勅任官だった、安場保和(やすばやすかず)（福岡県知事）をはじめ、卓越した人材が活躍しており、後藤新平が東京市長になる前は、あまり人材が内務省にいなくて、台湾や満鉄の人事にも、内務官僚はそれほど多くなかった。

だが、東京市長になった１９２０（大９）年に、人材選びの名人の後藤新平は、東京市の助役の三人の選択に際し、全員を内務省から引き抜き、伏魔殿の改革に抜擢したほど、行政官僚に人材が育っていた。派閥主義の弊害を打破して、真の行政を担う能力を持つ世代が、大正時代になって育ちはじめ、後藤の眼鏡にかなうだけの幹部が、内務省の中に生まれていた。

・永田秀次郎（内務省警保局長から）
・池田宏（内務省社会局長から）
・前田多門（内務省都市計画局長から）

だが、政党政治で党利党略が進み、昭和になって軍国化するに従い、門閥や派閥が復活したために、政治は独裁色を強めて行き、昭和のファシズムが支配した。大正リベラリズムと言うが、関東大震災に続く大不況で、社会を覆う閉塞感が強まって、テロと思想弾圧が力を強め、日本は閉塞感に支配された。

私は評伝を読むのが好きで、渋沢敬三や後藤新平は、傑出した個性と風格を持ち、その人生行路が素晴らしく、学ぶことが多いために、いろんな著者の作品に親しんだ。とくに東京市長時代から、関東大震災にかけては、彼の仕事具合を知るには、江上剛の『帝都を復興せよ』が、とてもよく書けており、優れた評伝だと評価している。

地質学をやったので、大森房吉と今村明恒が、地震予知での対立について、若い頃から関心があり、関東大震災に関しては、地震と復興計画に興味を持った。そして、後藤の壮大な復興計画が、枢密顧問官の伊東巳代治の手で、徹底的に潰された理由が、地主の利権と結ぶ、伊東が銀座の大地主であり、その私益があったと学び、今と同じ利権政治の正体を知った。

陸軍と検察を総動員して作った「収容所列島」

幕末の歴史は別の機会に譲り、検察支配にフォーカスすれば、伝統主義者の平沼騏一郎の登場は、思想弾圧の幕開けで、血と涙に包まれた弾圧の歴史が、機能集団の共同体化を促進した。検察は内務省で行政部門だが、司法を通じて裁判所を支配し、三権分立を突き崩した平沼は、国家主義団体の「国本社」を作り、全体主義の温床に仕立てた。

日露戦争が終わると大不況で、外債に頼る政府は資金がなく、１９０７年（明40）から１９０９年にかけては、落ち込んだ経済活動のために、各地に失業者が大量に生まれた。ロシアでは暴動が広がり、それが日露戦争を決定づけ、清国でも辛亥革命が勃発して、その影響が日本に波及し、社会不安が蔓延したので、民権思想の弾圧が強化された。

時代が大正に入った日本は、ヒューマニズムがもりあがり、それを嫌悪する権力者が台頭して、排外主義で統一しようと考え、国家主義を志向する官僚が目立った。その代表が平沼騏一郎で、１９０８年の「赤旗事件」を使い、西園寺内閣を潰した平沼検事総長は、陸軍と検察を総動員し、日本に「収容所列島」を作ろうとした。

そうしたフレームアップが、１９１０年の「大逆事件（たいぎゃくじけん）」で、明治天皇の暗殺を謀議したとして、幸徳秋水（こうとくしゅうすい）ら26人が逮捕され、うち24人に死刑判決。幸徳秋水ら12人を処刑に、それは思想家の弾圧を狙った、デッチ上げの冤罪（えんざい）だった。しかも、１９１１年には特高警察を作り、続いて陸軍大臣の上原勇作が、二個師団造師の否定に反旗を翻し、帷幄上奏権（いあくじょうそうけん）を使うことで、倒閣運動のクーデターを試み、それが「シーメンス事件」に続いた。

二個師団の増設を否定されたため、陸軍大臣の上原勇作は辞任し、後継の陸軍大臣を出さなかったので、西園寺内閣は組閣できず、続いて登場した桂太郎内閣は、すぐに潰れ山本権兵衛内閣が誕生した。山本内閣には木越安綱（きごしやすつな）（陸相）がいて、軍政は陸相の管轄だと主張し、山縣の企みを排除したので、その反発で山本内閣を潰すために、「シーメンス事件」が利用された。

「シーメンス事件」を使った倒閣の謀略

「シーメンス事件」は収賄疑獄で、海軍の将官が「金剛」の発注に際し、シーメンス社からコミッションを受け取り、汚職が摘発された事件である。兵器の購入は巨大な利権で、商社に群がる政治家や軍人が、口利き料として謝礼をもらっており、発覚すると疑獄事件になるが、そこに薩長対立の前史があった。

1900（明33）年の第二次山縣内閣は、陸海軍大臣の現役制を決めたが、それを山本権兵衛首相が廃止し、予備役や退役軍人にまで拡張して、陸軍の横暴を防ぐ措置を講じていた。だが、陸軍の長老の山縣有朋は、海軍の山本に反感を抱いており、桂太郎内閣の時にコンビで誕生した、松室致（まつむろいたす）司法相と平沼検事総長が、山縣の意を受けて収賄事件を使い、山本権兵衛内閣を倒した。

山本は薩摩の海軍軍人で、日露戦争には反対したが、開戦が決まると海軍大臣として、閑職にいた東郷平八郎を抜擢し、連合艦隊の司令長官に任命した、日露戦争の勝利の功労者だ。山本は軍人としては優れていたが、政治をするには実直すぎて、権謀術数に対しては弱く、政界では政治屋に振り回され、能力を発揮しないで終わった。

平沼はこの経験を活用して、政敵を潰すのに冤罪を使い、検察の権力を拡大したが、その後に官界人や実業家を含む、疑獄事件の摘発が激増した。

だが、シーメンス事件の数倍も大きい、「泰平組合事件」の汚職は、陸軍中枢が関与していたため、事件にならず揉み消され、この武器輸出に関わる大疑獄は、誰も触れないで終わっている。「シーメンス事件」の頃から、第一次大戦の終わりまでは、自由思想が取り締まりの対象であり、ソ連の誕生後は共産主義に、公安当局が襲いかかって弾圧した。当時の日本の支配層には、共産主義が最大の敵で、もりあがった労働運動に対し、徹底的に弾圧を加えることで、国内の治安を維持しようと企み、「虎ノ門事件」は取り締まりの口実に、効果的に利用したケースだった。

1915年の経済不況を利用し、行政改革を口実にした平沼は、司法大臣に大審院と控訴院の定員を削り、判事と検事232人に休職を命じ、気に入らない者を司法界から追放した。また、128地区の裁判所を閉鎖し、検察力の拡大の実現を遂行すると、権力を検察が支配する形で、後任の検事総長に鈴木喜三郎を抜擢し、治安維持法を使い弾圧を強化した。

不況を利用した弾圧政治と歴史の相似象

平沼騏一郎（ひらぬまきいちろう）は政党内閣を崩壊させ、治安維持法をフルに活用し、日本に全体主義を確立して行くが、それに利用したのが「国本社」で、1921年に発足した国粋団体には、軍人や財界人が結集した。国家主義を掲げていた点では、「日本会議」の前駆的な存在で、東郷元帥などの軍人をはじめ、検事総長の鈴木喜三郎とともに、財界の池田成彬（いけだしげあき）や結城豊太郎が参加し、平沼大審院長の親衛隊の機能を果した。

平沼騏一郎

平沼は「帝人事件」をデッチ上げ、100人以上も逮捕者を出し、大蔵次官をはじめ財界首脳を起訴したが、冤罪で全員が無罪になっても、それに懲りず「興亜院事件」を仕掛け、近衛内閣の前に首相になった。平沼と安倍の性格は似ており、国粋的な復古思想に染まって、平然とデッチ上げを断行し、ファシズム体制を推進したことで、官僚の良心と国家機構を腐らせた。

平沼が得意にした法の濫用（らんよう）で、法治国家を解体する路線は、戦後の日本を狂わせた遺伝子を検察に与え、「造船疑獄」や「ロッキード事件」の形で、恣意的な捜査を定着させた。司法の空洞化が進んで、その間隙を縫い不正が蔓延し、政治家と官僚の利害争奪戦が、日本を利権列島化したので、至るところで欺瞞が横行して、犯罪が野放しになっている。

不況は全体主義の温床だから、大正や昭和の不況を利用し、検察ファッショが勢いをつけたのだが、１９９０年のバブル崩壊に続き、二十数年以上も継続した経済の不況は、独裁者に最良の環境を生んだ。そこに目をつけた安倍晋三は、平然として虚言を吐き、破天荒の内閣運営を実行し、議会制度を破壊する機会にして、長期政権を維持し続けた。

奢りの中で感覚がマヒし、既得権の擁護のために、隠蔽や改竄を恥と思わず、夜郎自大の姿勢を保って、権勢欲を押し出すなら、それは帝国陸軍と同じだ。陸士や陸大を卒業して、大陸に侵略の道を求め、資金を捻出するために、アヘンの密売に熱を上げた、東条英機や土肥原賢二の、汚れた過去と大差がない。

帝国陸軍の膨張路線と闇世界との出会い

日清戦争も日露戦争も、戦ったのは日本軍だが、その資金を提供したのは、ロンドンの金融資本であり、英国製の武器や船を買い、日本人は戦場で血を流した。そうして軍備を整えてから、大陸に新天地を求め、満州に傀儡国家を作り、アヘンの販売で機密費を調達し、大陸の奥深く攻め込み、泥沼にはまり込んで、アメリカにまで攻撃を仕掛けた。

しかも、侵略した戦争に敗北して、軍国主義が崩壊して行くが、その破綻の歴史の内容については、『失敗の本質』（ダイヤモンド社）をはじめ、『大本営情報参謀の情報戦記』（文春文庫）が参考になる。私がここで強調したいことは、戦争における戦闘状況ではなく、目先の利益に盲目になり、大局観がない状態で、犯罪行為にのめり込み、自滅をするその愚かさが、現在も続いていることだ。

日清戦争や日露戦争が、戦闘面でどうだったかは、多くの本が書かれており、今更それを論じる必要はなく、日清戦争の勝利で得た、賠償金が巨大だったので、日本人の感覚が完全に狂った。清国が豊かだったので、賠償金が巨大であり、日本の国家予算の五年分だから、軍人の手柄は偉大と考え、それで待望の軍備を整え、軍事大国に向かって前進した。

だが、日露戦争では賠償金はなく、領土的には南樺太と、満州の鉄道利権だったので、日本人は不満を抱いて、日比谷焼打ち事件の暴動を演じ、焼打ちをして荒れ狂った。満鉄の沿線に沿って、駐兵権を得た関東軍は、その防備をする過程で、地元の匪賊や秘密結社と出会い、その利用をすることが、統治に役立つことを知り、闇の世界とつながりを持って利用した。

だから、日本人が「青幇」をはじめ、大陸の秘密結社に接触し、裏の世界の力を知り、その積極的な利用をしたのは、日露戦争に勝利して、満州の権益を入手した後だ。日清戦争の後では、天津や広州という港町に、租界（そかい）を作る権利を得たが、湿地帯で埋め立てが必要であり、日露戦争後になって、日本租界が誕生し、日本人が住みつきはじめた。

米国でもカナダでも、日本人の海外進出で、パイオニアはヤクザが多く、日本人のビジネスとしては、商店の他は売春窟（くつ）や食堂が、手軽にやれるから、地元の闇世界とすぐ結びついた。大陸最大の国際租界は、港湾都市の上海だが、日本租界は天津であり、ともに青幇の支配下にあり、天津には北清事変の時に、シナ派遣軍が駐留したから、商人や大陸浪人が集まった。

アヘン謀略と大陸の秘密結社コネクション

幕末から敗戦に至るまで、日本と大陸の間に起きた、大きな事件を眺めると、次のようなものが並んで、それ沿って歴史が動き、近現代史を一瞥（いちべつ）できる。

［明治］
１８６８年　幕末と御一新

1869年　版籍奉還
1871年　廃藩置県と岩倉遣外使節団の派遣
1873年　徴兵令
1877年　西南戦争
1882年　日本銀行の設立
1889年　大日本帝国憲法の発布
1894年　日清戦争
1904年　日露戦争
1911年　辛亥(しんがい)革命と清国の滅亡

［大正］
1923年　関東大震災

［昭和］
1928年　張作霖(ちょうさくりん)爆殺事件
1931年　満州事変

１９３２年　満州国成立・第一次上海事変・満州国通信社（国通）発足
１９３３年　熱河（ねっか）作戦
１９３６年　二・二六事件
１９３７年　盧溝橋（ろこうきょう）事件・日中戦争開始・上海戦
１９３８年　近衛声明・「国民政府を相手にせず」という愚かな発言
１９４１年　真珠湾奇襲・太平洋戦争開始
１９４５年　敗戦・第二次世界大戦の終了

辛亥革命で清国が滅び、中華民国が誕生したが、清の故地に満州国を作り、日本は傀儡国家満州国を経営したが、財政の主体をアヘンでまかない、その販路は中国市場だった。満州に陣取る関東軍は、熱河作戦で領土を広げ、生産したアヘンの販路に、天津の市場を開拓して、「青幇」がそれを密輸し、阪田組の阪田誠盛（さかたしげもり）が、天津で麻薬市場に卸して販売した。

憲兵司令官の東条英機が、満州国政府の岸信介とともに、密輸の安全の手配を行い、天津の日本租界内には、ヘロイン工場が２００以上も、日本人の手で運営された。そこには技術者をはじめ、日本人が２０００人近く、雇われて働いており、中国人労働者は一万を超え、天津の日本人居留地は、世界の麻薬センターとして、アヘン魔窟（まくつ）も歌舞伎町のにぎわいだ。

熱河作戦が成功して、アヘンの生産が増えると、国通の社長の里見甫が、闇社会との人脈を買われ、アヘン密売の監督の形で、このビジネスに乗りだした。彼は土匪、青幇、紅卍字会と緊密で、取扱量が増えたため、満蒙アヘンとともに、イランからの輸入アヘンを加え、宏済善堂のトップとして、麻薬王の地位に就任した。

その辺の詳細については、『昭和陸軍〝阿片謀略〟の大罪』が、緻密な考察と検証をしており、アヘン問題に関して、最高の調査文献だし、ペンネームの本名は佐藤肇だ。彼は愛国の国士であり、近衛篤麿のつくった東亜同文会の流れを汲む霞山会のメンバーとして、政界の不正を熱心に告発する、鞍馬天狗のような人で、私は親しくしていただき、貴重な極秘情報を教えてもらった。

国士が探り当てた帝国陸軍のアヘン戦争の秘密

『誰も知らない第二の安宅事件』を、『文藝春秋』（1983年4月号）に書いたら、カナダに住む私に国際電話で、何時間も質問して、詳細なことまで尋ね、その熱意に感心したことがある。当時は国際電話は高く、数十万円もしたのに、情報の価値を知る人だから、東京訪問では彼に密着し、歴史の真髄に接して、随分と貴重な秘話を教わった。

一極秘

電信課長

大臣
次官

東亞
歐亞
米洲
通商
條約
情報
文化
調査
人事
儀典
文書
會計
秘書官

配送先

昭和13　二二〇六　暗　テヘラン　一月廿五日後發　通
本省　廿六日後着

廣田外務大臣　中山公使

第六號（極秘）

客年五月廿四日附機密第五五號ニ關シ
本邦向阿片ノ輸出ニ關スル當地三井、三菱出張員間ノ協定ハ本年三月六日迄ノ事態ヲ協定シタルモノニテ其ノ後ニ付三菱側ハ交渉ニ應スル義務ヲ認ムルニ過キサル處三井側ハ右期日以後ハ自由競爭ヲ主張シ當地出張員ノ言フ所ニ依レハ本社ハ三菱ト對等タルコトヲ要求シ三菱カ獨占的ニ買入ルル場合ハ其ノ二分ノ一ノ分讓ヲ得ヘキコトヲ命シ來レル趣ナリ他方三菱側ハ當國ニ於ケル阿片取引開始ノ沿革

外務省

図1

阿片專賣會社トノ間ノ「プレフエレンス」條項ヲ理由トシテ完全ナル獨占ヲ主張シ居リ從テ右期日到來セハ兩社ノ間ニ激烈ナル競爭行ハルヘキハ豫想セラルル處而モ其ノ相手方ハ一個ノ專賣會社ナルカ故容易ニ先方ノ爲ニ操ラルヘク斯ノ如キハ先年「セメント」入札ニ於ケル苦キ經驗モアリ我方ニ不利ナルコトハ兩社共理解ハシ居ルラシキモ阿片取引ハ年六百萬兩ニ上ル大取引ナル上之ヲ措イテ他ニ相當ナル商賣ナキ爲兩社共出先ニテハ本社ニ對シ自己ノ成績ニ執着シ大局的利害ヲ顧ミル餘裕ト權限ナキカ如シ尚最近三菱ハ三月六日以降ノ輸出獨占權獲得ニ努メ居レリト言フ昨年ハ偶々三井カ關東廳納メノ阿片入手ニ當リ窮境ニ陷レル爲出先限リニテ辛々協定成立シタルモ本年三月六日以後ハ昨年ト事態ヲ異ニシ出先限リニテ協定ニ達

シ得ル見込ナキニ付本省ニ於カレ（テモ）右ノ如キ不利ナル競爭ヲ
避ケシムル爲兩本社ヲシテ主トシテ阿片取扱數量ノ相互ノ割合ニ付
具體的協定ヲ締結セシメラレ夫々出先ニ命令セシメラルル樣致度シ
（了）

「これ（図１）は中山イラン駐在公使から広田外相宛の暗号電報で、日付は1938年１月26日であり、文面はイラン産のアヘン買い付けに関係し、日本の財閥の代表である三井と三菱の名があり、その後駐米大使になった堀内謙三次官と、貿易省問題で辞職した松島鹿夫通商局長の印鑑が、情報の確認者の証拠として押してある。しかも、三井と三菱のシェアー争いの紛糾が関係しており、両社の間には麻薬権益の秘密協定があって、関東庁がアヘン取引の主役を演じている。」

「同じ外務省の極秘暗号電報の翻訳文（図２）であり、約１年後の1938年12月15日付けで、宛先は有田八郎外相で松島通商局長は同じだが、次官は近衛文麿に親しい澤田廉三になっている。電文は三井と三菱のシェア争いを報じ、外務省は調停の役割を演じているが、仲介役として大蔵次官が関与していることや、三井はシナをアヘンの独占市場にしていて、三菱は満州を支配している様子がよく分かる。」

図・文章とも『インテリジェンス戦争の時代』（1991年、山手書房新社）より

電信課長

大臣
次官

東亞
歐亞
米洲
通商
條約
情報
文化
調査
人事
儀典
文書
會計
秘書官

寫送先

外務省

昭和13　三八五四一　暗　テヘラン　十二月十四日後發　條、通、
本省　十五日前着　歐

有田外務大臣　　　　中山公使

第一一五號

貴電第四八號ニ關シ（「イラン」產阿片買付ニ關スル件）
右十三日午後五時接受直ニ電話通達シタルモ兩社トモ責任者不在ナリシヲ以テ更ニ書面通達シタルカ三菱側ハ十四日午前九時出頭十三日夜既ニ契約ヲ了セル旨申出アリ依テ報告ノ正確ヲ期スル爲署名アル契約書ノ一覧ヲ求メタル處十四日午後一時ニ至リ出頭提示シタルモノハ波斯語ノ文書ニシテ何人ノ署名モナク右ニ添附シタル英譯ガナルモノハ西洋罫紙ニ朱書シタルモノニテ素ヨリ何人ノ署名モナシ

図2

三菱ノ言フ所ニ依レハ署名済契約書ハ単ニ一通ニテ右ハ大蔵次官カ預リ居リ三菱ニハナキ趣ナリ

三井モ十四日午前出頭本社ヨリ三菱ノ契約済ミタルニ付二千箱買付差支ナキ旨ノ指令アリタル旨ヲ述ヘ外務省カ調停ノ名ノ下ニ商談ノ進行停止ヲ命シ置キ乍ラ三菱ノ契約済ミタルニ付三井ハ今ヨリ自由タルヘシト言フカ如キ取扱ハ了解シ難キニ付三菱ニ日満ノ阿片ヲ輸入セシムルナラハ支那ハ三井ノ市場タルヘク従テ三菱ノ三千箱中ヨリ満洲ヘ大連ヲ通シテ支那ニ流入セシメサル様外務省ノ監視ヲ希望ス尚今回ハ三井ハ外務省ノ停止命令ヲ正直ニ遵守シ居リタルカ為ニ之ヲ無視シテ商談ヲ進行シタル三菱ノ為ニ先ヲ越サレタル経験ニ鑑ミ今後同様ノ場合外務省ノ命ヲ守シ難キコトトナルヘシト申シ居タリ

（了）

外務省

大陸のアヘン市場は、満州が三菱でシナが三井に二分し、それを公電で証明している、外務省の極秘電報のコピーが、『インテリジェンス戦争の時代』に添付してある。この貴重な一次情報は、佐藤さんからもらい受け、この本に収録したところ、編集作業で社長が目撃し、これは凄いと驚いたので、こういう情報が満載の本が、近く講談社から出ると話した。

すると、武重社長が目を見張り、佐藤さんのところに駆けつけ、是非ともうちで出したいと頼み、出版が決まっていたのに、山手書房新社で出たのが、『昭和陸軍〝阿片謀略〟の大罪』だった。また、佐藤さんが生涯を費やし、調べて集めた情報を整理し、編集を手伝ったのが、若手の岩瀬達哉であり、二人の名前を足して藤瀬一哉が、名コンビとして誕生した。

佐藤は日中戦争を総括し、次のように指摘している。

「戦略的洞察力に欠ける、軍部と日本政府は、1938年7月12日の五相会議（近衛首相、宇垣外相、池田蔵相、板垣陸相、米内海相）で、『時局に伴う対中謀略』を決定した。その要旨は、敵の交戦能力を崩壊させ、蔣介石国民政府を倒し、蔣介石を失脚させるため、あらゆる策謀を強行する。」

戦前の日本政府に対して、幼稚な謀略の決断法が、いかにお粗末だったかを論じ、相手側への認識の甘さに、厳しい批判を加えている。そして、さらに付け加えて言うが、その批判は安倍政治が、いかにデタラメであり、夜郎自大の暴政を突き進み、大局観に欠けているかを、見抜いていたかのようだ。

「官僚や政治家は、天保銭組と同じ特権意識が強く、既得権益を第一に考えるため、視野が狭窄（きょうさく）で目先の利益に、捉われるようになっている。このため、国威政治が読めず、今日の経済力を自負する驕（おご）りから、夜郎自大になって、世界的な構造変化に対応できず、このままでは遠からず、国際社会から孤立化することは、必至の情勢である。経済競争に勝って、通商摩擦を激化させ、経済戦争に拡大し敗北する恐れが高い。」

帝国陸軍が大陸において、実行した侵略戦争は、国際法に違反している、麻薬の密売で資金を作り、それで戦争を実行し、手柄を立てて出世する、そんな手前勝手な行為だった。計画性のない状態で、他国を侵略した上に、犯罪行為をしていた点では、国家に認められていた、決闘の代償の戦争ではなく、強盗や略奪と同じ犯罪だった。

アヘン貿易で蓄積したアメリカの富

1840年のアヘン戦争は、英国に巨大権益を生み、シナ大陸に足場を作り、植民地路線を拡大したが、それが東インド会社の絶頂で、1857年にセポイの乱が起き、その責任で会社は解体された。インドは一つの私企業が、統治するには巨大すぎ、英国王室の領地として、ビクトリア女王が皇帝になり、インド帝国が成立したので、英国のシナ貿易に空白ができた。

その間隙を狙ったのが、アメリカの商人たちで、アヘン取引に参入し、折からの捕鯨事業で、太平洋に進出していた、東海岸の海運業者は、イギリス人の競争相手になった。米国の歴史を調べると、東海岸の商人たちは、南部の農場主を相手に、奴隷貿易で財産を作ったが、今度は英国の後を追い、中国とのアヘン取引で大儲けした。

ロードアイランドの港は、米国のベニスと呼ばれ、ボストンの商人と競い合い、捕鯨船と中国貿易で、巨大な財産を築き上げ、その代表のパーキンスは、米国最大のアヘン商だった。パーキンス家に続き、ラッセル家、グリーン家、アスター家、ロウ家、アップルトン家、ガボット家、デラノ家、クッシング家、フォーブス家、グリーン家、スタージス家などは、アヘンで財産を作り、その資金を産業に投資した。

トルコのアヘンで稼いだ、ラッセル家はイエール大学、グリーン家はプリンストン大学を作り、ロウ家は財産の半分を、コロンビア大に寄贈したが、米国の富は奴隷とアヘン貿易に由来した。北部の豊かな資金力が、南北戦争の勝負を決め、奴隷制がなくなった後では、アヘンの密輸が主力で、その利益を投資して、鉄鋼や機械工業が育ち、鉄道網が発達して行った。

英国人が密輸と呼んだものは、米国は自由貿易と名付け、19世紀末に米国が、イギリスを追い越して、世界一の工業国になり、第一次大戦は補給基地で、世界の富の大半を蓄積した。英米がじゅうぶん儲けたので、１９１２年のハーグ条約で、アヘン貿易が禁止され、麻薬の密売が犯罪になり、裏社会の仕事になったが、そんな段階で日本の陸軍は、資金欲しさに麻薬に手を染めた。

だから、日中戦争に見る限り、実態は日本のアヘン戦争で、関東軍とシナ派遣軍は、暗黒勢力と同じことを、国家組織を総動員して、大東亜戦争の名を使い、世にも希な愚行を犯したのだった。その主役を演じのは、陸軍省と大蔵省と並び、内務省の官僚たちだったが、アヘン問題は興亜省を作り、全体の最高責任者が、東条英機と岸信介だった。

太平洋戦争の戦費と大艦巨砲主義

太平洋戦争に費やした戦費は、今の4000兆円という試算があり、人によりその倍の数字を予想しているが、戦争という異常な事態の中で、正確に数値を評価するのは困難だ。流動した支出額を計算するか、損失した飛行機や船をはじめ、破壊した都市やインフラを含め、失った資産の計算次第で、損害の総額は異なってしまう。

国家予算やGDPを目安にして、比較する方法が使われ、大蔵省の発表はそれを利用するが、分かりやすいといっても、実際的かどうかは不明で、はっきりしたことは分からない。そこに統計の曖昧さがあり、ごまかしの許容度が関係し、役所仕事の数字合わせが、経済統計の名で使われ、それが通用してしまう。

国家予算を組む基本は、歳入に合わせ予算を組み、歳出を決めるものだが、戦時予算は例外で、不足分は債券を発行し、赤字国債で不足分を補う。だから、日本の財務官僚は、歳入のことは考えずに、戦時予算が普通と考え、国債を発行すればカネは作れ、いくらでも使えると思い、膨大な負債を作り上げた。

そこで目安としてGDPを使い、国家予算やGDPが戦費に比べ、どんな比率になるかを比較すると、次のような大枠が現れ、太平洋戦争がいかに無謀で、巨大な浪費だったかが分かる。

日清戦争	GDP＝13億4000万円	戦費のGDP比率＝0・17倍
日露戦争	GDP＝30億円	戦費のGDP比率＝0・6倍
太平洋戦争	戦費総額＝7600億円	戦費のGDP比率＝33倍

日露戦争の開戦直前の時は、資金調達の見込みがないが、開戦が目の前に迫っていたので、政府は外債発行に希望を託し、高橋是清（たかはしこれきよ）をロンドンに送り、戦費の調達に全力を傾けた。日本の国家予算の総額は、ロシアの酒税より少なく、予算はロシアに比べ、7分の1の規模だった。しかも、一般会計が2億5000万円の時に、参謀本部は3億円の戦費が、必要だと予想したが、正貨がなく弾薬も買えなくて、兵士は空薬莢（からやっきょう）を拾い集めた。

開戦前に英国で起債ができず、絶望した高橋是清に、ユダヤ人のシフが同情し、9000万円の起債を引き受け、それで戦争を勝利に導き、国難をかろうじて切り抜けた。戦争を継続する余力はなく、ポーツマスの平和条約の締結は、破滅の前の命綱だったが、日本の大衆は戦闘力を過信し、講和反対の焼打ちを起こし、大衆は日比谷で荒れ狂った。

インフレの付けをごまかした日本政府

日露戦争に勝利した日本は、列強の仲間入りのために、軍事力の整備に全力を挙げて、八八艦隊に続く海軍力増強では、大艦巨砲主義を推進し、国富の過半数を軍備に注いだ。陸軍は大陸に戦線を拡げ、満州の建国や上海事変で、抜け出せない泥沼に踏み込み、足を取られて悪戦苦闘し、侵略による支配圏を拡大し、自滅への道を驀進(ばくしん)し続けた。

東条英機と岸信介は開戦を決め、太平洋戦争に突入したが、戦費は国債を国民に売りつけ、現地で資源や資金を略奪し、強盗と詐欺で戦争を続行した。だが、相手国の情報は皆無であり、戦況は大本営発表を使って、嘘と欺瞞のオンパレードで、日本人は完全に洗脳され、正義の戦争だと信じ込んだ。

だが、米国の国力は十数倍で、石油は米国頼みだったし、勝利の可能性はまったくなかったが、政府の嘘を信じ込み、日本人は「一億総玉砕」の声に、最後まで騙され続けた。独裁政治の常套手段に従い、統制で見かけの物価だけは、配給制度でごまかしたが、その発覚を情報管理と、警察を使い抑え込み、密告と拷問で反抗を弾圧した。

品質低下と品不足は、日常的な出来事であり、悪徳商人が横行して、闇価格は暴騰を続けたので、弱肉強食が支配する世界が、日本の各地で出現した。しかも、軍事体制下の日本では、学生は勉強しないで、労働力として駆り出され、勤労奉仕を強制されたし、学徒動員の学生が、訓練抜きで特攻隊に、弾丸代わりに使われた。

国内での戦費の調達法は、日銀が国債を引き受けたので、閉鎖システム内では萎縮であっても、外部世界では超インフレが、軍票や朝鮮銀行券で起き、占領地や植民地では超インフレを生んだ。その詳述が『大陸に渡った円の興亡』で、在野の多田井喜生の力作は、通貨を使った金融操作が、いかに機能したかを教え、暴政の実態を暴露している。

太平洋戦争の４年間で、消費者物価は１００倍に増え、戦後のインフレが預金封鎖を生んだが、政府の借金は帳消しで、国民は資産を没収され、戦時国債はババ抜きだった。しかも、このカラクリを利用して、政府は日銀に「異次元緩和」の名目で、国債を大量に発行させ、それを再び繰り返して、いつか来た道をたどったのである。

第7章

戦後史を飾った復興と欺瞞（ぎまん）の経済大国

戦後の復興景気と日本経済のバブル化

太平洋戦争で蕩尽（とうじん）した日本政府は、敗戦の時に資金が枯渇し、帳簿上は資金的な余裕がない上に、至るところが焼け野原で、国民は住む家も食べ物もなかった。国も会社も似た状態で、闇市に軍隊の盗品が並び、欲しければ買うこともできたが、預金封鎖で現金がなく、闇市以外には商品はなかった。

預金封鎖と財産税の正体は、戦費に発行した国債で、莫大な額の借金の帳消しを狙（ねら）い、旧円を新円に切り替え、生活に要る費用を除き、預金を凍結したのである。預金封鎖のカラクリは、国の借金を国民に押し付け、財産税で国民の資産を奪い、それをバネに使って、軍事から平和国家にと、転換するための偽装工作だが、この手口はよく使われた。

敗戦直前時の大蔵省は、大物蔵相の賀屋興宣（かやおきのり）が、大きな支配力を握って、賀屋の一存で人事が決まり、池田隼人が次官から数え、序列第三位の主税局長だった。主計局は国家予算を握り、主税局は国有財産を管理し、数百億円の軍部が持つ資産とともに、数十億円の皇室の財産は、主税局の管轄だった。現金を握っているのは日銀だ。

軍需省は商工省に戻って、１９４９年に通商産業省になり、陸軍省と海軍省は復員省を経て、厚生省に再編成され、占領軍の進駐を前に、書類は証拠隠滅のために焼却した。備蓄した軍需物資は、略奪されて闇市に流れ、有形の物資は一旦隠匿(いんとく)された後で、秘密のルートで流動資金化し、Ｍ資金の形で利用された。

皇室財産はそこに組み込まれ、大蔵省が管理を行い、光輪クラブや済生会を経由し、復興資金の形を取って、戦後の産業再建のために、投資と運用が行われた。敗戦間際まで大蔵大臣だった、石渡荘太郎が宮内大臣になり、大蔵官僚の迫水久常(さこみず)書記官長とともに、軍需省参与だった池田が、主税局長として統括し、保守政権の砦を構築した。

マッカーサーを手懐(てなず)けた幣原(しではら)首相の手腕

東久邇(ひがしくに)内閣は敗戦処理に登場した、緊急用の皇族政権だから、慌てて泥縄的な顔ぶれを並べたので、陸海軍省や軍需省とともに姿を消し、大蔵省と内務省は組織を維持した。また、占領下で外務省は機能を停止し、実務を終戦連絡事務局に移管して、調査局長の岡崎勝男が長官になり、政府の窓口としてＧＨＱとの折衝を担当した。

次に登場した幣原喜重郎(きじゅうろう)首相は、昭和の初期に活躍した外交官で、協調外交路線を推進したために、軍部には不人気だったが、欧州流の外交術に習熟しており、歴史の浅いアメリカ人相手なら、渡り合う見識と語学力があった。休戦交渉に無条件降伏を強いた、未熟な外交力の米国を相手に、老獪な幣原首相の対応力は、グロティウス流の国際法を駆使し、ウィーン会議のタレイランに似ていた。

幣原喜重郎が誇る外交能力は、『外交五十年』（中公文庫）に詳しいが、その洞察力は卓越しており、無条件降伏は南北戦争の産物だし、戦い馴れた欧州での交渉に比べ、田舎者のやり方だと指摘した。幣原首相は新憲法の制定に際し、ＧＨＱのマッカーサー将軍に、象徴天皇制と軍備放棄を提案して、それが予想外な発想だったので、この提案は直ちに受け入れられた。

交戦権の放棄と軍事力を否定し、平和を志向する日本の姿勢は、マッカーサー将軍を驚愕させたので、新憲法に９条が盛り込まれ、朝鮮戦争やベトナム戦争の時に、日本は派兵しないで済んだ。しかも、軍事の出費をしないで、その資金を経済復興に振り向け、産業の発展に専心した日本は、人材を育てながら技術力を高め、経済大国を作ったので、幣原の外交手腕は巧妙だった。

幣原内閣に続いた吉田内閣は、東久邇内閣で外相だった吉田茂が、組閣の時に石橋湛山蔵相を抜擢し、池田が大蔵次官になって、第三次吉田内閣では蔵相に就任した。しかも、通産大臣も兼任しており、池田が首相になるまでは、吉田内閣、岸内閣、石橋内閣で、蔵相や通産相を歴任し、保守政治の中心を池田が握った。

文明開化の横浜と吉田茂の生い立ち

外交官出身である吉田茂は、横浜出身の元駐英大使で、敗戦直後の日本の政治において、ワンマン宰相として君臨し、元勲の大久保利通の外戚だが、その正体は謎に包まれている。吉田茂の養父の吉田健三は、越前藩士の渡辺謙七の三男で、幕末に長崎で蘭学を学び、英国に密航して留学し、帰国後は横浜の「英一番館」で働き、ジャーディン・マセソン商会の支配人になった。

吉田茂

ジャーディン・マセソン商会は、広州をはじめ香港や上海を舞台に、アジア貿易で富を蓄積していた、英国に本社を持つ貿易商社で、前身は東インド会社であり、アヘン戦争の主役の過去を持つ。坂本竜馬で知られたトーマス・グラバーも、この会社の長崎代理店に勤めていて、武器や船舶の取引を行い、「長州ファイブ」や薩摩の若者が、英国留学するのを手伝った。

支配人を辞めた吉田健三は、独立して貿易で財を成して、横浜の豪商として成功しており、土佐の民権活動家の竹内綱から、養子として引き取ったのが、外交官から首相になった吉田茂だ。また、吉田の妻の雪子は牧野伸顕の長女で、米国で中学を出た牧野の役割は、天皇の補佐をする内大臣として、戦前の政治の背後で重要な役を演じ、その影響で吉田茂は首相になった。

牧野伸顕は大久保利通の次男で、外交官から官僚政治家になり、文部大臣や農商務大臣を歴任した後で、枢密顧問官を経て宮中に仕え、戦前の歴史に影響を残している。吉田は英米協調路線を推進し、「ヨハンセン・グループ」の背後で、東条内閣の打倒運動を支え、終戦工作に協力しており、鹿児島の加治屋町出身の牧野は、右翼や軍部に狙われていた。

薩摩の金融人脈と白洲次郎の結合

敗戦直後の日本の政治は、吉田茂がワンマン宰相として、途中で1回だけ下野したが、1946年から1954年まで政権を維持し、講和条約で日本を独立に導き、連合軍の占領を終わらせた。その間の占領時代は、軍国主義路線からの脱却が中心だったし、後半は経済活動の再建であり、そこに登場したのが白洲次郎で、ケンブリッジ大で聴講した彼は、流暢(りゅうちょう)な英語の能力を誇った。

白洲の祖父の白洲退蔵は、神戸の貿易商で財を成し、神戸女学院の創立者の一人だったし、横浜正金銀行の頭取でもあり、香港上海銀行（ＨＳＢＣ）と親密だった。父親の白洲文平は明治学院を出て、ハーバード大学とボン大学で学び、近衛篤麿や新渡戸稲造と親交し、帰国して銀行や紡績会社に勤め、独立して貿易商で財を成したが、英国と結ぶ人脈に属した。

白洲文平の息子の白洲次郎は、帰国して英字新聞に勤務し、日欧の間の往復を繰り返したが、海軍大将の樺山資紀（かばやますけのり）の孫で、樺山愛輔の次女の正子と結婚し、戦時中は神奈川県の鶴川に閑居した。アムハースト大卒の樺山愛輔は、親米派上流階級の巨頭として、クェーカー人脈と緊密で、皇室人脈と深い関係を持ち、園田義明の『最新・アメリカの政治地図』に、その件の詳細が書いてある。

ボン大学に学んだ関係もあり、樺山愛輔は新渡戸稲造と親しく、白洲次郎の妹の白洲宣子は、薩摩の松方正雄と結婚して、兄の松方巌は華族銀行の別名を持つ、第十五銀行の頭取だった。新渡戸稲造と町村金弥は、札幌農学校の同級生であり、町村は真駒内で華族牧場を営み、第十五銀行の倒産によって、華族は出資金を失っているが、土地の地権が残ったことで、倒産劇はロンダリングの嚆矢（こうし）だった。

吉田内閣の側近政治と白洲次郎

敗戦の混乱の中で発足した、吉田内閣に食い込んだ白洲は、得意のキングズ・イングリッシュを活用し、終戦連絡事務局の顧問として、GHQを相手にして立ち回った。そんなヨイショ本の山があり、日本人の多くは幻惑され、野卑なアメリカ人を見返したつもりで、鬱憤晴らしをしているが、彼が日本人でないことは、いろいろな形での証拠がある。

白洲は終戦連絡事務局に続き、貿易庁の長官に就任して、利権漁りに取り組んでおり、背後に国際金融勢力が控え、暗躍したことについては、鬼塚英昭が『白洲次郎の嘘』に書いた。占領下の奇妙な事件の多くは、柴田哲孝の『完全版・下山事件』や、畠山清行・保阪正康の『秘録 陸軍中野学校』を読み、情報のジグソーパズルに挑めば、戦後史の謎に肉薄できる。

この時期の日本を支配したのは、見返り資金と呼ばれた、米国からの復興資金の流れであり、食糧援助がガリレオ資金で、資源関係はエロア資金と呼ぶ。管轄は大蔵省と外務省だが、商工省を通商産業省に改組し、国鉄の電化と電力再編成に際して、資金の流れを変えた時に、利権漁りする者がからみ、その中で下山事件が発生した。

その時に日本輸出入銀行とともに、日本開発銀行が発足したが、それは資金難の企業に対し低金利で、資金を供給することを通じ、経済の活性化を狙ったものだ。蔵相と通産相を兼任した、池田隼人はオールマイティで、首相よりも大きな権力を保持し、丸投げの権限を使いまくり、経済再建のアクセルを踏み込んだ時に、朝鮮戦争が勃発したのである。

後方の生産基地になったので、産業界は特需に見舞われ、米軍が買い付けた物資の総額は、１９５０年から３年間の間に、10億ドルに達しており、１９５５年までの５年間で40億ドルに近い。特需のおかげで息を吹き返し、日本経済は蘇ったのだが、繊維産業や軽工業に始まって、製鉄や造船工業が活況を呈し、エネルギー源は電力と石炭が、景気浮揚の原動力になり、集中的な資金投資が進んだ。

核エネルギーを地上に持ち込んだ愚かな判断

米ソの冷戦構造が強まる中で、１９４９年にソ連が核爆発に成功し、米国による原爆の独占体制が崩れ、アイゼンハワー大統領は国連で、核の平和利用の演説を行い、原子力発電が政治に結びついた。だが、原発は原爆の応用技術で、潜水艦の発電装置がベースであり、軍事から転用した技術だから、実用化にほど遠い段階だった。

しかも、核分裂は幼稚な技術で、原爆として兵器に使う以外は、危険だと分かっていたのに、ナチスが原爆の研究を行い、危機感を抱いたユダヤ人が、アインシュタインを説得して、米国政府に原発開発を懇願した。そして、マンハッタン計画が始まり、史上最大のこの開発計画に、1300兆円の予算を注入し、テネシー州のオークリッジの濃縮施設と、ニューメキシコ州のロスアラモスで、原発開発と実験が進められた。

だが、核エネルギーの利用は、太陽系の熱源になるが、地球上には生命体がいるので、利用は危険で愚かだのに、アインシュタインなどの科学者は、それを考える知恵がなかった。人間の寿命は100年以下で、多くの生命は数年前後だが、生命が生きている地球において、半減期が2万4000年も長い、プルトニウムを持ち込むのは、悪魔的と考える洞察力が不足した。

20世紀は物理帝国主義の時代で、数量化できる見えるものが、すべてだと考える思想が支配的であり、物理法則は理解しても、宇宙法則を覚(さと)る人は少ない。アインシュタインはニュートンを部分化し、量子論は相対性理論を内包して、思想の枠はより広がって行くが、量子論はホロコスミクスに包まれ、知の地平は広がるのである。

経済復興と原子力政策へのCIAの関与

1950年代の日本においては、湯川秀樹博士の中間子理論が、ノーベル物理学賞をもらったので大喜びして、原子力を利用したいと考え、政治家や商売人が頭を捻（ひね）り、次の作戦に踏み出しかけた。読売新聞社主の正力松太郎は、政治権力のトップに立つために、マイクロ波通信網を作り上げ、首相になる野望を抱き、原発開発の大計画をぶち上げ、旗振り役を熱心に演じた。

そのためにアメリカに媚（こび）を売り、ＣＩＡのエージェントを引き受け、ポドムという暗号名までもらい、新聞を使い原発推進を叫び、宣伝メディアに日本テレビを開局した。おりしも、ゼネラルダイナミックス社は、原子力潜水艦「ノーチラス号」を進水させ、ウエスティングハウス社製の原子炉が、キャンペーンにはもってこいだったから、読売新聞は全力を挙げて宣伝した。

その頃に渡米した中曽根議員は、ハーバード大学のゼミに参加し、キッシンジャーの世話になり、核武装論を吹き込まれ、原子力についての興味を強めた。しかも、中曽根を夏季ゼミに参加させ、キッシンジャーに結びつけたのは、ジョーンズ・ホプキンス大学が首都に持つ、高等国際研究所のナサニエル・セイヤーで、彼はその後のＣＩＡのアジア太平洋部長になった。

セイヤーは中曽根に対し、英文の論文の代筆までして、若い政治家を核武装論者に仕上げ、間近に迫った保守合同の布陣に、中曽根の理論武装を手伝った。だから、帰国した中曽根は大急ぎで、原子炉調査予算案を作り、２億３５００万円の調査費を獲得し、原子力計画が動き出したが、この予算の数字はウラン２３５に由来し、原発路線の出発点になり、54基の原発が地震列島上に作られた。

そんな時に起きた事件が、1955年まで政党の乱立が続き、分裂していた社会党が統一し、慌てた与党が財界に促され、自由党と民主党が保守合同して、55年体制の始まりになる。岸信介や正力松太郎は、CIAの手先になり行動したが、用心深い中曽根は政界に潜み、通産相や関連閣僚の形で、行政面からのアプローチを使い、核武装のために原発路線を推進した。

経済大国になり虚名に酔った日本の油断

日米安保条約の改定問題が、反対運動をもりあげて、騒擾(そうじょう)を伴った安保反対闘争が収斂(しゅうれん)した時に、所得倍増の池田内閣が発足し、政治が経済至上主義に転じた。経済は活況を呈したし、東京オリンピック開催を迎え、東海道新幹線の完成をはじめ、家電製品や自家用車の普及で、国民の生活は豊かさに包まれ、世界第三の経済大国になった。

大型ダムの建設計画が一段落し、和製メジャー石油が唱えられ、失敗続きの海外石油開発の後で、列島改造計画の登場があり、原発が各地に建設されて、ロッキード事件が起きた。エネルギー問題が利権化し、海外での事業が失敗したのは、情報の重要性を評価せずに、現場で知る兵用地誌を軽視して、中央集権的な指令に従う、役人発想が君臨したせいだ。

日露戦争の教訓に学んで、第一次大戦までの日本人は、現場体験の重要性を認識しており、河口慧海の『チベット旅行記』、日野強の『伊犂紀行』、石光真人の『石光真清の手記』を読めば、その実態がはっきり分かる。彼らがいかに誠実な人間であり、自分にも社会にも正直に、真心を持って生きたかは、後世のために書き残した、記録の中のメッセージに、誠意の心としてみなぎっている。

ウラジオストクの偽法師として、石光真清が会った清水松月が、日露戦争中の旅順の再会では、花田仲之助少佐だった話は、昭和の日本人には真似できない。北京公使館の柴五郎も同じで、明治の日本人の生き様は、鍛えられた誠の精神が躍動しており、昭和のインフレ中将などが、真似できない志がみなぎっており、今時の官僚に爪の垢を煎じて飲ませたい。

宗教界に生きた人の中にも、大陸を探検した大谷光瑞が、スケールの大きな足跡を残したし、実業界には安田善次郎がいて、日比谷公会堂を国民に贈って、政治家には後藤新平がいた。彼らの偉業は100年過ぎた時に、多くの人に評価されるタイプだし、明治人の心意気を教えるが、時流や人気を追わない志には、自尊の精神が眩しいほど輝いている。

史上最悪の日航123便の墜落事故が秘めた疑惑

第一次世界大戦の半ばまでが、日本人がもっとも輝いた時代で、それ以降は成金趣味への陶酔に続き、不況の中で夜郎自大になり、軍事路線賛美と全体主義に、日本が染まりきってしまった。歴史の相似象という意味で、1980年代以降の日本の状況が、関東大震災から敗戦に至る、狂気の時代を比べた時に。大正の船成金と昭和不況が、まるで映し鏡のようである。

中曽根政権の誕生により、ヤクザ政治とカジノ経済が、日本全土に広がってしまったが、アメリカから遠望した私は、『虚妄からの脱出』に続き、『無謀な挑戦』で文明論をまとめ、『平成幕末のダイアグノシス』を仕上げた。中曽根政権の最後の段階は、日本は驕慢（きょうまん）で隙だらけで、1985年8月の日航123便の墜落事故が、ニューヨークで起きた911テロ事件に似た、奇妙な謎に包まれており、疑問が次つぎと湧き上がってきた。

参考になるドキュメントや本が、山のように出版されて、丹念な取材に取り組んだ青山透子は、日航の元スチュワーデスで、事故究明を生涯の仕事と考え、東大大学院に進み訓練をした。そして、30年を費やし2冊の著書にして、『天空の星たちへ』と『日航123便、墜落の新事実』には、驚くべき新証拠と結論が、詳細にわたりまとめ上げられている。

墜落現場の遺品の分析だと、ジェット燃料が含有しない、多量のベンゼン環が発見されており、遺体の凄まじい炭化度は、火炎放射器の使用とともに、撃墜か誤射の疑惑を強調する。当時のテレビ報道によれば、自衛隊の交戦演習が行われ、ミサイルの塗料の付着が、機体から発見されているし、制空権を握る米軍筋からの情報では、疑惑は大きくなるばかりだ。

レーガン大統領［左］と中曽根首相［右］

事故機のJA8119（1984年撮影）

墜落したJA8119の残骸

日航経営企画部に属していた、言論活動家の佐宗邦皇(さそうくにお)は、自衛隊機による撃墜説を唱えて、米国が中曽根の弱みを握り、日本を脅して無理強いして、国力を削ごうと狙ったと主張した。だが、あの頃の私は航空事故より、アラスカで始まった宇宙計画に、より強い関心を向けていて、彼が力説した意味についていては、理解するには至らなかった。

横田基地への着陸の許可が、政府筋から拒絶されたので、米軍は緊急着陸を諦(あきら)めていたし、首相が下した奇妙な決断に、この事故の鍵があったが、この疑惑は迷宮入りになった。日本の首相の立場で、緊急着陸を断っていたし、「秘密はあの世まで」と言う、謎に満ちた中曽根発言は、口を閉ざして死んだ首相が、何を隠したかが気になる。

革命的OSトロンの扼殺(やくさつ)と技術者の遭難

この悲惨な墜落事件は、搭乗者520名が亡くなり、生存者4名の数字で、史上最悪の航空事故だが、政府の対応は奇妙なほど、おざなりのものだった。墜落した123便の尾翼が、相模湾で発見されたのに、引き揚げて検証もせず、多くの疑惑を残した状態で、捜査は打ち切られて、歳月が過ぎ去って行った。

その間に多くの書籍や、YouTube 動画が生まれ、真相究明が行われて、キーマンの中曽根も死んで、真相をあの世に持ち去り、35年の歳月が過ぎ去った。この事故の原因究明で、ニューヨークでのプラザ合意と結びついていたと論じ、注目を集めたエコノミストが、優れた国際感覚を持つ、帰国子女の森永卓郎で、流石に鋭い強い観察眼だった。

その間に現れた記事の中で、卓越していた指摘として、画期的なＯＳトロンに、注目した総括としては、会計士が運営している、「てつブログ（Tetsu-log.com）」があり、核心に切り込んでいる。現在の日本においては、陰謀論扱いされているが、ファーウェイ問題と比較し、ブログを開いて読めば、相似象として興味深く、その一部を以下に引用する。

「さらにあるのが、当時日本の国産のＯＳとして、注目されていた『ＴＲＯＮ（トロン）』の技術者がごっそり乗っていたのが、この日航ジャンボ機（ＪＡＬ１２３便）であった。『ＴＲＯＮプロジェクト』と言われるプロジェクトを手がけていた天才エンジニアの17人が乗っており、全員亡くなった。

ＴＲＯＮとは、当時Windows（ウィンドウズ）とMachintosh（マッキントッシュ）が、少しずつ広がっている中で、純国産で作られていた、日本版のＯＳ（オペレーティングシステム）である。ＯＳとは、今のWindowsと同様のソフトと考えればいい。これが、当時でWindowsの10年先を行くと言われていたものであった。

すなわち、今のWindowsの代わりに、日本産のTRONがコンピューターを、席巻するかもしれない状態、と考えてほしい。これをアメリカが、脅威と思わないわけがない。アメリカでは、コンピューターのソフトに力を入れはじめ、軍事から始まった『インターネット』の構想が大きく練られていた頃である。」

事故から35年経った今、米中経済戦争が始まり、世界の覇者だった米国が、5Gで中国に追い上げられ、中国叩きに熱を上げ、ファーウェイいじめをしている。この様子を見る限りでは、一位の米国に迫って、肩を並べる国に対しては、米国は徹底的に攻撃し、覇者の地位を護るので、それを次の様に付け足す。

「この事故がすべてではないが、かくして『TRONプロジェクト』は大きく後退せざるを得なく、実際に世界のOSを握ったのは、Windowsのマイクロソフトであった。しかも、この後の1989年にアメリカが強力に日本に貿易不均衡を主張し、いわゆるスーパー301条という強硬手段に出たときに、なぜかTRONがやり玉に挙がった。アメリカは、TRONを日本政府が応援するのは市場への介入である、という訳のわからないことを言ってきた。日本のOS市場がTRONに支配されることを恐れたのである。もちろん日本政府は、アメリカの言うとおりにして、かくしてＴＲＯＮは衰退を余儀なくされた。」

参考までに付け足せば、孫正義がトロンに対して、採用反対した件に関し、次のような記述があり、日本の電子産業崩壊に、彼が果たした役割が分かる。

「孫正義（現ソフトバンク社長）の官僚や経済界の大物を巻きこんだ猛烈な反対運動によって、プロジェクトは、壊滅に追い込まれました。これは『孫正義　企業のカリスマ』（大下栄治著）に詳しいです。とくにＴＲＯＮ。同著は、孫正義がいかに情熱的に、２つのプロジェクトを、財界の大物、京セラ（当時）の稲盛和夫等を巻きこみつつ、通産省にプレッシャーをかけて、潰した事を、誇らしげに書いています。」

プラザ合意に続く前川レポート

日本が島国のせいか、日本のジャーナリストは、「井の中の蛙（かわず）」に似て、空間発想に支配されて、ブラックホールを考えないが、それは二次元表面であり、ゲシュタルト思考が必要だ。最新の宇宙論によれば、ホログラフィック原理が、すべてを解決するとされ、宇宙を三次元と認識するが、実は二次元上の情報であり、二次元の表面に投影した、物質や力だと言われている。

話を現実の問題に戻し、日航機の墜落事件が、日本の運命に対して、どう影響したかを考察すれば、その40日後の9月22日に、ニューヨークで五カ国蔵相が集まる会議があった。そして、有名な「プラザ合意」が成立し、各国の協調介入が始まり、急激な円高が動き出し、日本中が大いに慌てたが、日本円への狙い撃ちで、これが経済停滞の門出だった。

プラザ合意による円高で、日本経済が受けた打撃は、前代未聞の大災難に属し、240円だった対ドル相場が、2年後の1987年末に、2倍の120円に跳ね上がった。しかも、1986年に「前川レポート」が発表され、日本の市場開放を約束し、狂乱に似たバブルが生まれ、土地と株価が暴騰して、にわか成金が続出したので、日本人は大国気分に酔った。

前川レポートの影響で、銀行が資金を大量供給し、日本を不動産熱が包み、土地転がしに浮かれ、その相乗効果によって、株式バブルが燃え上がった。ここで見落とせないのが、国際決済銀行（BIS）であり、1987年7月にBISは、銀行の自己資金比率が、最低8%という規制（バーゼル合意）を出し、それが日本の銀行にとって、ボディブローになった。

神聖ローマ帝国の盟主は、ハプスブルグ家であり、その出身地はバーゼルだが、第一次大戦の賠償金の、ドイツからの取り立てに、BISがバーゼルに作られた。

中央銀行の銀行として、ＢＩＳは君臨しているが、実態は民間銀行であり、イングランド銀行が主幹事で、背後に金融界を統括する、ロスチャイルド家が控えていた。

ＢＩＳ規制の効果とＨＡＡＲＰ（ハープ）兵器の威力

各国の銀行の自己資金が、最低で８％必要だとした、ＢＩＳ規制の適用開始は、日本に対し１９９３年からで、バブルが続くと思い、信用拡大する日本人に、何ら問題ないように見えた。だが、急激な株バブル炸裂で、膨張した信用が崩れ、資金回収は不能に陥り、住専全社や銀行が、債務超過で行き詰まって、金融基盤の崩壊が始まった。

それがソロモン・ブラザーズによる工作で、オプションを使って、先物市場で海外ファンドが、日本の機関投資家を相手に、殲滅（せんめつ）作線をやりまくり、身ぐるみを剝（は）がしまくった。政府や役人の手に負えず、無能を曝（さら）け出してしまい、混乱で自民政権が終わりを告げ、混乱に止めを刺すように、阪神淡路大震災が襲来して、地下鉄サリン事件（１９９５年）が続いた。

政治の眼目は経世済民であり、自然災害が多い日本では、地震などの災害に備えることが、最優先の課題だから、救助を中心に自衛隊を改組し、国難に備える安全保障が必要だ。しかも、情報革命の飛躍的な進展で、国防思想は大変化して、従来型の軍事思想では、対応するのが困難になり、先進諸国は宇宙軍を作って、軸足を宇宙に移す時代である。

サイバー空間に国境はなく、通信回線さえあれば、誰でも利用できる点で、電磁波とコンピューターを活用し、サイバー技術（ＥＭＰ）を発達させ、すでに実動兵器になっている。その前駆的なものとして、対ソ戦に準備され、１９９０年代に完成し、「スターウォーズ計画」の暗号名で注目されたＨＡＡＲＰ（ハープ）は、ソ連の崩壊で役目を終え、軍事技術としては第一線を退いた。

当時の私は米国に陣取り、石油開発に取り組み、人工衛星の写真の解析をはじめ、人工地震で断面解析を行い、電磁波の勉強をしたので、電離層のオーロラ現象が気になった。噂に聞いた電磁波技術は、米軍がアラスカを舞台に、ひそかにスカラー波の研究を行い、ＨＡＡＲＰは秘密に属し、陰謀論の主役を務めた。

ＨＡＡＲＰに対抗したために、ソ連は経済破綻に陥り、共産体制が崩壊して、米国としては成果を得たが、軍事兵器での緻密（ちみつ）性では、サイバー兵器に席を譲った。だが、そんな時に耳にしたのが、プラザ合意の円高を利用し、米国は空売りで作った数十兆円で、ＨＡＡＲＰ技術を完成させ、円高が使われたという噂だ。

権力による弾圧作戦と言論の自由の危機

米国で石油開発をした私は、フリーランスでもあり、アメリカに住む以上は、軍事秘密に触れるのは、危険だと熟知していたから、ＨＡＡＲＰは論じないで、関心を持つだけにした。その国の機密に触れると、行方不明や不審死が起き、多くの記者が姿を消しており、余計なことを書いて、変なことがないように用心したが、目の前で起きるとは予想しなかった。

佐宗邦皇はワールドフォーラム代表で、私は招かれて講演しており、彼の意見を聞き知っていたが、２００９年夏に訪日した時に、友人の高橋五郎の講演会に出て、私が10分ほどしゃべり座席に戻って数分後だ。講演者の隣席にいた佐宗が、お茶のボトルを口にした後で、体を回転させて倒れてしまい、目の前で起きた奇妙な光景に、会場の聴衆はショックを受けた。

救急車で王子病院に運ばれて、彼は翌朝に亡くなっているが、お茶のボトルがどうなったかについては、誰も知らない状況であり、日航機の事故は迷宮入りになって、撃墜説を言う人は姿を消した。帰米した私はＨＡＡＲＰについては、用心して触れないようにし、日航機の事故のことは忘れ、日本のバブルには注目したが、宇宙戦争については忘れていた。

竹下内閣の君臨時代に、言論弾圧が進んだのは、「三宝会」のせいだが、それに国民が気付かずに、見過ごしたのはソフトで、目立たなかったからだ。それを教えてくれたのは、平野貞夫元参議院議員で、『ゾンビ政治の解体新書』の中に、詳細は記録してあるが、その概要は以下のように、一種の秘密結社的な存在だ。

「『三宝会』は竹下元首相の指示で、1996年に作られた秘密組織。新聞、テレビ、週刊誌、政治家、官僚、評論家が集まり、自民党にとって最大の脅威だった、小沢一郎をメディアの力で、抹殺する作戦が行われた。だが、小沢が力を喪失した後は、言論操作と統制のために、強力な指導力を持ち続け、日本の社会を裏から操作する、三宝会の内容については、黒いベールに包まれている。」

中曽根政権が総ぐるみだったリクルート疑獄

それにしても、プラザ合意が生んだバブルは、日本人を拝金主義に変え、株式や土地への投機熱に、日本人は財テクと呼び、投機に熱狂したが、私はこれを「中曽根バブル」と名付けた。中曽根政権が仕掛けた、悪辣（あくらつ）な利権漁（あさ）りの愚行は、リクルート事件を発生し、この事件を端緒にして、疑獄事件が次々と燃え広がり、日本の断末魔が始まった。

リクルート疑獄事件は、１９８８年に発覚したが、この事件のスクープは、朝日の川崎支局の山本博が、調査報道の手法を使い、汚職事件を掘り出した。事件の発端はローカルだが、調査が進むに連れて、政界、官界、報道界の首脳が、リクルートの江副社長から、未公開株を買い受け、数千万円も稼いでおり、収賄していたと発覚した。

しかも、中曽根内閣の領袖（りょうしゅう）が、収賄に関与しており、中曽根康弘、竹下登、宮沢喜一、安倍晋太郎、渡辺美智雄などは、１億円以上を儲けて、濡れ手に粟（あわ）の利益を得ていた。社会党の楢崎弥之助（ならさきやのすけ）議員が、国会で追及したので、国民の政治不信がもりあがり、大疑獄事件に発展して、中曽根は自民党を離党し、竹下内閣は崩壊している。

当時の日本のメディアは、いまだ批判精神があり、リクルート事件を扱う本が、20冊以上も出版され、バブル熱と汚職事件で、自民党支配に亀裂（きれつ）が入った。

中曽根が君臨した時代が、ファシスト革命だと考え、警鐘を鳴らしていた私は、これはスパコン事件だと理解し、『平成幕末のダイアグノシス』（東明社）を出版した。

しかも、英国で起きた事件で、ＭＩ６とＫＧＢの抗争として、ホモがらみの攻防戦が、手本になると思い当たったのだった。それを元に分析を加え、異質の本が出来上がった。ある支配層に属す夫人から、中曽根が女装している写真を見せてもらって、カルメン姿に閃（ひらめ）いたので、秘密集団の暗躍に、思い当たったのだった。

30年が過ぎた今では、社会通念がまったく変わり、性がグラデーションとされ、ＬＧＢＴが公然化したが、30年前はこの視点は、政治犯罪には有効で、多くの謎が簡単に解けたものだ。人類学的な観点から、『アメリカ人の日本観』の中で、シーラ・ジョンソン博士は、分かりやすく説明し、それを活用したので、リクルート事件の真相がよく見えた。

日本をガタガタにした事件の連発

リクルート事件に前後して、起きた疑惑事件には、佐川急便事件があって、暴力団が密着しており、佐川急便では稲川会が、皇民党は褒め殺しで、首相の竹下登が関与していた。稲川会の石井進には、ブッシュ大統領の兄で、韓国利権と密着していたプレスコット・ブッシュに、奇妙な形で結びつき、日韓がらみのコネクションが、見え隠れしていたのだ。

しかも、続いて起きたのが、戦後最大の経済疑獄で、イトマンが舞台の事件では、絵画や骨董品が使われ、時価数倍の取引により、３０００億円が消え去っている。この事件の主役には、韓国人の許永中がいて、渡辺美智雄や亀井静香が、奇妙な形で結びつき、松下電器や京セラまで、登場することになった。

それを追って調査し、まとめたのが『夜明け前の朝日』で、朝日新聞社内で自殺した、野村秋介や新井将敬まで、にぎやかに登場するが、赤報隊事件でつながらなかった。それでも、この調査報道の過程で、償還資金（次ページ図参照）の断面が分かり、次の世代が謎を解く時に、資料として役に立って、喜んでもらえるはずだし、それが歴史を書く醍醐味だ。

一人で書ける歴史は、大したものではなく、何代も続いた謎解きが、真に価値がある、昭和から平成につなぐ、この時期の不祥事に、日本没落を決めた鍵がある。後に続く阪神淡路大震災と、不吉なサリン事件は、断末魔の呻吟（しんぎん）であり、日本としては終わったが、世界史のレベルだと、いまだ終焉に至らず、しばらくは世紀末状態が継続する。

脱構築（déconstruction）の結節点と世紀末

１９８９年に冷戦構造が終結し、天安門事件に続いて、ベルリンの壁が崩れ、ソ連の解体に続く形で、始まった世紀末現象は、脱構築の始動である。ジャック・デリダが好んで使った、この意味深長な言葉は、「つねに古い構造を破壊し、新たな構造を生成する」という、自然の摂理に基礎を置く、構造主義者の用語である。

フランスに住んでいた頃は、通用していた言葉が、アメリカでは通用せず、30年住んでも使えなくて、うんざりした私は、硬直した社会だと思い、ここは男の世界だと痛感した。説明を

秘

部外秘

重要

還付金支払保証書

政審議会

自由民主党総裁	大平正
衆議院議長	保利
参議院議長	安井
大蔵大臣	金子一平
厚生大臣	橋本龍太郎
大蔵省理財局国債課長	平沢貞昭
出資者総代	堤　清二
出資者総代	佐藤寛子

印鑑登録証明書

印影	氏名	大平正芳	明治・大正・昭和 43年3月12日生	男・女
	住所	東京都世田谷区　瀬田1丁目28番3号		
		東京都世田谷区		
		東京都世田谷区		

この写しは、登録されている印影と相違ないことを証明します。

6852

昭和53年　12月　27日

東京都世田谷区長 大場啓二

図1－A

印鑑登録証明書

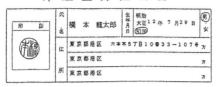

印影	氏名	橋本龍太郎	生年月日	明治 大正 昭和 12年7月29日	男・女
	住所	東京都港区　六本木5丁目10番33−107号			方
		東京都港区			方
		東京都港区			方

この写しは、登録された印影と相違ないことを証明します。

32327　昭和53年12月27日

東京都港区長　川原幸男

印鑑登録証明書

印影	氏名	佐藤寛子	明治 大正 昭和40年1月5日生	男 女
	住所	東京都世田谷区代沢3丁目17番10号		
		東京都世田谷区		
		東京都世田谷区		

この写しは、登録されている印影と相違ないことを証明します。

6855

昭和53年12月27日

東京都世田谷区長　大場啓二

印鑑登録証明書

印影	氏名	堤　清二	生年月日	明治 大正 昭和 2年3月30日	男・女
	住所	東京都港区西麻布5丁目2番5号			方
		東京都港区			方
		東京都港区			方

この写しは、登録された印影と相違ないことを証明します。

32319　昭和53年12月27日

東京都港区長　川原幸男

図1－B

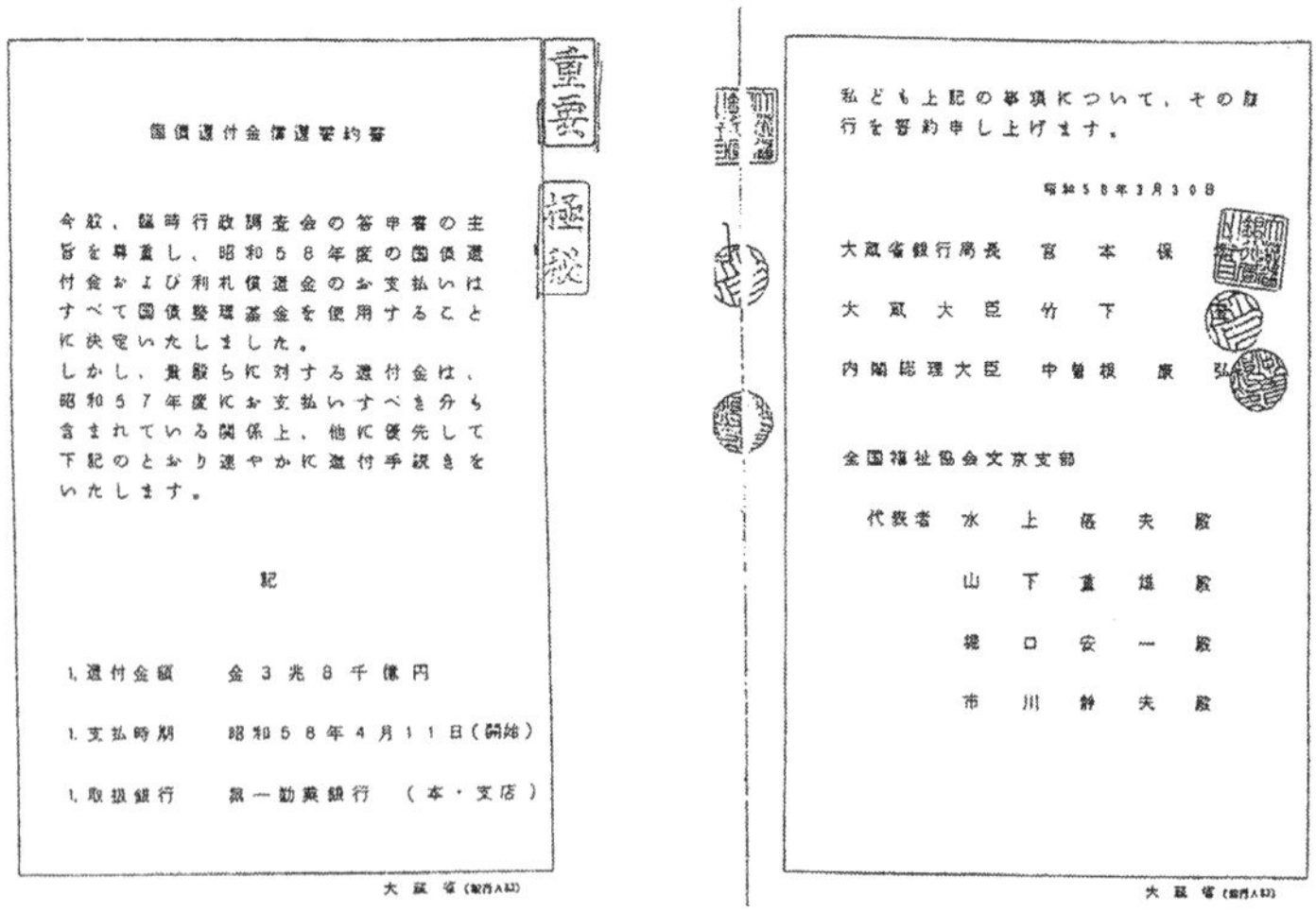

国債還付金償還誓約書

今般、臨時行政調査会の答申書の主旨を尊重し、昭和58年度の国債還付金および利札償還金のお支払いはすべて国債整理基金を使用することに決定いたしました。
しかし、貴殿らに対する還付金は、昭和57年度にお支払いすべき分も含まれている関係上、他に優先して下記のとおり速やかに還付手続きをいたします。

記

1. 還付金額　　金3兆8千億円

1. 支払時期　　昭和58年4月11日（開始）

1. 取扱銀行　　第一勧業銀行　（本・支店）

大蔵省

私ども上記の事項について、その履行を誓約申し上げます。

昭和58年3月30日

大蔵省銀行局長　宮本保

大蔵大臣　竹下

内閣総理大臣　中曽根康弘

全国福祉協会文京支部

代表者　水上信夫殿

山下重雄殿

堀口安一殿

市川静夫殿

大蔵省

図2

「ショッキングで謎めいた情報は、大蔵省に詳しい経済記者から聞いた話であり、M資金の現代版である償還資金（S資金）が絡む話だ。それは詐欺話に似て信じ難い筋書きだが、京セラに巨額の償還資金が入っているために、渡辺蔵相秘書官に続いて宮沢首相秘書官を歴任した中島が入社して相当する役割は重要だと言う。
そんな話は信用できないと挑発してみたら、㊙の判を押した印鑑証明付き書類を見せて、それが大平内閣の時代のものだという。なぜ堤清二や佐藤寛子が出資者総代なのか、さっぱり見当がつかない奇妙な代物であり、印鑑が本物か調べると頼みコピーを貰ったが、これがニセ物の印鑑証明書であれば、公文書偽造による詐欺話に相違ない。」（図１－A、１－B）
「別のジャーナリストにこの話をした時には、中曽根内閣の償還誓約書を見せられたが、それは大蔵省の公用便箋を使用しており、３兆8000億円という金額まで付いていて、さすがにM資金絡みだけあって手がこんでいた。」（図２）

『夜明け前の朝日』（鹿砦社、2001年）より求められた時に、百科事典を開いてみたら、脱構築の説明として、「言葉の内側から、『階層的な二項対立を崩していく』手法」とあるが、何かすっきりとせず、そこで解説書を調べると、次のように書いてあった。

「『パロール』とは音声言語のことで、『エクリチュール』とは文字言語のことです。デリダは、プラトン以来の西洋においては、パロールが優位にあり、エクリチュールは従属しているとして、『音声中心主義』を批判しました。音声中心主義は、ロゴス中心主義でもあるとして、ロゴス中心主義の解体を提唱しました。」

これなら分かりやすいが。理性中心の男性主義から、より感性的な女性形に、または、リニア（直線）発想からノンリニアへと、考え方を転換して、より多様性を含めよ、と理解すればいいのだ。米国より欧州のほうが、歴史があって多様だし、西洋より東洋が女性的だから、脱構築はしやすい上に、多様性でも勝っている。

だから、脱構築という発想が、未来を決定づけると思い、これが鍵になると分かったが、英語では文学用語だけで、ビジネスの世界では、誰も当時は使っていなかった。だが、ベンチャー精神の中に、それは潜んでいたし、十数年後に表面化したが、流石は米国だけあって、コンサルタント会社の手で、普及されたのであった。

ビジネス世界における脱構築

脱構築を通俗化して、ビジネス・モデルを作り、商売にして稼いだのは、ボストン・コンサルティングで、価値連鎖（value chain）に着眼し、突破口を開いて行く手法である。アイディアの基本にトヨタの看板方式があり、無駄を省き在庫なしで、迅速に顧客を満足させ、効率を高めるという、米人好みの実用的な発想だから、急速に受け入れられ普及した。

・レイヤーマスター（専門分野特化型）
・オーケストレーター（外部資源利用型）
・マーケットメーカー（既存チャネル改善型）
・パーソナルエージェント（顧客第一主義型）

詳細は各自が調べれば、最近は便利になって、参考書も多いので、ノウハウは簡単に手に入るから、それで学ぶことにより、日本の旧来型の産業が、惨敗した理由が明白になる。私は米国で会社を興し、ベンチャー企業を営み、実務経験を通じて得たものが、実は1975年に発表した、『石油産業の組織構造』で、論じていた事だと確認した。

その論文の一部の図は、三角形を使って描いた、MTKダイアグラム（第2章参照）だが、それを石油産業に応用し、垂直統合型の構造に、問題があると予告した。そして、英文論文だったが、『虚妄からの脱出』に収録し、著書を名刺代わりに、世界中で会う人に署名して、相手の名前をまず書き、贈呈してきた秘密がある。

今はすでに時効だから、秘密の手口を公開するが、相手が貴族や大臣でも、自分の肩書と名前とともに、献呈と書かれ署名のある、本をもらえば嬉しくなる。これが世界で生き抜き、私が信用された秘密で、これで得た自信に基づき、肩書抜きで相手を評価し、思う存分の発言をして、自由自在に生きてきた。

しかも、ビジネスを放棄する、得難い機会が生まれ、成功が破綻につながって、テキサスで石油が噴出し、3日間も止められず、公害で訴訟の山になり、2年かけて後始末をした。そして、石油もビジネスも、すべて縁を切ると決め、次の世代に役立つことで、残りの人生を始めるために、50歳を一応の区切りにした。

そう思うと落ち着いて、世紀末を楽しんで、世界の聖地を巡り歩き、古代の叡智（えいち）を学びたくなり、1992年から1997年まで、仕事を辞め世界巡礼に出た。それまで山岳地帯には、機会を作って訪れたが、遺跡や聖地を選び、意識して訪問したおかげで、命の洗濯が実現して、浩然の気を得たから、生まれ変わった思いを味わった。

　漂泊から米国に戻って、旅の記録をまとめたり、パーム・スプリングスの砂漠で、星空を眺めて瞑想したら、『宇宙巡礼』、『日本が本当に危ない』、『平成幕末のダイアグノシス』、『想念力の驚異』など、続々と著作が誕生した。多産な50歳代後半になって、無事に還暦を迎えたが、還暦直前が世紀末で、これからの人生はもらい物だから、歴史の証言を残せば、次の世代への贈り物になると思った。

日本に致命傷を与えた密室のクーデター

　5年間の世界放浪を終え、米国に帰り着いたら、アジア金融危機があり、続いて1999年の東京では、密室の五人組による、クーデターが勃発して、日本は谷間のドン底に転落した。クーデターについては、『ゾンビ政治の解体新書』に、じっくりと書いたので、ここでは繰り返さず、詳細はそちらに譲り、先に進むことにしたいと思う。

　日米間では時差があり、日本では愚鈍な森が、「サメの脳味噌と蟻(あり)の心臓」で、森内閣を組閣したが、一瞬で化けの皮が剝がれ、無頼漢の小泉内閣に交代した。米国では不正選挙により、ブッシュ政権が誕生し、無能を曝け出したが、それをごまかすために、ニューヨークの貿易センターを使い、９１１テロ事件を演出して、世界中の人に衝撃を与えた。

仕掛けとしては見事で、大衆はびっくり仰天し、目を見張っていたが、コンピューターグラフィックと、サイバー技術を使えば、演出はいくらでも可能だ。それがアメリカの実力で、最先端の分野においで、米国が誇る人材群は、あれだけのことをやるし、大衆が知らなくても、実力を蓄積しており、陰謀論では片付けられないのだ。

米国に30年も住んで、奇人や変人を求めて会い、体験的に知ったのは、凄い人材が各国から集まり、仕事をしていることで、それが国力だという点だ。また、会社をいくつか経営し、実務上で学んだのは、途方もない詐欺師天国で、善良な日本人の能力が、いかに無力であるか、裁判をいくつも体験して、私は嫌というほど思い知らされた。

だから、子供騙しに等しい、密室のクーデターなどは、米国ではボードビル並で、小泉劇場の茶番劇など、田舎に小屋掛けした、フリクショーの水準だ。ロサンゼルスに「マジック宮殿」があり、ベガスでは魔術ショーを演じ、ユタ州の株式市場を舞台に、ウォール街の１００倍もひどい、ペニー株の詐欺が横行し、騙し合いが国技になっているのである。

日米の低迷を尻目に躍進した中国工業

９１１テロ事件の報復を口実に、イラクやアフガンを舞台に、米国は戦争にのめり込み、国力を衰退させており、日本は小泉劇場に酔い、無駄なバカ騒ぎを演じた。無意味な郵政解体を強行し、竹中の売国路線により、労働条件は劣悪化して、産業界は資本を投資せず、海外移転が活路であると思い、産業の空洞化が目立った。

米国の財務長官は、親中派のヘンリー・ポールソンで、ゴールドマン・サックスだから、ウォール街を総動員し、中国に資金を投入して、産業近代化を支援した。それだけではなくて、第1章で論じたように、大量の留学生を教育し、優秀な技術者を育てた上で、実務経験を施してから、「海亀族」として送り返して、手強い競争相手に仕立てていた。

それは電子工業に限らず、医学や軍事技術でも、寛容なアメリカの社会は、能力があれば受け入れ、経営陣にも抜擢したし、大学教授としても採用した。そこで登場したのが、海亀招聘（しょうへい）政策であり、続いて「千人計画」によって、人材が大陸に引き抜かれ、ノウハウの移転とともに、技術の窃盗が顕在化した。

ネオコン旋風が吹き荒れ、小泉やブッシュに導かれ、日米がともに猿芝居で、国力を低下させた時に、理工科系の中央委員が、執行部に並んだ中国は、国内の工業力を増進させた。そして、自前の人工衛星を打ち上げ、パソコンや携帯を組み立て、量子計算機も作ったし、サイバー戦の能力も持ち、米国に迫ろうとしたために、アメリカも心配しはじめた。

電子工業で君臨する中国、台湾、韓国と日本の凋落

日本の凋落の開始は、小泉政権時代に著しく、ＬＣＤをはじめ多くの分野で、ソニーはサムスンに抜かれ、液晶技術のシャープも、サムスンに敗れ去り、台湾の鴻海に買い叩かれ、青幇の軍門に下った。世紀末の不況の中で、ガラパゴス化したために、日本の電子工業は衰退し、新世紀を迎えた時には、ほとんど抜け殻になっていて、かつて世界一だったが、見る影もなくなっていた。

その代表がＮＥＣであり、パソコンの雄だったが、中国の「Lenovo」が組み立て、ＮＥＣはLavieだけだし、東芝の名機「dynabook」も、自社製ではなくなった。東芝は名門会社として、天才の舛岡富士雄を擁し、ＮＡＮＤ型フラッシュメモリで、世界に勇名を轟かせたが、人材の能力を生かせず、電子部門まで売却した。

その理由はトップが、サラリーマン経営者で、目先の利益に迷い、長期戦略を立てないし、

政治が茶番だから、その影響をもろに受け、現状維持が最良だと思い込む。そして、社会や組織のことより、自分の利益を優先し、現状を打破する意欲を持たず、挑戦しないために、企業家精神が発揮できない。

しかも、これまで続いてきた、垂直統合型の組織が、水平結合型に転移して、人材のネットワークまでが、大きく変わる以上は、国も産業もその方向で、戦略を組み直す必要がある。だが、異端を排除したために、日本から創造性が消え、既得権を擁護する人か、現状維持派ばかりで、冒険に乗りだす熱意が、日本のトポスには不在だし、にぎわうのは盛り場だけだ。

だから、最近の日本の若者は、留学の意欲に乏しく、せいぜいＭＢＡ程度で、理系も文系も横断し、現地の逸材に混じって、実力を磨く気概もない。国内はマルドメ族（国粋派）が支配し、既得権の結界を張り、海亀を迎える抱擁力や、評価能力にも欠けていて、島国根性に結びつく形で、いじめの気分が卓越する。

賤民(せんみん)資本主義の砦(とりで)としての米中の競合

マックス・ウェーバーが、用心深く使った言葉で、賤民資本主義（Paria-Kapitalisms）の意味が、痛切に理解できたのは、アメリカに30年住み、裏表に精通したおかげだ。普通の農民や市民の多くは、善良で親切の典型であり、本当に人間味に満ち溢れ、心地よく付き合えるのに、米国は移民国だけあり、最悪の悪党が吹き溜まって、弱肉強食が支配する新世界だ。

英国人から聞いた話だが、「姦通罪はカナダに、殺人犯はオーストラリアに、詐欺師は米国に」は、昔のロンドンの常識で、米国はペテン師の天国である。豊かな猟場には世界中から、獲物を狙い漁師が集まり、それが移民大国の姿であり、大学では留学生が学び、学校経営が事業だし、ディプロマ・ミルまで経営している。

ロシアや中国も似ており、人口が多いだけあって、上は最良でも下は極悪で、下の極悪の部分がとりわけ悪く、中華系の秘密結社は、優秀な若者を派遣して、米国で修行させているという。その伝統が実学で生き、工学、医学、商学など、技術に関係した分野では、米国が修行の場として、好まれて選ばれており、大量の「海亀族」はアメリカで育つ。

下を見ればキリがなく、視点を変えて上を見れば、台湾でＴＳＭＣ（台湾積体電路製造）を創立した、モリス・チャン（張忠謀）は、ＭＩＴを出てから就職し、ＴＩ（テキサス・インストゥルメント）で研究と経営を磨いている。マネージャー時代の彼は、水平製造方式に着目し、ブロックチェーンの未来に、活路があると気付き、そんな時に台湾政府から、工業技術研究院長を依頼され、その後は独立して創業した。

彼の場合は思想があり、下請けでも技術を極めれば、自ら開発設計だけで、大企業以上の貢献ができ、ブロックチェーンを使い、その道で世界一になった。世界の半導体の先端領域が、7ナノを競っている時代に、TSMCは3・5ナノに挑んで、二番手に大差をつけていて、英国海軍式の二国標準を、半導体技術で実現している。

量子コンピューターと人工衛星の技術

米国は人工衛星技術では、ソ連に負けた歴史があり、それを克服するために、全力を挙げてNASAを育て、GPSではソ連を凌ぎ、HAARP技術と並んで、宇宙の支配者として君臨した。だが、ここ十数年の間に、脱落した日本を抜き、中国が米国に肉薄すると、電子工業のある分野では、追い抜いた状態になり、それに気付いて慌てている。

それがトランプによる米中経済戦争であり、一般に5G技術における、ファーウェイの優位のせいだと言うが、実は中国が月の裏側に、ロボットを送り込み、それに米側は衝撃を受けた。電波は直進するので、月の裏側に電波を送り、ロボットを操縦するためには、静止衛星を配置する、高度な技術が必要だが、中国が開発していたら大変だ。なにしろ、サイバー時代には、衛星と通信装置が、決定的な役割を演じ、それで遅れを取れば、軍備はガラクタになってしまう。

しかも、最近の中国の技術は、量子コンピューターの面で、米国に先んじて完成して、人工衛星に搭載した上に、量子暗号だから解読不能で、圧倒的な差をつけている。この件は第2章で触れたが、ケンブリッジ大を出た陸朝陽（ルチヤオヤン）博士の指導により、スパコンの数億倍の速度で、テレポーテーションを含む、遠隔共振を実現したとは驚きだ。

陸博士の指導教官には、ウィーン大学で学んだ、潘建偉（パンジャンウェイ）博士が控えており、ともに「千人計画」の当事者で、世界中の学者と連帯し、頭脳集団を構成している。日本の文科省のように、下村博文や荻生田など、ゴロツキが大臣だから、優れた学者は集まらず、御用学者を束にしても、一人の天才と勝負にならない。

安倍や菅がそうだが、上に立つ人間が下司で、評価能力や指導性が、ないことが丸見えの場合は、大衆は軽く騙せても、真の実力者は喝破して、近づかないのが世の常である。安倍が頻繁に外遊し、ODA援助の名目を使い、50兆円をばらまいたが、その5％がリベートで、安倍の豪州銀行の口座に、振り込まれていると知ったら、誰も安倍外交など評価しない。

電磁兵器（EMP）の進歩と新たなる選択

国家の安全は国民の安全だし、安心できる生活を確保して、侵略者の支配に先んじ、サイバー・アタックの予防に向け、国民の総意を結集する時が、ＩＴ時代とともに訪れている。侵略を実行する時の第一歩は、通信施設を狂わせて、電気や水道の機能を止め、相手側の神経中枢のマヒで、致命的な打撃を与え、戦略家はソフトな布陣を愛し、戦術家はハードな戦闘を好む。

　これは歴史が教訓を示し、優れた外交は戦争を防ぎ、劣った政治家は戦端を開くが、まともな国では軍人は控えて、表に現れないものであり、優れた者が政治を指導する。また、政治家の資質が劣化し、理性が通用しない時には、危機感を抱いた軍人が、権力を握り支配するのが、歴史における法則で、この権力奪取のやり方が、途上国では日常茶飯事である。

　今の日本は政治家が劣化し、植民地化や属領性が進み、間接侵略が至るところに現れ、サイバー空間での劣勢は、問題意識の低迷の形で、日本列島の全域を覆う。二十数年前の電子産業は、最先端の技術を誇って、世界の市場を席巻したが、今はガラパゴス化したせいで、国際市場からは脱落し、日本勢が束になっても、サムスン以下の状況である。

　亡国の危機にあることは、「見性の岡」に陣取り、鍛えられた洞察力で見れば、はっきり読み取れるので、その具体例を論じたのが、『日本サイバー防衛＆国防白書』だ。著者の苫米地英人は、コンピューター科学の第一人者で、興味深い提言を示しており、日本人に衝撃的な指摘が、洗脳された脳を覚醒させる。

　彼の発言は米国で学んだ、国防省の情報に基づき、機密性が高いものであり、日本人にとって貴重だが、それを評価できる頭脳は、日本政府には存在しない。軟弱な世襲議員の頭脳や、東大法学部レベルの思考力では、高級官僚がいくら束になっても、訓練を受けた冴えた頭脳に、太刀打ちできないから、これが現代日本の脅威である。

日本を没落から救う夜明けの訪れ

苫米地博士はその一例に、ハッカーの世界大会（デフコン）に登場した、韓国の天才的な若者が多国籍企業と契約し、１秒10万ドルで仕事をしたと、非常に貴重な体験談を紹介する。韓国青年が担当したのは、サイバー戦争の分野で、一人の名人は五個師団に匹敵し、絶大な威力を発揮するのは、明石元二郎の功績が証明するが、それは彼の『落花流水：明石元二郎大将遺稿』を読めば分かる。

日本人の多くはＬＩＮＥを使って、無料電話を楽しんでいるが、これを作ったのは韓国の情報部で、個人情報を抜かれており、そこにマイナンバーを載せたのは、愚かな日本政府の役人だ。愚鈍に慣れた日本では、愚劣な戦前回帰が進行中で、ＩＣチップを埋め込んだ番号が、国家機密に属すのに、情報として抜かれている。

近隣諸国とは仲よくして、隣善外交は重要だが、それは国民同士のレベルで、国家が情報面で丸裸になると、安全保障は損なわれて、由々しいことになる。世界はサイバー攻撃に対し、核や通常兵器をはじめ、生物や化学兵器と同じ扱いで、最悪の脅威だと考えるのに、日本人は危機感を抱かず、札束をばら撒(ま)いて体面を保つが、プーチンは見抜いている。

トランプに押し付けられた、ポンコツ兵器やイージス艦に、何兆円も払い無駄遣いするが、こんな愚行がまかり通るのは、政府の機能が劣って、思考力がなくなったからだ。米軍のサイバー部隊に比べ、日本の要員は1％以下で、通産省がトロンを放棄したから、ビル・ゲイツに食い荒らされ、日本の情報空間は丸裸である。

劣化した支配者を若い人材が踏み越える時代

この章もまとめの段階に入り、仕上げをする時だから、安全保障について論じるのが、必要になったと考えるので、その問題に関して触れ、終わりにすることにしたい。安全保障における最大のテーマは、エネルギー問題だが、同じように情報の問題も、きわめて重要であるために、非常にプライオリティが高く、きわめて危険な状態だが、それを認識する人は至って少ない。

今の日本では看過されて、政府の対応がお粗末だが、閣僚クラスの人間が劣悪で、目先のことしか考えないし、100年規模の文明の趨勢に、とても思いがおよばないのだ。小さな世界での技術と違い、宇宙レベルでの電磁技術は、情報革命の主役を担い、電磁兵器（ＥＭＰ）の分野は重要で、世界の運命を制している。

ニューヨークで起きた911テロ事件をはじめ、日本の311地震などは、スカラー波が関与しており、最近の台風の進路操作や、火山噴火と地震はＨＡＡＲＰがらみで、宇宙を舞台にした新技術に属す。しかも、技術の進歩は飛躍的で、変化の速度が目覚ましく、ＨＡＡＲＰを超えてサイバーに移行し、関係者以外は理解が困難だから、それを陰謀論と決めつけ、無視しようとする傾向があるが、それはあまりにも軽率である。

先進国が取り組む技術は、宇宙開発と電子機器の発達で、最近の20年間において、飛躍的な伸びを示しており、世界の経済は倍増したが、日本は低迷状態で惰眠してきた。日本の政治は家産制で、過去への回帰が主体だし、産業界は重工業志向のまま、原発や自動車の輸出に頼り、未来への挑戦を怠って、知的水準が低いのに気付かない。

未来に向けた政策の根幹は、若い優れた人材を育て、熱意と創発で国力を高め、活気に満ちたらよいのに、独裁支配を放置するせいで、ゾンビ政治の君臨が続いている。しかも、浸透した愚民政策のせいで、若い世代の思考力が衰え、挑戦への気概が萎縮しているし、考える能力の劣化が目立ち、暴政による閉塞感の蔓延を許し、日本の未来を灰色に染めている。

ゾンビ支配の終焉と新しい試練

米軍基地は日本全土を覆い、制空権は米軍に握られ、日本は植民地以下の属領で、酋長の安倍は幇間（ほうかん）外交に、明け暮れていたから、独立国の矜持（きょうじ）は皆無だった。安倍に代わった菅は、番頭役は果たしたが、思想も理念もないので、目先の利害と情念で妄動し、行き詰まるのは目に見え、災難をもたらすに相違ない。

将来を予想する秘訣に、『ジョセフ・フーシェ』が有効で、シュテファン・ツヴァイクの筆は、冷血漢フーシェについて、その性格と生態に触れ、次のように描写している。

ジョセフ・フーシェ

「意のまま望みのままに、いっさいのことが、絶えず成功することほど、芸術家や将軍や権勢家を弱めるものはない。失敗して初めて芸術家は、作品に対する自分の真の関係を学び、敗北して初めて将軍は、自らの誤りを悟り、失脚して初めて為政家は、真の政治的達観を得るのである。四六時中富んでおれば惰弱になり、四六時中喝采(かっさい)を受けておれば愚鈍になる。……不幸のみが現実の世界を、深く広く見ることを教えるのだ。」

安倍政権は8年近く続き、無能だった安倍政治が、長期政権を維持しえたのは、菅が女房役の官房長官として、愚鈍な首相を支えたし、粉飾と嘘で潰れるのを防いだ。首相の用心棒を兼ねて、公安担当の杉田を使い、人事権で官僚を脅かし、去勢された役人を犯行仲間に加え、略奪者と二股膏薬(ふたまたこうやく)を演じ、菅は安倍の後継者に、なり上る陰謀を実現したのである。

すり換えと言い逃れが、記者会見での定番で、矢面に立つ議論は避け、しゃべった虚言は山をなしたが、嘘を恥に思わぬ鉄面皮は、一人で大本営役を演じ、メディアを完全に騙す手腕を発揮した。その功績でゾンビ政体が、長期にわたって継続し、日本を嘘と欺瞞のお花畑に、作り変えてしまったが、この愚者の楽園の番人は、冷血さではマムシと競う菅義偉だった。

安倍が演じたゾンビ政治は、コロナ事件でボロを出し、ばい菌がウイルスに駆逐され、人材皆無の自民党から、青天(せいてん)の霹靂(へきれき)の状態で、爬虫類の菅が総裁に選ばれた。ゾンビは人類に属す亡霊で、お化けとして悪さをし、乱痴気騒ぎで終わり、宴の跡の狼藉(ろうぜき)の舞台に、爬虫類が登場するとは、祖先帰りもひどいもので、中生代の最後は隕石(いんせき)の落下だった。

夜明け前の闇がもっとも暗く、暗闇の中でゾンビが炎上し、一時的に周囲を照らしても、それは地獄の鬼火であり、黎明(れいめい)が始まるまでは、しばらくは苦難が続いて、「天の岩戸」が開くまで忍耐が要る。ゾンビの跋扈(ばっこ)により、未曽有(みぞう)の不況と狂乱で、日本はすっかり疲弊したが、起死回生に挑戦して、シンギュラリティの前に、新生日本を誕生させ、朝日が輝く日を迎えたい。

第8章

ゾンビが荒れ狂った断末魔の時代

次世代への歴史証言としてゾンビ政治を総括

7年8カ月の安倍政権は、日本最長を記録したが、それは優れた統治ではなく、デタラメだから長く続き、無能さに気付かずに、国民が放置したせいで、ゾンビ政体は跋扈(ばっこ)できた。それはマスコミが、完全に批判精神を失い、権力に取り込まれたので、日本人は必要な情報を、知ることができずに、現代版の大本営発表を伝えられ、完全に洗脳されたのである。

しかも、物語をでっち上げても、実務能力が乏しい首相役の安倍に対し、振り付けを施して、長期政権を実現したのは、主遣い(おもづかい)役の菅義偉で、安倍内閣は菅が仕切っていた。ちょうど、人形浄瑠璃(にんぎょうじょうるり)では、舞台で動く人形に、観客の注目を引き付けて、舞台効果を生み出す主遣い役を果たし、安倍一座を率いたのが、菅官房長官であり、太夫が今井尚哉(なおや)(内閣総理大臣秘書官)だった。

JAPAN
日本を食いつぶす悪魔
アベジェクシオン

マッド・アマノ図

頭と身体の部分が、脳のない木偶(でく)であり、主遣いが小器用でも、訓練に磨きが不足しており、味わいがないならば、「壺坂霊験記(つぼさかれいげんき)」を演じても、世話物としては二流で終わる。阿波浄瑠璃や文楽が、鑑賞に堪えるのは、出し物の長さではなく、物語性と円熟した技能だし、肥えた観客の目には、ドサ回りの田舎芝居であり、見るに耐えなかった、祭りの掛け小屋で、見世物に親しんだり、テレビのお笑いを見て、楽しむ観客にとっては、ウィーンのオペラは、堅苦しいだけだから、フリクショーのほうが楽しい。それと同じレベルが安倍の田舎政治で、座布団が飛び交って、見るに耐えなかったが、そんなものが千日興行で、千秋楽を迎えたのだった。

隠蔽や欺瞞に包まれ、改竄とデッチ上げで、構築された記録からは、歴史の本質は読み取れず、見世物用の現象だけが、目につくものであり、それを人は歴史とは呼ばない。そんな安倍一座について、歴史の証言のために、書き留めた記録が、本章の記述であるから、単なる落穂拾いなので、同時代に生きた人は、飛ばしてもらって結構である。

統治システムとしての官僚機構とその運営

社会学者マックス・ウェーバーは、「官僚制は業務の質と量で、高度化と増大に対処でき、純技術的優秀性を発揮する、卓越した制度である」と指摘した。官僚制が持つもっとも重要な役割は、没主観的で真面目に職務を遂行し、公僕として国民に誠実に仕える点で、コンサルタントの福田秀人は、次のような優れた特質があるという。

これは公務員が働く政府機関や、官僚的な組織形態を持つ、私企業にも共通する原理であり、その役割と機能は次のとおりだ。

①業務を規則で遂行……大量の業務を個人的な判断に左右されず、画一的、持続的に処理する

②明確で合理的な分業と専門家による業務の遂行……高度、効率的、正確、継続的な行政を可能にする

③地位・役割が階級で整然と決まり、権限が上下に配分され、上級者が下級者を統制……一元支配的な秩序を形成し、組織の安定性を強化する

④文書による指示伝達……一定の形式で必要事項を洩れなく簡潔明瞭に盛り込み、正確な指示をする

⑤資格に基づく採用、昇進および身分、年功に応じた俸給および身分保障……恣意的な降格、解任を排し、職務への献身、組織への忠誠心、連帯と集団精神を生む

⑥没主観的で誠実な職務の遂行……個人的・感情的要素を排し、能率を向上させ、組織内外の人間関係の公正さを保持し摩擦を防止する

この原理を解体した上に、日本を溶融させたのが、多数に「あぐら」をかいた安倍政権で、異胎を作る発病のメカニズムは、ボリシェヴィズム原理だ。ボリシェヴィズムの権力支配は、不正に手に入れた力で、組織の人事権を握って、少数派が多数派を称して行う、弾圧による政治体制を指す。

少数派が多数を代表できる条件

１００年以上かけて築き上げた、日本の議会主義の伝統が、政治家の暴虐と愚行で、グジャグジャに溶融し、解体されてしまったが、この無残な亡国現象は、見るに耐えないものだ。「三代目が家を潰す」というが、明治、昭和、平成と来て、世襲代議士の跋扈で、日本の政界は利権になり、経世済民は機能せずに、家産体制に成り果ててしまった。

「家産体制」は政治用語で、ウィキペディア「家産制」を引けば、「支配階級の長が土地や社会的地位を自らの家産のように扱い、家父長制支配をもって統治する支配形態のことをいう。支配者は国家の統治権を自らの家計管理の一環として所有権的な行使を行い、その機構は国家の統治機能と、家産の管理機能が融合されている。」とある。

だから、公儀の私物化によって、公私混同が顕在化し、権力に連なる政治家や役人が、「公共善」のためでなく、権力を私益のために、乱用する政治体制を指している。政党政治というのは、私党にすぎない政党が、その目的を果たす政治であり、部分（part）である政党（party）が、全体である国民に対し、君臨すること自体が自己矛盾だ。

この自己矛盾を乗り越え、より公平なものを求め、政治制度を築いたのが、ギリシアやローマで育ち、運営された共和制で、その具体的なものに、民主的な政治体制がある。中学の教科書には、「民主政治とは、私たち皆が参加して、私たち全体のことについて、決める仕組みを指す」とあり、参加が強調されているが、少数意見の尊重が重要だ。

フランスの政治思想家で、『アメリカのデモクラシー』を書いた、貴族出身のトクヴィルは、「少数意見を抑圧すれば、真理への道を閉ざす」と言ったが、これは真理の一端を示している。ユダヤ社会の知恵は、「全会一致は無効」と教え、過度の多数決原理による、群衆支配に対して、付和雷同を危惧し、正義は言葉を尽くす議論だとしている。

少数意見を無視し続け、多数の横暴を強行し、暴政を遂行した安倍政権は、日本を滅茶苦茶にして、やっと姿を消したのだが、それがゾンビ政体だった。以下に記録した記述は、暴政の一端であるが、ぬるま湯の中にいれば、冷えるに従い風邪を引き、悪臭に慣れ従うことで、ガス中毒で死ぬことになる。

首相官邸が握った高級官僚の命綱

官僚に君臨する官房副長官は、官僚機構を掌握するので、権力の持つ威力を実感するが、安倍はその猛威を知り、最大限に生かすために、首相になると人事権を掌握した。そして、官邸内に「人事局」を作り、次官の専管だった人事権を奪い取り、官僚の首根っこを抑え、独裁的支配権を確立し、大統領的な首相になった。

公務員として頭脳力を誇り、実務を担当する官僚に対し、政治家は試験がない代わりに、選挙の抜け道を逆手に取り、人気で議員になれば、選ばれたという免罪符を得る。また、代議士は判断力が財産だし、地方議員時代の経験や、指導性と結んだ実体験が、国会議員の資質であり、専門知識と教養面では、官僚に劣るケースが多い。

しかも、最近は二世や三世の形で、世襲議員が激増して、人気で選ばれたタレントも多く、比例区の国会議員は、選挙の洗礼も受けずに、品質チェックもなきに等しい。だから、議員の劣化が著しくて、国会の議論の水準が低いし、立法能力もないので、答弁も法律も役人任せで、政治の劣悪化になり、国会自体の形骸化が著しい。

統治システムの崩壊は、政治家の劣化により、統治機構としてガタガタで、官僚が堕落と腐

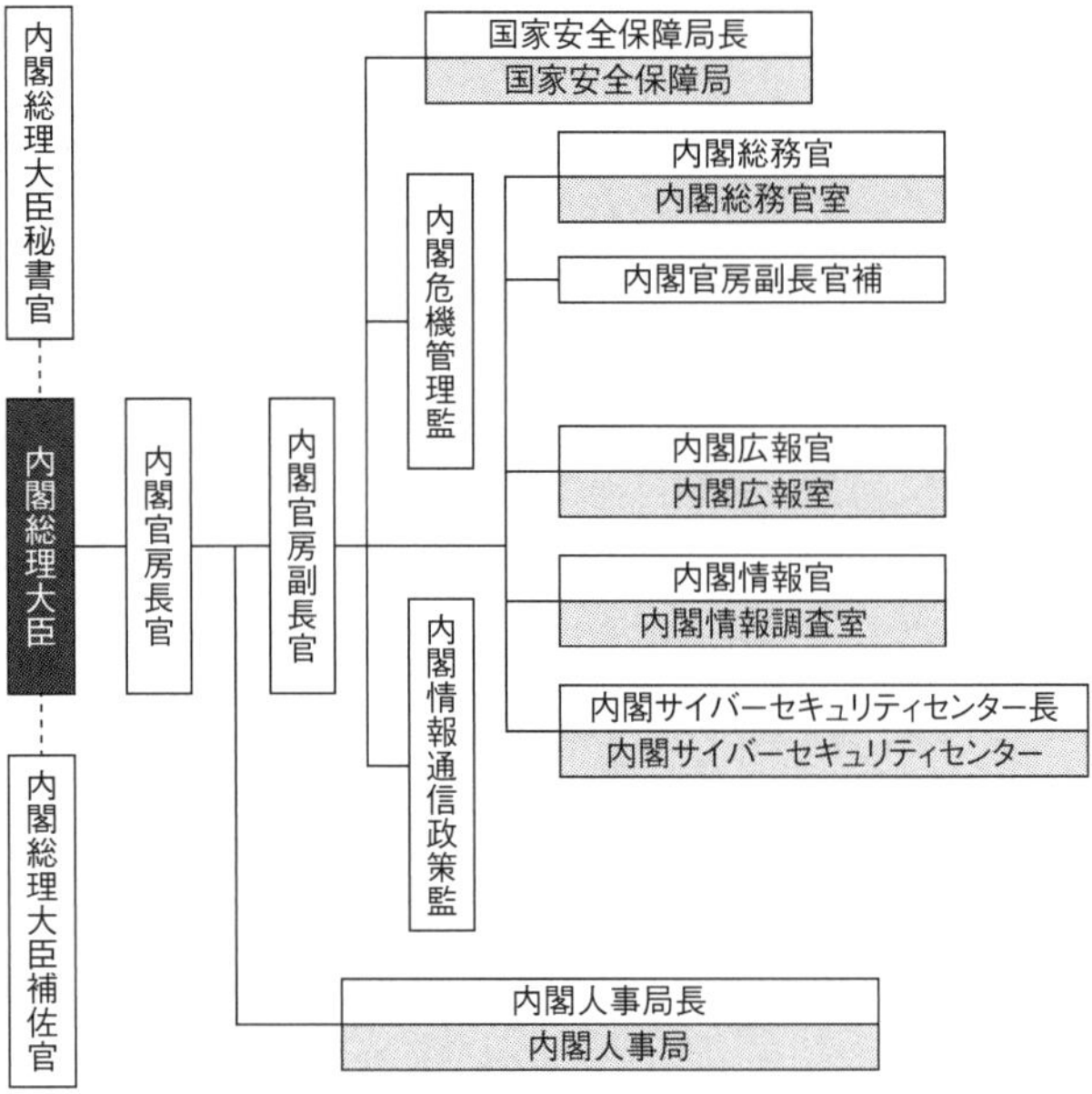

内閣官房の機構図

敗して、責任逃れと忖度が横行し、天下り行政が優先である。政治家と官僚では資質が違い、最良の官僚は最悪の政治家で、国会議員が役人に対し優位だが、政治家の役得が大きく、政界進出の官僚が激増している。

役人には出世が命だから、人事権を支配することで、政治家は官僚の命綱を握り、存分に権力を振えるので、官邸が「内閣人事局」を支配し、官房長官が高級官僚を制圧した。公安筋が官房副長官で、官僚の挙動を監視して、異論の持ち主の排除を行い、独裁体制の基盤を整え、内閣をボリシェヴィキ化した。

この目論見が行きすぎを生み、憲

政史が築いてきたのに、官僚システムが壊れて、役人の自尊心と誇りを損ない、統治機構を溶融させたが、その責任者が官房長官だった。民間企業においては、副社長が複数存在して、その中の一人は裏方専門であり、汚れ役を担当するので、社長にはなれないが、官房副長官は同じ意味で、首相にしてはいけないのに、安倍は例外的にトップになった。

官邸に気に入られれば出世し、睨(にら)まれれば降格になるので、国民に奉仕するのが仕事の公務員が、官邸の顔色を戦々恐々で窺(うかが)い、士気の低下が著しかった。そして、権力者の意向を忖度し、文書改竄や虚偽発言を恥じず、行政は安倍首相の私物と化して、公務員のモラルは消え、官邸の卑屈な下僕になった。

それまで高級官僚の人事は、各省の次官の専任事項で、長い伝統と試行錯誤に基づいた、合理的と認めた方式が、デファクト・スタンダード（実質的な基準）として、官僚機構の骨格になっていた。政治家は選挙で選ばれ、連続性がない欠陥を持つので、現場を持続的に掌握する官僚は、蓄積した知識を伝えるし、公務員の意識を持つので、政治家より自負心に富む人が多い。

公務員は全体の奉仕者だし、一部の者や社会勢力のために、仕えるものでない公僕精神は、主権者への奉仕の心を持ち、公共善を敬う気持ちが原点にある。文明開化で生まれた官僚制は、かつては侍が選ばれて、公務についた志と責任感に似たエリート意識が骨格をなし、公の仕事をする誇りが、杜撰な閣僚人事より気概に直結している。

政界と官界の堕落と思考力低下の悪循環

だが、権力を笠に着た者が上に立ち、配慮に欠けた粗野な態度で臨み、従わない者を圧殺する暴挙で、したい放題をしはじめると、「面従腹背」で耐える精神も壊れる。そんな状況が続けば、公務員や非正規役人は、先人が持っていた志を失って、権威主義に慣れ親しみ、拝物的で無責任になり、役人天国に逆戻りしてしまう。

市長を経験したモンテーニュは、次のように書いている。

「われわれの職業は芝居に似ている。自分の役割を演じる必要があるが、それは仮の人物の役割で、仮面や外見を本物と見誤り、他人の物を自分の物と見誤って、皮膚と肌着を区別しなくなる。」

アンリ三世の宮廷に仕え、ボルドー市長を務めた、モンテーニュが役人生活で得た教訓は、官僚特有の「面従腹背」が、いかに支配的かという、じつに切実な省察を含むものである。上からの圧力には忍従し、下からの期待を裏切らずに、公務の立場に徹するのが、誠実である証明だから、市長の職は苦難に満ちていたが、公務を退き故郷に戻って、彼は自省生活を楽しんだ。

議会制度を持つ国では、国権の最高機関は議会で、そこに結集している選ばれた議員が、主権者の代理であり、力を持つのは当然だし、それなりの権限を与えられている。だが、官僚は国家試験に挑み、難しい資格審査を通った、選ばれたエリートだから、政治家より知識面で優れ、行政能力で卓越している。

だから、使命感とともに官僚になり、理想の実現に挑む者は、人気で選ばれる政治家とは、教養や実務能力の面で、段違いは当然であるし、それが官界と政界の違いである。明治の初期の官界は、危機意識の中で使命感が、日本中にみなぎっていた時代の中で、気概にあふれていたが、次第に官僚主義に毒され、官界は政界と一体化し腐敗した。

21世紀になり目立つのは、小泉チルドレンをはじめ、小沢一郎や安倍晋三が作った、チルドレン政治家の出現で、訓練や志のないままに、粗製乱造の政治家の跋扈が目立つ。法律や歴史認識の面で、訓練抜きの国会議員が増え、見よう見まねで国務に従事し、員数合わせだけにすぎず、政治を語る能力がなく、議会の幼稚園化が進んでいる。

議員立法の素養はおろか、議案の審査能力もなく、審議がおざなりになったので、それを見抜いた官僚は、議員に愛想を尽かして、自ら政治家になる者もいる。それほど政治力が衰退し、知的水準の劣化が進み、思考力が低下した理由は、テレビと携帯の普及で、情報洪水の中に沈み込み、自分の頭で考えなくなり、大衆化が蔓延したからである。

ヤクザ政治と天皇の国璽（こくじ）を悪用した公文書の偽造

哲学者オルテガ・イ・ガセットは、自分が生きる時代だけを考え、自己の利益中心に生きる者に、大衆と名付けてから、驕慢な精神と態度をいましめ、「私は私と私の環境だ」と断言した。そして、いくら多数派が決定しても、少数意見は尊重されて、抑圧されてはならず、寛容が必要だと主張し、つねに不信感を抱けと強調した。

しかも、してはいけないことは、しない自制心や我慢に対し、彼はそれが精神の貴族性として、大きな価値を与えており、大衆の対極に位置づけた。また、現実の社会は大衆化で、嘘や欺瞞が平然と蔓延し、不都合な事実に口を閉ざし、誰も責任を取ろうとせず、逃げ腰で言い訳を考えるが、その前につねに驚けと教えている。

無責任の横行は小泉時代に、自衛隊のイラク派兵に対し、異議を唱えた天木直人（あまきなおと）（駐レバノン大使）が、小泉純一郎に反対して、罷免（ひめん）され外務省から追放された。その免官状が偽造と見

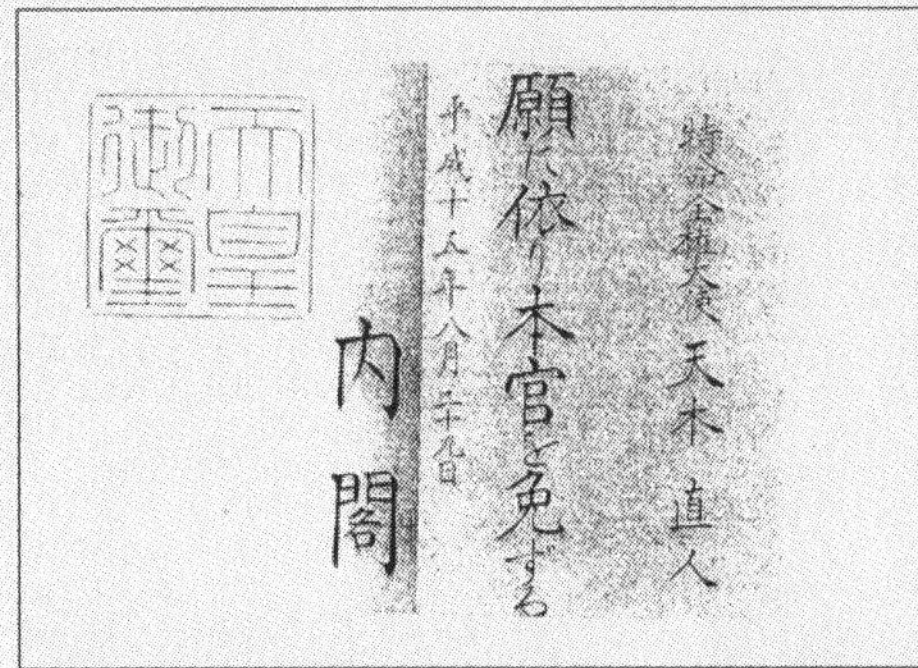

第一図：『さらば外務省！』の表紙裏に印刷されている免官状のコピー。内閣を証明する印鑑がなく、国璽のハンコだけが押してある

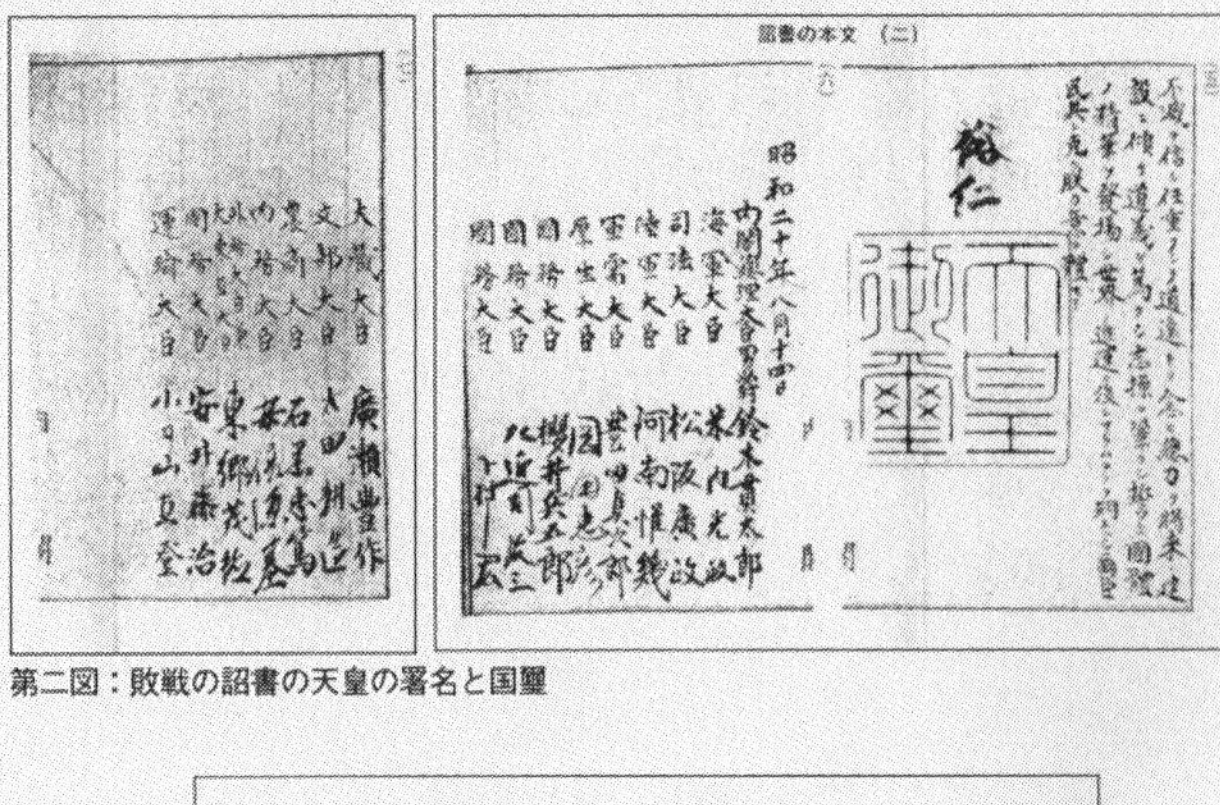

第二図：敗戦の詔書の天皇の署名と国璽

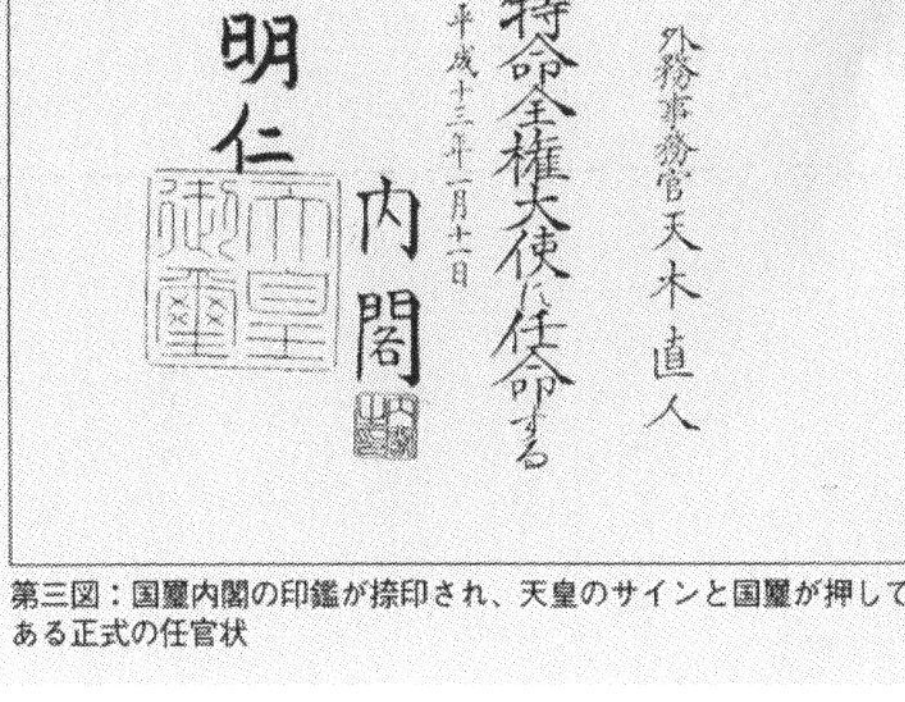

第三図：国璽内閣の印鑑が捺印され、天皇のサインと国璽が押してある正式の任官状

破り、大阪に隠棲した大使を訪れ、私は外交について対談を試みた時に、罷免無効の訴訟を提案し、その一端を『小泉純一郎と日本の病理』に公開した。

任命状と罷免状を比較し、公文書の書式を検討して、昔の親任官の大使人事では、天皇の御璽に署名が伴い、内閣の下に公印があるが、この偽造文書にはそれがなかった。こんな幼稚な手口を使い、小泉内閣は公文書を偽造し、異議を述べた大使をクビにして、憲法違反の海外派兵を行い、暴政の馬脚を露呈していたのに、メディアは取り上げなかった。

署名や印鑑の不正な使用は、犯罪行為の詐欺として、処罰されて当然なはずだが、内閣は天皇の御璽を無断で捺し、文書の偽造をして恥じず、ヤクザと同じ感覚で政治をした。権力を持つ者が利益のために、捏造や虚偽を平然として行えば、ナチス時代の暴政と同じで、無責任体制そのもので、小泉政権はゾンビ政治を開始して、安倍政権がそれを引き継いだ。

国家の裏帳簿の特別会計と天下り

税金は俗語でOPM（オピウム）と呼び、「Other People's Money」は政治家や役人によって、「他人のカネ」の扱いが雑になり、公私混同が目立つ領域だ。しかも、役人の許認可権と結び、権限の源の形で機能し、犯罪としての利権を生み、便宜への見返りの接待をはじめ、ワイロを贈る収賄として、汚職が野放し状態になってしまう。

汚職の典型がリクルート事件で、政治家や役人が軒並み関与し、メディアも金権汚染で汚れて、国を挙げて汚職天国を演じ、「ノーパンしゃぶしゃぶ」事件が続いた。小泉内閣のポピュリズムは、改革路線でブームを煽（あお）り、道路公団と郵政の民営化を掲げ、国有財産の私物化を通じ、政治家の利権にすり替えた。

戦後政治の弊害は天下りで、公団や公益財団が激増し、そこに投入する補助金の捻出（ねんしゅつ）に、一般会計の４倍の裏会計が、二重帳簿として作られた。しかも、財務省が複雑な工作を施し、実態が分かりづらくて、特別会計の実態は解明されず、国家財政における裏金が、利権漁りの温床になった。

特別会計の財源としては、健康保険、国民年金、労災保険をはじめ、雇用保険、石油税、ガソリン税、道路税などがあり、国や地方の公共団体が管理し、その数は40近くにおよんだ。公共事業や各種の補助金は、国会での審議や検査なしで、地方団体や各種の法人を経由し、業者や受益団体に流れ、これが税金流用システムである。

このトンネルを流れる資金は、政治家や天下り役人の餌（えさ）で、税金の無駄遣いが行われて、54基も作った原発をはじめ、ハコ物の道路や施設の工事を通じ、巨大な負債の山を生んだ。利権に群がる業者は政治献金し、役人の天下りが繰り返され、利権のやり取りを通じて、財政赤字の蓄積が続き、活力を喪失した日本経済は、国力の衰退で苦しんでいる。

石井紘基議員はその解明に挑み、一般会計の背後の特別会計が、4倍の規模で裏金を動かしており、決算抜きで予算が作られ、税金が抜かれる仕組みを追った。議員は予算には熱心だが、決算をする能力がなく、無責任体制が支配するペテンに触れ、『日本が自滅する日』を書いた石井は、国会で追及する予定の前日に、暗殺され迷宮入りである。

石井暗殺事件について、『皇室の秘密を食い荒らしたゾンビ政体』で、その経緯に関し触れたが、小泉時代の背景には、稲川会とＣＩＡが関わり、ブッシュのＮＷＯ（新世界秩序）が見え隠れする。そうなると背後には、世界新秩序が控えて、バチカンに結んだルートで、青幇が登場して来れば、問題は世界規模になり、別のアプローチが必要になる。

官邸の「笑顔ファシズム」と言論弾圧

森内閣で安倍は小泉の推薦で、官僚を牛耳る官房副長官になり、権力を動かす快感を身につけ、言論弾圧の試金石として、手始めにＮＨＫに干渉し、権力批判の封じ込めに乗りだした。官房副長官は官僚の頂点で、次官経験者の指定席であり、官房長官に次ぐ権力を持ち、大臣以上の権力を握る、怖いものなしのパノプティコン（全展望監視システム）である。

絶大な威力を握った安倍は、次の小泉内閣の絶頂期に、醜聞で山崎拓幹事長が辞任したので、後任として抜擢されて、閣僚や党の要職も未経験だが、安倍は「棚ボタ」で幹事長になった。小泉の安倍への溺愛（できあい）は異常で、サイコパス同士の共鳴もあって、次に官房長官に抜擢され、政界で第二の地位を獲得し、小泉が任期満了したチャンスに、安倍は首相になり上がった。

　小泉内閣が君臨した時期は、狂気で特徴づけられ、『Japan's Zombie Politics』が書くとおり、異常が常態として横行し、ゾンビが舞い狂った、恥知らずの時代だった。『小泉純一郎と日本の病理』は、ひそかに焚書（ふんしょ）の運命に見舞われ、第二次安倍内閣以降に触れた、電子書籍の『ゾンビ政治の解体新書』の間に、『さらば、暴政』が本になったが、その他は出版に至らなかった。

　活字よりもテレビには圧力が加えやすいので、情報通信調査会を使い、自民党はマスコミに干渉し、報道番組の内容にも平気で踏み込んでいて、政権批判を強引に弾圧した。許認可権を持つ総務省に、元大臣の菅の意向がおよび、番組から降ろされたり、発言を封じられた者が、続出した結果として、御用番組の大放列となり、言論界は萎縮しきった。

　陰険な性格を反映して、安倍は背後からの工作で、メディアのトップを狙い、圧力を加えたことは、『安倍政権のメディア支配』に、鈴木哲夫が書いている。官房副長官の頃から、安倍は言論干渉をして、ＮＨＫの総局長に向け、「タダでは済まないぞ、勘ぐれ」と言い、作り直せと言えば、弾圧になるために、脅かしていた話は有名だ。また、こんな話も伝わっている。安倍は脅かす姿勢を取り、腕を振り上げておき、次に電話をかけると、メディアの幹部に対し、食事に招く戦法を活用し、ムチとアメを使い分ける。これは安倍政権になって、「寿司友」として定着し、テレビだけではなく、新聞や雑誌のトップが、完全に手懐けられ、政権批判の声が沈静化した。

こうしたメディア工作で、小泉内閣が前面に掲げた、郵政民営化という路線は、明治以来インフラとして築き上げ、日本全土に張り巡らされた、通信と金融網の解体に貢献した。郵便局が商品販売の窓口になり、地方の共同体の商店を圧迫し、シャッター街を生み、郵便局員は住民サービスを放棄し、販売ノルマを持つ売り子になった。

トップの人材の劣化と独裁者志向の蔓延

第一次安倍内閣について、『さらば、暴政』で論じ、その問題点を指摘したから、民主党時代の茶番は、簡単に触れるだけで、第二次安倍内閣以降に、フォーカスを当てることにする。それは無様な形で、政権を捨てた野田首相が、無責任を露呈した上に、公約を破り増税を決め、国民の不信感を買い、信頼を失ったためで、この不誠実な態度が災いした。

民主党内閣が崩壊し、再び自民党が蘇（よみがえ）って、独裁化した背景に、「ナイ・レポート」が存在したが、背景にはネオコンによる、対日工作が働いていた。その辺の経過については、『櫻井ジャーナル』が、要領よくまとめているので、主要部分を引用すると、次のような総括になる。

「ナイ・レポートが発表された後、日本はアメリカの戦争マシーンに取り込まれていくが、その流れの前に立ち塞（ふさ）がったのが鳩山だった。その鳩山と近かった、小沢一郎に対するスキャンダル攻勢は、２００６年から始まっている。週刊現代の６月３日号に『小沢一郎の〝隠し資産６億円超〟を暴く』という記事が掲載されたのだ。

２００９年11月には、小沢の資金管理団体である、陸山会の04年における土地購入に関し、政治収支報告書に虚偽記載していると『市民団体』が、小沢の秘書３名を告発、翌年の１月に秘書は逮捕されている。また、『別の市民団体』が小沢本人を政治資金規正法違反容疑で告発、２月には秘書３人が起訴された。

裁判の過程で検察が、『事実に反する内容の捜査報告書を作成』するなど、不適切な取り調べを行ったことが判明、この告発は事実上の冤罪（えんざい）だということが明確になっているが、小沢潰しは成功した。そして、鳩山は２０１０年６月に総理大臣の座から引きずり下ろされたわけだ。

鳩山の後任になった菅直人は、国民の声を無視、消費税の増税と法人税の減税という巨大企業を優遇する、新自由主義的政策を打ち出した。首相就任の3カ月後には、海上保安庁が尖閣諸島の付近で操業していた、中国の漁船を「日中漁業協定」を無視する形で取り締まり、日本と中国との友好関係を破壊する動きが本格化する。その協定を無視した、取り締まりの責任者が前原誠司だ。次の野田佳彦政権も、民意を無視する政策を推進したうえで「自爆解散」、２０１２年12月の安倍政権の誕生につながる。

安倍もネオコンと関係が深かった。とくにハドソン研究所の上級副所長を務めるＩ・ルイス・リビー、通称スクーター・リビーだ。リビーはエール大学出身だが、そこでポール・ウォルフォウィッツの教えを受けている。ウォルフォウィッツ・ドクトリンを作成した際の中心人物だ。リビーの下にいるのがマイケル・グリーンやパトリック・クローニンである。日本における「報道」を見ると、数年前からネオコンは、安倍に見切りをつけたようだが、当初は違ったということだ。

日本が「ファイブ・アイズ」と協力関係を結ぶことを望んでいると河野太郎防衛相が8月12日に語ったことは、本ブログでも触れた。イギリスとアメリカの情報機関を中心とする、英語圏5カ国の情報機関による連合体で、イギリスとアメリカから命令が出ている。この連合体は加盟国の政府を監視する役割もある。

そうした発言をした河野は9月9日にＣＳＩＳ（戦略国際問題研究所）のオンライン・イベントに、マイケル・グリーンとともに参加、10月に総選挙があるかもしれないと語っている。

現在、ＣＳＩＳはネオコンの巣窟（そうくつ）になっているようだが、元々は１９６２年にジョージタウン大学の付属機関として設立されている。創設にレイ・クラインというＣＩＡの幹部が関係するなど、ＣＩＡとの関係が強かった。その事実が発覚したことから、１９８７年に大学と研究所との関係は、解消されたことになっている。日本のマスコミがこの研究所のメンバーを登場させる理由は、言うまでもないだろう。」

トロイの木馬

民主党への失望感が、自民党の人気を高め、安倍は奇跡の復活を遂げ、恒例のお友だち内閣を作り、頼りない船出だが、幹事長の菅が舵を取って、公安主導の路線の布陣を敷いた。オトリ捜査や冤罪が、公安の好む手法であり、道徳的に卑劣だとはいえ、小沢が西松建設疑惑で、追い落しされてからは、民主党政権はダッチロールに転じた。

菅直人が米国に行き、ＣＩＡに取り込まれて、選挙民を裏切ったが、それに続いて松下政経塾出身で、「トロイの木馬」役を演じた、前原と野田が無能をさらし、民主党を自己解体に追いやった。しかも、野田の裏切りを目撃し、メディアが勢いづいて、民主党を叩きまくった効果で、それが追い風になり、頼りない安倍政権だが、嘘と詭弁(きべん)を垂れ流しても、再出発は追い風に乗れたのである。

洗脳作戦としてのメディア工作

復活第二次安倍内閣は、高い人気に支えられ、出足が非常に順調で、野党に転落した悲哀は吹き飛び、ネオコン的な傍若無人でも、国民の支持はとても高かった。再登場した安倍内閣は、敵前逃亡の前歴もあり、短期政権で終わると考え、長く続くとは思わず、軽視していたが予想に反し、官房長官の菅義偉がやり手だった。

菅は小泉内閣の時代に、竹中総務大臣の下で、総務副大臣になって、人事権の運営の妙を習得し、当選4回だったのに、第一次安倍内閣で、総務大臣として入閣をしている。総務相に就任した菅は、拉致(らち)問題でＮＨＫに、番組の編集で関与し、その実績を評価され、第二次安倍内閣で、菅は官房長官を任され、まず日本郵政の社長を更迭した。

同時に自分の支配下に、内閣人事局を置いて、官僚を支配する目的で、内閣官房の強化を推し進め、報道界の支配を目指し、ＮＨＫの経営委員会を狙い、その制圧に向けて布石を打った。安倍の意向を受けて、その手口は巧妙であり、『安倍政権のメディア支配』（鈴木哲夫著）は、次の手順を踏んで行い、報道番組が軍門に下り、テレビから政権批判が消えたと書く。

「第一次内閣の失敗は、メディアをコントロールできなかったことだ、と安倍さんは思っていますね。だから第二次では、そこを徹底してやると。ＮＨＫの会長人事や経営委員人事で、気心の知れた人を送り込んだり、一方でテレビ局幹部とゴルフや食事など、密接に付き合いながら、取り込んでいったりしています。アメとムチです。こうしたメディア戦略が、きいていると思います。……２０１３年11月、ＮＨＫの経営委員４人の人事案が、衆議院本会議で賛成多数で同意された。しかし、この４人は明らかに、安倍総理に近すぎると言ってよい人物。安倍総理との対談以来、意気投合したという作家の百田尚樹、思想的な熱烈な支持者である長谷川三千子、安倍総理を囲む財界人の『四季の会』のメンバーでもあるＪＴ顧問の本田勝彦、そして、安倍総理の後ろ盾で、ＪＲ東海名誉会長の葛西敬之が設立した、私学校の校長である中島尚正。この人事には明らかに、ＮＨＫ戦略があるという。」

ニュースや報道番組で、定評のあるＮＨＫに、政府の意向が反映すれば、電通が支配力を持つ、他のメディアは簡単に落ち、政府批判はなくなり、権力はしたいことがやり放題だ。短期間で大躍進した安倍は、菅とのコンビで、政治権力を握った影響で、日本の未来にとっては、不吉なことだったし、運命が大きく狂ったのである。

人事権を握った官邸の公安路線

不況による閉塞感の中で、世論が退嬰化を強め、飼い慣らされていたから、安倍と菅は官邸の権限を強化し、官僚の権限を奪うために、監視体制を作り上げた。そこで「内閣人事局」を作り、「犬が犬を食う」ように、弱肉強食の方式を取り入れ、「令外官」の公安部門が、決定権を持つ形で、退官していた杉田和博を抜擢し、官房副長官に任命した。

特高警察の系列の杉田は、警察庁警備局長を経て、内閣情報調査室長を歴任し、思想の取り締まりの面で、適役の弾圧のプロであり、60年アンポ騒動を始末した、川島廣守と瓜二つだった。川島の経歴や性格は、『ゾンビ政治の解体新書』に、詳しく紹介してあるが、超タカ派の公安官僚で、参考までに再録すれば、ＣＩＡが養成した日本探題である。

「工作の総元締めは川島廣守で、彼は警察庁の警備局長から長官になり、内調室長を経て官房副長官で退官後は、セントラル・リーグ会長に就任した。また、日本のプロ野球システムは、読売新聞社社長の正力松太郎と同じで、公安警察向けのＣＩＡの指定席だが、お人好し日本人は、仕組みに気付かない。」

官僚を押さえつけて、独裁体制を築くには、初代の人事局長に、杉田が官房副長官と兼任で、担当させれば盤石で、役人の骨抜きを実現し、将来への布陣する予定だった。だが、杉田はあまりに老齢で、一人二役は無理だから、菅は将来の後継者として、初代の内閣人事局長に、財務官僚出身である、同じ官房副長官の経験を持つ、加藤勝信（現・菅内閣官房長官）を選び任命した。

安倍にとっての政治は、自分のエゴの実現で、国政を私物化して、他人の異論は撥ね除け、王様や大統領のように、好き勝手に振る舞い、権力を満喫することだった。だから、批判を浴びる国内より、日本人が払った税金だが、それを経済援助の名目で、ＯＤＡとしてばら撒いて、首相として歓迎され、キックバックを稼ぐために、50兆円も配って歩いた。

この道楽の実行には、担当の役人を手懐け、言うことを聞かせ、マスコミの追及をかわすために、メディア対策が必要だし、愚民工作が頼りになり、それは世耕と菅に担当させる。また、経験不足の大臣より、秘書官や補佐官を活用し、彼らの知識と献身に、期待すれば国内のことは、懐柔したマスコミと、頼りない野党だから心配ない、というのが安倍の心算だ。

それに対して菅は、裸の王様を満足させ、王国が内部から腐り、自立できないほど崩れても、安倍が調子に乗って、はしゃぎすぎないように、責任回避と隠蔽に徹することだ。そこで、対外支援をばら撒き、税金の散財を楽しむ、首相の経産省路線は、アベノミクスの成果として、株価を上げることで、好景気を演出するために、最優先の政治路線だった。

だから、官邸を握る番頭の菅は、公安筋で周辺を固め、役人を絶対服従で押さえつけ、失敗は安倍の暴走だから、自分はその尻拭い役に徹し、忍耐強く出番が来るのを待つ。前任者と比較した時に、自分が浮かび上がって、辣腕(らつわん)への期待の中で、登場するフーシェの手口だが、秘めた野望の他に何の取柄もない男には、もっとも確実な天下取りの道だと計算した。

第二次安倍内閣と習近平体制の発足

米国のネオコンの工作で、民主党政権が解体し、安倍内閣が復活した時期に、胡錦濤(こきんとう)体制に代わって、習近平が総書記に選ばれ、中国の最高指導者になった。ただ、この指導者選びには、複雑な抗争が関与し、副主席だった習近平が、簡単に昇格したのではなく、対抗馬で重慶市長になり、大衆の人気を集めた、薄熙来（はくきらい）との争奪戦があった。

しかも、２００７年の「十七大」（中国共産党第十七次全国代表大会）の頃は、２人とも常務委員だったが、薄熙来は上海から来た習近平よりも、鼻一つ分だけ先んじ、次期の指導者候補として、注目を集めた若手だった。だが、薄は重慶の党書記として、北京を追われる形で、有力だが地方に飛ばされ、そこで一旗上げることが、彼の人生になったから、マフィア退治に全力を傾けた。

北京五輪が終わって、２００８年秋に肩の力を抜き、世界に存在を示したが、リーマンショックにより、中国経済はガタガタで、国家存亡の危機に直面した。これに対し北京政府は、４兆元（54兆円）の緊急支出で、インフラ整備に取り組み、それでもっとも成功したのが、薄熙来の都市計画であり、「重慶モデル」として絶賛された。

しかも、地味な習近平に比べて、汚職退治と工場誘致で、辣腕を発揮した薄熙来は、地元にはびこっていたマフィアと警察の癒着を暴き、闇勢力の摘発で名高かった。重慶は直轄市に属し、北京、上海、天津、重慶という、４つの直轄市の中では、３０００万人という人口を誇る、最大の重工業都市で、因習や町工場の多い点から、北九州市や大阪市に似ていた。

日本軍に攻められて、国民政府が逃げ込み、首都にした関係もあり、旧式の軍事工場が多いし、闇社会の支配力が強く、それを退治した薄熙来は、重慶市党委員会書記として、「唱紅打黒」と英雄視された。彼の部下の副市長に、警察官僚の王立軍がいて、重慶市公安局長であり、彼がマフィア撲滅を指揮し、手柄をボスの薄熙来が使い、中国のトップを狙ったのである。

前任者だった汪洋(おうよう)書記は、広東省書記に転じて、深圳(しんせん)を大都市に育てたが、若い汪洋の穴埋め役で、薄熙来は重慶に移り、西新宿新都心に比べ、50倍の摩天楼都市に変えた。ギャングの町重慶が、「打黒」と新産業で、生まれ変わった功績は、薄熙来の政治力として、英雄視されたせいで、共産党の支配にとって、あまり歓迎できなくなった。

そして、5年の年月が過ぎ去り、2012年の「十八大」を迎え、薄熙来の復活が噂されて、胡錦濤と温家宝(おんかほう)が、習近平を国家主席に選び、ほっとしていた瞬間に、前代未聞の大事件が起きた。次官クラスの役職で、重慶の公安の責任者である、王立軍重慶副市長が、成都の米国総領事館に、亡命を求めて逃げ込み、裏切り行為が起きたのだ。

次官クラスの高級官僚の亡命劇

これは重大事件であり、世界中のメディアが騒ぎ、大見出しで連日取り上げ、当時アメリカにいた私は、中国の独裁制の崩壊と考え、興奮して成り行きを見守った。なにしろ、ニューヨークの華僑が発行する、『新紀元』の記事などは、王立軍が女装だったと書きたて、いかにも猟奇的だから、『００７』に登場するような、スパイ物語を私は想定した。

しかも、２０１２年2月6日に王立軍が、成都の米国総領事館に行き、会見を口実に訪問した後で、数十万ドルの現金と、３枚のＣＤを手土産にして、秘密情報と交換に亡命を希望した。これは前代未聞の事件で、中国政府は軍隊を派遣し、領事館を取り囲んで、王副市長の奪還を試み、世界中が注目する中で、王立軍は中国側の奪還兵に、翌日引き渡されている。

米国総領事はすぐさま、ワシントンの国務省に、亡命許可を打診したが、国務省は亡命を否認して、王立軍を中国側に引き渡し、彼は北京に連行され、取り調べを受けたのである。ワシントンの国務省は、習近平副主席の訪米が、間近に迫っていたのと、秋に開かれる「十八大」で、習近平が主席に選ばれ、薄熙来が常任委員になった時に、亡命が打撃になると危惧した。

しかも、薄熙来夫人の谷開来が、不審死した英国人の実業家で、息子の家庭教師のヘイウッドを毒殺した疑いがあって、トラブルを回避したともいう。また、薄熙来ファミリーの隠し財産が、１兆円近くもあって、重慶に進出した米企業に、累がおよぶのを避けたという、香港筋の噂もにぎやかで、全世界の目がこの事件に、重慶の政争として集まった。

だが、日本人は国際問題より、国内の政権交代に向け、より強い関心を奪われていたので、重慶の怪事件として、経済誌で論じられたが、一般の関心は低い状態だった。日本人がこの事件に、強い関心を示さないで、重要性を見過ごしたのは、３１１・東日本大震災の強烈なショックが、原発の爆発の恐怖により、思考停止を招いたからである。

安倍政権は原発の事故で、都心の地価が暴落して、大不況になるのを防ぐために、インフレ政策を採用し、日銀に紙幣を増発させ、株価を上げ景気を煽った。また、オリンピックを招請して、箱物を造り景気を浮揚させ、不況を克服するために、全力を上げる作戦を立て、国民をオリンピック熱で、沸き立たせようとしていたのである。

アメリカの油断とオバマ政権の腐敗

亡命事件を前にして、オバマ政権の決断は、じつに奇妙なものであり、インテリジェンスの面から、絶大なチャンスだったのに、亡命の受け入れを拒絶した。その理由は油断であり、胡錦濤から習近平に、政権が移行した時期で、米国は新政権が民主化に向け、舵を取ると期待して、ことを荒立てたくなかった。

しかも、１週間後の2月14日に、ワシントンで予定された、習近平との会見があるので、米中関係を損ない兼ねない、微妙な問題だからと、バイデン副大統領が反対した。しかも、会談に影響を与えるから、この亡命事件に対して、早急に解決するように、国家安全保障会議（NSC）も了承し、バイデン副大統領が国務省に命じ、クリントン国務長官は、亡命を許可しなかった。

リビアのカダフィ議長が、暗殺された事件で、クリントン長官が使った、電子メールのサーバーに、公用と私用を使い分け、それが疑惑を生んでいた。だから、米国のベンガジ領事館で、米国大使らが殺され、その事件にヒラリーが、利害関係があったと、クリントン長官に対し、「レガシー問題」として、ヒラリーとバイデンの対立が浮上した。

この時点においては、あまり問題にならないで、事件はそのまま終わり、法輪功を弾圧した周永康と、薄熙来が陰謀が疑われ、失脚する事件に紛れ、事件はうやむやで終わっていた。だが、それから8年が過ぎて、突然オバマゲートが、取り沙汰されたことで、バイデンの疑惑が発覚し、大統領選挙と結びつき、大問題になりかけている。

今の段階においては、問題が燃え上がって、どうなるか未知数だが、副大統領のバイデンが、中国政府に買収され、取り込まれていた疑獄に、発展しかけている状況にある。この問題はこれから、どう発展するかに関し、予断が許せない状態であり、本書が出版された後で、大きく展開すると思われ、きわめて興味深いテーマである。

なにしろ、ハンター・バイデンが、修理に出したコンピューターに、卑猥な写真が大量に映っており、それがジュリアーニ検事が、入手して公開している。そこにオバマの娘のマリア名で、ＪＰモルガン銀行が出した、ＶＩＳＡカードの端に、白いコカインの粉末まで、はっきり映っており、マリアとハンターが、麻薬と性仲間だと証明していた。

しかも、副大統領バイデンが、長男のハンターがからむ、中国ビジネスの疑惑に関係し、巨額の賄賂を受け取り、売国行為を犯したのに、メディアは取り上げなかった。これは権力とメディアが、結託して黙殺しており、フリン中将のロシアゲートで、逮捕された事件とか、安倍がモリカケ事件や、「桜を見る会」事件において、逃げおおせたのに似ていた。

政治家の俗悪化と独裁を好む権力者

戦略思想家のリーデル・ハートは、彼の『戦略論』の中に、「道徳的義務感の薄い国家ほど、物質的な力を大きく尊重する傾向を持つ」と書いた。社会の大衆化が進み、人間の中身より人気度で、一国のトップが選ばれるから、道徳的な責任感に乏しく、最近になればなるほど、政治家の俗物化が目立っている。

隣国のシナでは習近平が、主席の任期撤廃を決め、日本では独裁を防ぐ知恵として、三選を禁じた自民党が、党則を変え任期を延長し、安倍が長期政権の記録を更新した。独裁者が力を過信し、社会のコードを無視して、権力の私物化が放置されて「公共善」が踏みにじられ、安倍を神輿に座らせ、菅が長期政権体制を整えていた。

こうした劣悪なトップによる、任期変更や独裁化の傾向は、茶坊主の取り巻き政治が原因で、批判精神の欠如が読み取れ、人事のいい加減さの証明だ。独裁化とファッショ化の流行は、21世紀冒頭の世界現象だが、大量生産と消費で行き詰まった、資本主義の衰退症候群で、大衆化は全体主義の培養池だ。

平成の時代の特徴としては、どこの国のトップも小粒になり、自己本位の姿勢が目立つが、それはステイツマンに代わって、政治屋が上に立ったからだ。そんな時に山本七平が書いた、『洪思翊中将の処刑』に、次の指摘があったと思い、教養や文化に乏しい人間が、指導者の地位に座る弊害は、民族主義より知的連帯に絆を感じる、そんな時代を懐かしく偲んだ。

「明治の日本人は、国士を遇する道を知っていた。また、情において忍びないという言葉を知っていた。日本人が道義的に堕落したのは、昭和期に入ってからだ。……独仏がいかに戦おうと、少なくとも第一次大戦までは、両者には共通の聖典、共通の典拠を持ち、同じ文化圏に属すという、一種の安心感があった。」

シナの古典の『戦国策』にあるが、人材判定法として次の序列で、「礼を尽くせば、自分の100倍も優れた人材が、敬意を表せば、10倍優れた人材が集まってくる。対等に振る舞えば、同じ程度の人間が、怒鳴りつければ、下僕が集まるだけだ。」とある。

この指摘は間違った人選を論じ、遊び仲間の茶坊主を集めて、怒鳴りつけてかき集めた連中に、大臣や幹部の地位をばら撒き、手癖や尻癖の悪い大臣を続出させた、安倍の眼力のなさを証明した。それは第3章の「人材の劣悪化と無能大臣の系譜」のリストが、その事実を明白に示すが、日本の憲政史上で最低の顔ぶれが、閣僚として雛壇に並んでいた。

首相官邸のボリシェヴィキ化と内閣人事局

首相官邸は国家の組織だし、憲法と法規が支配原理だが、憲法や法を尊重しない手合いが集まり、力で権力支配することで、社会規範のコードやルールが軽視される。社会にはコードや掟があり、不誠実さや虚偽はご法度だが、コンテックス度が低い国家では、暗黙知が機能しないから、人々への慈愛の精神が乏しく、大悲の心が欠けてしまう。

第二次安倍内閣の発足時に、幹部官僚の命綱の操作を狙い、官邸内に「内閣人事局」を作ったが、稲田朋美(いなだともみ)を責任者に任命し、このミス人事がつまずきの発端になった。人事局長に稲田

を選んだのは、行革担当相でも不適切で、職業倫理を持ち合わせずに、嘘を吐き散らす弁護士が、幹部の官僚の人事を決めれば、狂気の沙汰の出現になった。

しかも、「内閣人事局」の看板まで、稲田朋美に書かせたが、心の歪みを表す稚拙な文字は、醜さで全役人の士気が衰え、羞恥心を抱く代物だった。漢字を読むアジアの訪問客が、この醜悪な看板を見て、日本文化への侮蔑の気持ちを抱き、心の中で嘲笑しないでほしい趣味の悪さで国辱的である。

そんな性情の安倍の意向に従い、官邸内で新設された組織が、幹部の人選を行うことになれば、過去の弊害の克服ではなく、新たな問題の続出になる。すでに多くの問題を抱え込み、官僚が萎縮して「ヒラメ」になり、ボスに忖度し嘘を恥じないので、統治機構は溶融しかけ、役人の士気は衰退している。

安倍には適材適所が分からず、閣僚人事で失敗続きだし、贔屓筋の稲田朋美の判断力は貧弱で、とても人事評価はできないのに、安倍の溺愛で抜擢された。だが、人事は組織の命綱だから、それを誤って破綻した例は、歴史の中に好例の山がそびえ立ち、最悪のケースは戦国時代に多い。

鎌倉時代から足利時代にかけて、日本の政体でのリーダーは、将軍と呼ばれて最高職を担う地位だが、権力は補佐役の執権（しっけん）に移り、それが有名無実化したことで、次に執権から管領（かんれい）の手に移った。無責任時代が継続して、上層の空洞化が著しく目立ち、権力が中層から下層に移行し、戦国時代の大混乱が始まり、最後は天下の大騒乱で、応仁（おうにん）の乱の地獄図が出現した。

安倍の政治は管領政治に等しく、見かけ倒しの空洞権力で、その実体は劣化へと突進中であり、それが国力の衰退に表れ、日本の社会は溶融状態だ。国民の一部は裕福に見えても、精神的な連帯感を失い、圧倒的に大多数の日本人は、思考力の低下や貧困のため、それに気付かないほど鈍感で、瞳から輝きが消えた状態にいる。

組織は閉塞性の増加を通じ、硬直化し衰退して行き、それが老化現象のプロセスだが、その表れが日本病で、社会の老衰を示して、活力を衰退させてしまう。また、今世紀の冒頭の森や小泉から、安倍や麻生が首相になり、トップの地位の叩き売りが続き、異常事態が定着したために、社会を包む不安感は深刻である。

嘘がまかり通る無責任な時代性

官邸の中に誕生した人事局は、次官や局長級の人事考課が、その主要な任務であるだけに、データや情報の処理に加え、役人好みの新技術を採用し、人選の態勢を整えたはずだ。だが、現場から離れた場所で、情報に基づく知識だけに頼り、重要な判断をすることが、いかに危険であるかは、昭和時代の参謀本部の例や、陸軍省の人事が失敗例を示す。

明治時代の初期の参謀本部は、士官学校のレベルで、優れた若者を見つけ出し、兵用地誌の体験のために、世界へ送り出したものだ。そして、軍籍を離脱した自由人の形で、現地で自活する人間を育て、世界中に配置したから、日野強（ひのおさむ）や清水昭月が生まれ、本番で活躍している。だが、昭和になると士官学校の席次で、幹部の人選が行われ、東大法科や公務員試験の席次により、官僚の進退が決まって、役人が出世主義に蝕（むしば）まれた。現場での実務経験より、試験の点数や席次が、昇進の尺度になれば、未来よりも過去が評価されるので、現在の実力は軽視され、それが役人をダメにした。

政治学者のA・J・P・テイラーは、「びんのレッテルのほうが、中身より重要であり、宣伝文を書く人のほうが、商品製造業者より重要になって、商品そのものはどうでもよくなれば、駄物がまかり通ってしまう」と言ったが、ダメな人間もその範疇（はんちゅう）に属す。明治の日本はそうでないが、時代が下るに従って、実力よりも学歴が評価され、門閥や縁故が重視されて、メッキ人間が跋扈（ばっこ）したが、その典型が昭和から平成の日本だ。

政治家は特別公務員と呼ばれ、役人の一種に属すが、彼らが責任を問われた例は、汚職や破廉恥事件であり、無能や職務放棄が理由で、処罰された例はあまりない。だが、公と私をはっきり区別し、私的な利益を優先させずに、倫理の次元で責任を意識して、ケジメをつける必要があり、そうしないと世は乱れる。

江戸時代の社会では、政務を執る家老や上士が、切腹を覚悟で仕事をしたし、最終責任を取ったもので、命を懸けてやることに、上に立つ者の責任の取り方があった。だが、最近では無責任が増えて、タテマエを掲げて逃げるし、平気で嘘をついても恥じず、安倍や麻生のように居直り、佐川や稲田のような恥さらしが、平然とまかり通っている。

太平洋戦争で露呈した無責任体制

役人の特殊集団の軍隊では、信賞必罰が厳しく問われ、軍隊における規律の尊重が、厳しく行われていたし、北清事変の時に北京公使館で、柴五郎が果たした役割に対して、世界は賞賛の言葉を送った。だが、時代が下がり昭和になると、無責任が組織に浸透し、その典型が関東軍の行動で、ソ連軍の攻撃に仰天してしまい、幹部は家族を伴って逃げ、前線に取り残された日本人は、殺されたしシベリアに抑留された。

海軍はミッドウェー惨敗を隠し、政府に実態を報告せずに、大本営発表で嘘をデッチ上げ、責任者の南雲忠一中将は、罷免さえもされなかった。それに対して、米軍は信賞必罰で臨んで、責任者のキンメル将軍を罷免し、指揮能力の保全の観点から、ミニッツを太平洋艦隊司令官に選び、戦うための適材適所を実行して、日本海軍に対し勝利した。

フィリピン戦線では八割が餓死で、特攻作戦を指揮を担当した、富永恭次第四航空司令官は、米軍の攻撃開始を前に、戦闘機の護衛で台湾に逃げ、北投温泉で静養していた。敵前逃亡した将軍に対し、責任を取らせ予備役にしたが、その後に満州に移ってから、ソ連国境警備師団長に任命して、責任を取ることはうやむやだった。

しかも、東条陸相のもとで陸軍次官を歴任し、東条の腰巾着の富永恭次は、安倍晋三と鏡像関係にあり、小泉の腰巾着の安倍晋三も、同じように敵前逃亡の過去を持つ。政権を投げ出した男が、復帰して首相になる腐食は、政界から官界や財界に拡散し、政体が完全に変質して、社会全体の健康を蝕んで、共同体や家庭まで崩壊させ、日本を原発汚染列島にした。

評価基準としての形式知と暗黙知

責任を取るのは組織の要諦（ようてい）で、個人の最大の価値だし、歴史における判定基準だから、破滅を回避する知恵の形で、多くの紀伝が誕生して、次の世代に読まれている。だが、教訓を学ぶ人が少なく、似た間違いを繰り返して、内閣人事局は強引なやり方で、官僚機構を破壊するし、未熟な世襲議員の君臨に、優秀な官僚が逃げ出している。

官邸内に設置した人事局が、最適解でなかったのは、発想が時代遅れだからで、頂点を持つピラミッド構造が、暗黙知を取り逃がし、評価できないシステムだからだ。米国での実務体験を通じ、私が有効だと思う組織は、主体性と結ぶ性格を備えて、公共善を実現し柔軟である点で、以下の性格を備えている。

・組織内の使命感を高めつつ、実践の満足感を満喫させる。
・意見の多様性を評価して、組織員の自主性を尊重する。
・目的意識の確認を通じて、意欲と士気の高さを維持する。
・権限を委譲するとともに、責任の所在を明確にする。
・自分と組織だけでなく、社会全体への貢献を考える。

官僚機構の健康維持には、生理を知る必要があり、組織は各部に官房を持ち、経験則に従い人事を行い、適材適所の実践によって、組織の健康維持を図る。そして、威力を発揮するのが、人事考課の活用モデルで、量として数値化できる形式知は、情報が明示ができても、洞察力や理想は暗黙知に属し、中央集権制では機能しなくなる。

だから、役所では各省庁の内部で、官房が観察や接触をしており、形式知の外に暗黙知を付け加え、判定ミスのない人事考課を試み、より正確であろうと努力している。そのためには担当責任者が、その任にふさわしい資質を持ち、訓練と知識を持つ人物として、リーダーの力量を備え、厳しい査定が不可欠だ。

『ゾンビ政治の解体新書』に書いたが、小渕首相の変死を利用し、密室の談合で生まれた森内閣は、クーデターの産物であり、以降の首相は正統性が疑わしい。クーデターという言葉の概念は、17世紀のイタリアで確立し、「君主がとる特別な措置」を意味して、絶対権と結ぶ権力の発動に、自由主義者が使ったものだ。

クーデターの漢字訳は「維新」で、明治維新や昭和維新を通じ、日本人に耳慣れた言葉に属すし、暴力による権力交代だが、暴力性は時代とともに後退した。そして、暴力を握る軍人の行動から、文民支配の現在では、軍人がクーデターの主役から退き、政治家がソフトな謀略の形で、権力奪取をするものに変わった。

長期政権の驕(おご)りでつまずいた安倍内閣

統治の政体は長い歴史を通じ、人間が社会生活を営むため、法制化による統治の機構として、実務は政治家と官僚が担当し、国家システムとして機能を果たす。官僚制は弊害を伴うが、副作用を承知で採用するのは、「公正さ」という価値のためで、すべては運用の仕方に関わり、安倍政権はそれを破壊した。

政治における現象には、表舞台と裏舞台があり、歴史書の多くの記述は、表舞台であったことが、克明に記録されていて、人はそれを歴史だと考える。だから、主役を演じた人に、脚光が当てられるし、時には「歴史は女が作る」と言い、見えない舞台に注目した、そんな秘話的な物語にも、歴史の背景に潜む、謎を解く興味深い鍵がある。

致命的な形で表れるのは、統治システムの解体であり、社会規範の消滅とコードの蹂躙により、犯罪の発覚を取りつくろって、嘘を言えば信頼感は損なわれる。政治家の不正と欺瞞を忖度し、公文書の改竄行為を隠蔽して、平然と高級官僚が嘘をつき、犯行をごまかす破廉恥は、統治機構の溶融を物語り、安倍政権の末期はその典型だった。

門閥や閨閥が人事考課において、どう影響するかは懸案で、世襲代議士が激増している中で、安倍晋三のネポティズム（縁故主義）から、弊害が生じるのを防ぐために、適切な対策が求められた。各省における官房人事課が、次官と相談して大臣名で発令した、従来のやり方を変更し、官邸が掌握して発動した人事に、不正があまりにも目立ち出した。

戦前は元老が存在したので、首相候補のチェックができ、重要課題は枢密院が審議したし、ローマの元老院の役割は、戦後の一時期は参議院が果たした。だが、良識の府の参議院が風化し、衆議院との差がなくなり、憲法も政府によって無視され続け、日本の議会制度は形骸化し、独立国とは言えない状態だ。

メディアを完全に制圧し、愚民工作が浸透して、国民が諦めたと考え、慢心した首相や閣僚が、平然と嘘をつきはじめ、国会審議や記者会見が、おざなりなものになって行く。「嘘つきは泥棒の始まり」だが、嘘が目立つだけでなく、国有財産の泥棒行為が、公然と行われたので、それまで耐え抜いていた、国民の一部が怒りに燃えた。

安倍昭恵の関与を払拭するために公文書改竄

自由の良さは多様性を認め、創意力や自発性を発揮し、政治が経世済民を実現するために、住民が安心できる統治で、社会が健やかに発展することだ。そのためには行政機構が、スムーズに運営されて、公務員が全体に奉仕することだが、「アッキード」事件の発覚は、高級官僚が一部の権力者に、特別な便宜と忖度をしたので、国民の不信感が高まった。

安倍が国会の答弁で、森友学園の払い下げについて、「私や妻が関係していたということになれば、首相も国会議員も辞める」と答え、それに役人たちが忖度した。その連鎖反応が起き、隠蔽のための嘘をはじめ、公文書の改竄や廃棄が行われ、パワハラで死者が出て、財務省だけではなく、すべての役所が震撼に見舞われた。この安倍発言に対して、「盗人猛々しい」と書いた、言論人がいなかったほど、日本人の言語能力は衰え、表現力が退化していた。

国会答弁で佐川財務局長は、質問に「記録はない」、「書類は廃棄した」と繰り返して、安倍昭恵の関与を隠し、見え透いた嘘をついたが、国民には虚言が丸見えだった。だが、検察は偽証を見逃したし、佐川は論功行賞で国税庁長官になり、証拠隠滅に組織が動員され、公文書の改竄をした事実は、疑いの余地がないものだった。

幼稚な言い逃れで逃げ切り、本人はごまかしに成功し、うまく行ったと思っても、見え透いた嘘だったのは、「離見の見」に立つ者の目に、はっきり分かることである。鋭い目を持たなくても、嘘だと分かる以上は、自分が何を知るかを理解し、何を知らないかを知るので、大根役者の演技くらいは、簡単に見抜いてしまうのだ。

相手に見抜かれる嘘をつき、一時逃れをする幼稚性が、日本の至るところに蔓延し、偽証や改竄の横行を生み、詐欺商法が横行して、ゾンビ政治を蔓延させた。こうした欺瞞が日本を蝕み、不信を高め連帯感を破壊し、社会の健康を損なうことで、アノミーが全土に広がり、暴政が日本を包み込み、平成は終わりを告げようとした。

権力者の妻を取り込む歴史の闇

安倍晋太郎外相には、私設秘書が何人もいた。第2章でも述べたが、その中の光永仁義は、その後に慧光塾（えこうじゅく）を立ち上げ、カルト教団の教祖になり、信者の安倍晋三が、「神の水」を愛飲した話は有名だ。また、慧光塾の人脈には、警察官僚が密集し、それをジャパンライフが、宣伝塔に利用して、『ポリスマガジン』にと、結びついた様子に関し、情報誌『ＦＡＣＴＡ』の記事がある。

「安倍晋三首相と新興宗教まがいの経営コンサルタント会社、慧光塾（えこうじゅく）との怪しい関係が報じられてきたが、その利権に深く関与した金重凱之（かねしげよしゆき）・元警察庁警備局長の存在が、国会などで蒸し返されようとしている。

警察庁を退官した金重氏は03年に企業・団体の危機管理コンサルタント業務を担う国際

危機管理機構を設立し、社長に就任。同社は慧光塾（教祖兼社長・光永仁義〔本名・仁美〕＝05年7月死去）の完全な系列下にあり、同塾と同じホテルニューオータニビジネスコート10階にある。同社のわずか数人の役員の一人に光永氏が就き、坂田育子常務取締役（金重氏の妹）は光ジャパン（光永正樹社長＝光永氏の息子）が販売する「神立の水」の宣伝にも一役買っていた。

金重氏と言えば、細川護熙（もりひろ）、羽田孜（はたつとむ）、村山富市3内閣の首相秘書官を経て警備局長まで歴任した人物。」

光永は2005年に死んだが、妻を名乗る長谷川佐代子は、教祖を引き継いでから、光永佐代子を名乗り、安倍昭恵の飲み仲間で、鈴木雅子と一緒に、六本木界隈（かいわい）で遊び歩いた。光永佐代子の本貫は、ゴールドマン・サックスで、ホテルニューオータニに陣取って、安倍の安晋会を仕切り、ホテル社主の大谷一家も、慧光塾の信者だし、星製薬で満州人脈に連なった。

話はフランスに飛んで、ナポレオンの最初の妻は、ジョセフィーヌだが、彼女はスパイ役を演じ、フランスの国家機密は、外部に筒抜けになり、それを英国は利用し尽くした。だから、ナポレオンの軍隊は、肝心な戦いでは負け、英国の利益に貢献したので、ナポレオンの遺骸は、アンバリッドにはなく、聖ポール寺院に葬られている。

ホテルニューオータニは、「李」王家と深い関係を持ち、岸家には「木」と「子」という、積木細工の謎として、都市伝説が知られており、ゴールドマン・サックスが、それを活用しているとか。情報は貴重な財産で、権力者の妻が流出孔なら、これほど簡単なことはなく、陰中はシナのお家芸でも、世界の共通言語だし、イエズス会から青幇まで一気通貫だ。

腐り果てた首相官邸の謀略工作

政治家の質の低下が進むに従い、官邸の首相や官房長官が、権力欲を満たすため令外官を悪用し、秘書官や官房副長官に抜擢する、ご褒美人事の横行が目立つ。令外官は行政法にない役職で、代理や副が付く者が多く、法に根拠がない官職を新設して、権力の分け前がほしい者に、間に合わせの地位与え、裏の仕事をさせる卑劣人事だ。

大臣になりたい者は多いが、閣僚の定員は決まっており、補佐官や秘書官の地位を与えて、ばら撒くのが組閣の目玉で、検非違使（けびいし）と似ているが、安倍の出世もこのコースだった。ソ連には大臣が１００人以上いて、米国の会社には何十人も副社長がおり、巧妙に利用しているが、日本の銀行や不動産では、裏の仕事は副社長が担当している。

米国ではＦＢＩやＣＩＡは独立し、ＮＳＣも独立した外局で、ホワイトハウスとは分離しているが、独裁国ではトップに直轄して、ボリシェヴィキ体制を構成する。だから、安倍内閣は総力を結集して、官邸内に内調やＮＳＣを置き、人事局まで設置しているが、これは先進国では例外的で、独裁路線の司令塔である。

公安官僚の結集に続き、院外団的な政治家を抜擢し、親衛隊として首相の護りを固め、最側近の萩生田光一を選び、官房副長官や人事局長として、霞ヶ関に睨みをきかせた。落選時代に千葉科学大に拾われ、加計学園の裏仕事を担当し、事件が発覚した後も、萩生田にはお咎めがなく、幹事長代行に出世し文科大臣にまでなっている。

「アッキード事件」の波風で、内閣人事局長の地位に、内閣調査室長を支配していた、杉田和博官房副長官が移り、兼任で幹部人事を掌握して、官僚を取り締まる布陣を敷いた。杉田は公安専門で悪名が高く、神奈川県警本部長をはじめ、初代内閣情報官を歴任し、定年後も謀略に忙しく、ボリシェヴィキ体制の守護神として、ジェルジンスキー役を兼任する。

この公安専門の人事局長は、官邸のアイヒマンと呼ばれる、後輩の北村滋内閣情報官とコンビで、前川喜平文部次官の追い落としに、「出会い系事件」までデッチ上げた。公安関係の人間の多くは、姿を見せないものだが、この世界での習わしと伝統に反し、安倍内閣ではルールを破り、中国の乱世の「兵匪同一」が、首相官邸に出現した。

行政部門の犯罪を行政の検察が扱い不起訴

「魚は頭から腐る」と言い、鯛なら少しは鮮度を保つが、小骨の多い鰯（いわし）のような雑魚（ざこ）により、占拠された今の官邸は、酸化が急速に進むから、大掃除が必要になる。前川文科省次官への中傷は、杉田内調室長がデッチ上げ、公安が得意にする手口だが、兼任の内閣人事局長なら、平沼検事総長と同じで、冤罪（えんざい）の発生は不思議でない。

しかも、佐川宣寿（のぶひさ）国税庁長官の国会証言が、言い逃れに終始したので、国民は納税意欲を失って、不信感を高めたのに、検察は偽証し続けた、佐川の起訴を見送ってしまった。行政の犯罪を行政の検察が扱い、不起訴で犯罪を放置したのは、三権分立の否定になるので、本来は裁判所の管轄だから、司法が担当すべきではなかったか。

失政による亡国現象には、次の四段階のプロセスがあり、軽度のものから悪質なものに向かい、衰退の形態があって、次のような順序で並ぶ。

①愚行
②腐敗

③覇権
④暴政

21世紀の末までの日本では、愚行と腐敗が目立ったが、小泉内閣で一挙に暴政に至り、安倍内閣で暴政が極限化し、日本の社会は急速に溶融した。なにしろ、CIAに忖度（そんたく）した検察は、宏池会（こうちかい）側は起訴して、清和会（せいわかい）の議員の汚職に、まったく手を触れず見逃し、ゾンビ政治を放置した、歪んだ路線を取り続けた。

その結果として日本は、腐敗した利権政治が、1999年のクーデターを経て、小泉の身勝手な振る舞いで、覇権と愚民政治を生み、竹中の売国路線になった。それが安倍に引き継がれ、中休みに民主党が現れたが、経験不足で自滅した後に、再び安倍が墓場から蘇（よみがえ）り、ゾンビ政治を謳歌（おうか）して、無残な暴政で日本を食い荒らした。

ゾンビ役を果たした政治家は、戦後生まれの世代で、戦場体験を持っていた、その前の世代とは異なり、経済力より軍事力に、重点を置きがちだった。だから、安易に力を信奉して、派兵を気軽に考えるし、欲望を満たすために、平然と嘘をついても、恥とは思わずに済む、誠実さより人気の政治が、お気に入りの浮薄人種に属している。

役人の人生と「面従腹背」の連続

世代の違いという意味で、興味深い体験があって、今思うと懐かしいが、冷戦体制が終わった時、米国に住んでいた私に、丸い筒の航空便が届いた。その中に和紙の巻紙があり、達筆な筆の手紙の文面に、「毎晩のように、『間脳幻想』を２ページずつ読み、気持ちよく安眠しています。感謝して云々」と書いてあり、その記憶を思い出し、わずかな時間に生じた、日本の衰退を私は意識した。

この本が秘めた価値について、『ゾンビ政治の解体新書』の中に、「あとがき」で紹介しているが、対談の相手が打てば響く、藤井尚治（医学博士）だったおかげで、これは私の最上の著書である。しかも、あまり人目につかないので、入手が困難だったこともあり、限られた人が繰り返し読み、藤井先生の叡智を学んだが、この手紙の到来は嬉しかった。

私に手紙をくれた読者は、近藤道生（博報堂会長）で、国税庁の長官を定年で退官して、天下りで広告会社に勤務し、経済人の勉強会で知り合い、彼とは訪日の度に会っていた。私が講演したのは年に一度で、国際情勢がテーマだったが、この手紙が縁で親しくなり、風土論や文化を語り合い、その時は会長室が茶室に変わった。

お茶を立てる趣味とともに、墨をすり筆で手紙を書くのは、私には真似ができないたしなみだが、国税庁長官になる人は、流石に違うと思ったものだ。そんな人を読者に持つ喜びとともに、花鳥風月の世界を偲び、漂泊を『奥の細道』にした芭蕉を語り、水魚の交わりを楽しんだ。雑誌社に電通経由で圧力があり、私の書いた記事は断られ、台湾に住んで書いた『さらば、暴政』は、出版がとても困難だったし、刊行されてから書評は皆無だった。そこで、妨害した権力への反撃に、地下鉄に中吊り広告を出し、本の存在を読者に知らせたいと考え、私は博報堂の会長を訪問して、戦い方について相談したが、国家や電通相手では無駄で、「相手が巨大すぎる」と慰められた。

電通のメディア支配に挑んで、博報堂に助力を求めたが、そんな下心を見抜かれてしまい、その瞬間に抹茶が渋くなり、近藤会長の背後に利休の影を感じた。近藤さんは「権力は必要悪で、対米追従は政府の熱病だから、病気を治す健康法の問題だね」と述べ、「奢れる者は久しからず」だと続け、嘆息してから口元をぬぐった。

日本でもっとも恐れられ、マルサの総元締めで、差し押さえで知られた、国税長官を務めた人が、目の前で抹茶をたしなみ、短現（海軍が現役期間を2年間に限った短期現役士官）の主計官として、インド洋で過ごした体験を物語った。そして、彼自身の長い人生航路が、「面従腹背」だったとつぶやいてから、彼は「素浪人」である私に、「自由な人間は良いね」と言い、点前した薄茶を味わい続けた。

その後の対話は歴史を論じ、ギリシアやローマを語り、その共和制について話がおよんだ時に、コンフェデレーション体制に触れ、そこに未来の日本の姿を遠望した。ギリシアにおけるポリスの路線や、ドイツの邦国や江戸時代の藩の統治に、地方分権のあり方を確認し、私の闘争心は鎮（しず）まって、爽やかな気分で茶室を辞した。

日本文化の伝統は、豊かな自然に包まれ、その恵みを吟味して、歴史を振り返りながら、人生の機微を思い返しそんな気分で政治を語り合う、学術的な雰囲気が、この元国税庁長官にはあり、おびえた目の佐川宣寿とは違い、国税庁の長官だった人に、風格と教養を感じていた。

ゾンビ政体の君臨とその炎上による終焉（しゅうえん）

安倍政権の継続が、日本最長になったのは、国民が完全に洗脳され、思考力を失ったために、したい放題が放置されて、惰性でゾンビが君臨し、好きなように生き長らえたからだ。そんなことが続き、その大枠については、本章で論じたとおりであり、ボリシェヴィキ体制が生まれ、日本に警察国家として、笑顔のファシスト国家が確立した。

だが、最後の数年間には、小室直樹の用語だと、「仮面をかぶった共産主義」国家に、変貌

クラレの社章

を遂げたのであり、安保法制から以降に、強行採決と閣議決定が、政策の主要プロセスになった。議論の場である国会は、空洞化してしまい、まともな議論は姿を消し、嘘と言い逃れをして、その場を取りつくろうだけで、独裁者の決定を承認する、儀式の場に成り果てた。

だから、「モリカケ事件」が発覚し、追及逃れのために、隠蔽と公文書改竄や、偽証と証拠隠滅が、日常茶飯事になって、日本の統治機構は崩れ、国民は呆然とするだけだった。また、「桜を見る会」では、首相の職権を悪用し、一族郎党や暴力団に、税金で恩恵を施して、国家を食い物にする、そんな乱痴気騒ぎを演じている。

とくに加計学園による、悪辣な汚職事件で、岡山の名前を使い、権力者の首相と手を組み、税金を巻き上げて、国家を食い物にした、加計疑獄はひどいものだった。この詐欺事件を知り、江上剛が執筆した、『百年先が見えた男』で、大原総一郎の人柄に、感銘を受けた日を思い、その読書体験を追想し、醜悪な日本の現状を痛感した。

同じ岡山県の町でも倉敷で、合成繊維ビニロンの開発に挑み、苦難の中で完成した、クラレの総帥大原総一郎は、祖国や人類のために、事業を経営した企業家だし、誇るべき仕事を育て残した。社章の「二三印」には、「驕れば衰え、満は損を招き、謙は益を得る」の意味が託され、つねに社会の繁栄を願い、恩返しのためという、懐かしい昔の経営精神がある。

「何より評価すべきは、日本人による発明であり、日本の原材料を使うことができる、純国産の合成繊維です。私は倉敷レイヨンのために、ビニロンを製造したいのではありません。自社の利益のためだけなら、とっくに諦めております。私は日本がこれから、国際社会で認められ、再び輝くためには、技術立国であるべきだ、と考えております。」

この大原の精神に比べ、国家を食い物に稼ぐ、加計孝太郎の手口は、極悪非道で悪魔的で、ゾンビ政治を体現して、桃太郎に退治される鬼だし、安倍の格好の相棒だった。こんな手合いを守り、自らの犯行をもみ消し、身の安全の確保を考えて、安倍は閣議決定で、黒川東京高検検事長に対し、検事総長にする工作までした。

しかも、腰巾着（こしぎんちゃく）を閣僚に抜擢し、現職の法相が選挙違反で、逮捕され辞職する醜態を演じ、人を見る目のなさと、脇の甘さを露呈したが、これがゾンビ政体の実態だった。また、自分に忠誠でない、古手議員の追い落としに、刺客に１億５０００万円を提供し、官房機密費を使ったが、公私混同が発覚して、安倍は炎上し内閣を投げ出した。

菅が首相を操って続いたゾンビ政体

同じことがゾンビ時代に、言えるという事実は、21世紀の冒頭の20年間が、いかにひどい時代であり、統制と自己規制によって、言論が歪んだかの証明である。首相官邸を警察官僚で固め、人事権を悪用することで、弾圧政治の陣頭指揮をし、時には人を死に追いやり、辣腕を振ったのが、日本版フーシェの菅義偉だった。

私は菅官房長官に対し、フーシェを重ね合わせ、安倍晋三を操って、長期政権を誕生させた、仕掛け人だと考えたが、アイヒマンと比較して、論証している社会学者もいた。

同志社大学の元教授で、共同通信の記者だった浅野健一は『紙の爆弾』に、次のコメントを書き、菅の陰湿な手口に関し、具体的に実証しているのである。

「菅氏の半生を見ると、強い者に媚び、そこで人間関係を作り、『立身出世』を狙ったのではないか。菅氏がいくつかの派閥を渡り歩いた経歴を見ると、地縁・血縁を持つ世襲議員や、エリート官僚出身の議員に擦り寄り、最後に行きついたのが、元A級戦犯被疑者の岸信介氏の孫の、安倍氏だったとわかる。何より菅氏自身も、〝生ごみ〟を貯めていることを自覚してほしい。

前川元文科次官は16年9月9日に、菅氏に近い和泉洋人首相補佐官（〝コネクト不倫〟出張疑惑、再任）から官邸に呼ばれ、加計獣医学部認可に関し、『早くやってくれ。総理は自分の口では言えないから、私が代わって言う』と言われた。その後、同年9月26日付の『藤原内閣府審議官との打ち合わせ概要（獣医学部新設）』と題された文書には、『総理のご意向』などの記述があった。菅氏は会見で、この文書をいきなり、『怪文書』と言い切ったが、その後、文書の存在が文科省で確認された。財務省の赤木氏を自死に追い込んだのは安倍氏と菅氏だ。

安倍首相は17年2月17日の国会で、「私や妻が関係していたということになれば、総理大臣も国会議員も辞める」と答弁したが、5日後の22日、菅氏は財務省の佐川宣寿理財局長、中村稔総務課長（当時、現駐英公使）、太田充審議官（理財局長・主計局長を経て現事務次官）を官邸に集めて、緊急会合を開いている。

さらに2日後、佐川局長が国会で、国有地売却に関わる公証記録は、すでに廃棄したと答弁。26日、赤木氏は近畿財務局の上司だった、池田靖統括国有財産管理官（現・管財総括第三課長）に電話で呼び出され、改竄作業をさせられた。そして、菅氏は改竄の首謀者だった佐川氏を『適材適所』でと言って、国税庁長官に抜擢した。

15年、伊藤詩織氏の告訴で、警視庁に逮捕されるはずだった、山口敬之元ＴＢＳワシントン支局長の逮捕状の執行を直前に止めた、中村格刑事部長（現警察庁次長）は、12年から15年まで菅長官の秘書官だった。菅氏は安倍政権のメディア弾圧（選別）の首謀者、現代のアイヒマンだ。」

菅が官房長官でなければ、長期政権はなかったし、嘘とペテンに包まれた、ゾンビ政権は破綻して、暗愚な暴君は馬脚露呈で、短命で姿を消したはずだ。だが、嘘と欺瞞で塗り固め、議会政治を形骸化して、ネオコンかぶれの安倍が、ゾンビ政治の魔王になり、日本の政体を食い尽くし、最後は炎上し自滅した。

魔女狩りをする
ゾンビへの鉄槌
藤原肇
ゾンビ政治の解体新書
JAPAN
これが安倍政権の本当の恐ろしさだ！
CYZO

マッド・アマノ原図の書影

このゾンビの狂乱が、いかにひどいものであり、「ワルプルギスの夜」に、ゾンビと一緒に騒いで、劇場の興奮をともにして、興奮していた人には、その異常さを知るのは困難だ。故国から数千キロ離れ、日本の狂乱を遠望して、疲れた後は気分やすめに、満天の星を眺め、次の世代のために、歴史の証言を書き残そうと思った。

そうしてできたのが、『ゾンビ政治の解体新書』で、それを電子版で公開し、『ゾンビ政体・大炎上』が続き、ゾンビ・シリーズが完結し、一応の役目は無事に果たし終えた。また、20年前の対話だが、それを『皇室の秘密を食い荒らしたゾンビ政体』として、出版したのが縁になり、『ゾンビ政体・大炎上』の電子版に、新しい生命の火が灯（とも）った。

武漢ウイルスによる時代のネクサス

武漢ウイルス事件で、ストレスが加わり、無能を曝（さら）け出して、醜態を演じた安倍は、政権を投げ出したが、待ち構えていた菅は、狙いどおり首相になった。女房役の官房長官で、８年近く安倍に仕え、愚鈍なボスの弱みを握り、怖いものがなくなった菅は、独裁者になれると確信し、最高権力者の地位に、自信満々で踏み込んでいる。

脇の甘い安倍を支えて、長期政権を維持したのは、官房長官として雌伏（しふく）し、権力の振るい方を学び、安倍の自滅を待ち続け、最後に寝首をかいた、マムシの本性を持つ菅義偉だ。戦前回帰と改憲に、狂信的な姿勢を取り、指導性ではゼロだのに、なぜ安倍政権が崩れず、自民党に君臨しえたのは、菅が官房長官だからで、菅の生態分析をしたら、すべてが分かると気付いた。

菅義偉には謎が多く、自分の経歴を粉飾し、地味な苦労人として、奇妙な伝説で欺瞞していたが、父親は満鉄調査部の職員で、一種の特務要員の引揚者だ。帰国して秋田で帰農し、地元で政治に関与したが、そうした家系について、調べたある特派員から、菅が横浜を足場にして、政治家になった背景に、稲川会人脈があると聞いている。

そんな時に出会った、ジョージ・サイモンが論じた、『他人を支配したがる人たち』に、菅にピッタリの指摘があり、フーシェとも共通で、これだと思う性格を発見した。そして、安倍が弱みを握られ、辞められない状態で、長期政権を維持したから、次を狙うのは菅だし、彼が次期首相だと考え、その瞬間を待ち構えていた時に、予想どおりの事態が起きた。

「人を追い詰め、その心を操り支配する者、――『マニピュレーター』は、聖書に書かれた『ヒツジの皮をまとうオオカミ』に、じつによく似ている。人当りもよく、うわべはとても穏やかだが、その笑顔は悪知恵にあふれ、相手に対しては容赦がない。ずる賢いうえに手口は巧妙、人の弱点につけ込んでは、抜け目なく立ち回り、支配的な立場をわがものにしている。」

この記事を読んだ瞬間に、私は菅の金壺眼（かなつぼまなこ）が、マムシの目玉と同じだし、「気配」を感じ、「手口」を知り、「撃退」する、潜在的な攻撃性を示す、記者会見の情景に重なった。ホワイトハウスでは、報道担当官の役割に、政治路線や判断を表明して、皆の注目を集めるが、官房長官が似た役を演じ、日本では意思疎通を阻害して、遮断する役目を果たした。

そして、話題をすり替えて、答えを回避したり、核心に触れるのを避け、相手を無視する態度で、言いがかりをつけ、バカにする態度を示し、問題をはぐらかすのに終始する。しかも、こんなやり方の菅を真似て、安倍も同じ態度を示し、国民を愚弄し続けたが、女房役の官房長官に振り付けられ、政治を形骸化した挙句、行き詰まって自滅したのだ。

いずれにしても、憲政の常道を踏みにじり、したい放題をした安倍が、日本の政治をブチ壊して、激しい追及に立ち往生した中で、病気を口実に辞任し、首相の印綬を投げ出した。そして、熟し柿が落ちるのを待ち、菅が後継者に収まり、次の首相になったが、この無教養のマムシ男の手で、日本がどう凌辱され、痛めつけられるかについて、希望はまったくない状態だ。

パンデミックとともに、大混乱期に出現した、地獄の使者の菅義偉が、日本をどこに導くかは、識者の目には明白だが、あまりにおぞましいので、私は口をつぐむことにしたい。そして、２０２０年という年が、世紀末のネクサスで、地獄の業火を前にして、断末魔の声とともに、ゾンビ政治が姿を消す、ハロウィン的な、喧噪が終わる瞬間であってほしい。

第9章

シンギュラリティに向けての試練

人材が持つ価値と国際舞台での活躍

役人生活の喜怒哀楽とともに、「面従腹背」が支配する世界は、誠実な人には苦痛を伴うもので、体験者でないと分からないが、それを味わうのが「年の功」である。似た気分になったのは、台湾の総統府で李登輝（りとうき）に会い、私の読者として歓談した時であり、京大の農学部を卒業した彼に、「私は京大理学部を受けて落ち、李さんの後輩になれなかった」、と青春時代の蹉跌（さてつ）を物語った。

すると彼は「良かったですね。もし、京大を出て役人になったら、今のあなたのように自由を愛し、人生を楽しめなかったと嘆き、ここで私と会うことがなかったね」と述べた。それに続けて詠嘆の口調で、「私も総統の仕事などは早く辞め、宣教師として生きたいです」とつぶやいたので、「早くそれを実現してください」と私は応じた。

李登輝

だが、私に言った言葉を実現せずに、彼は政治活動を続けたが、政界のような泥沼に入り込めば、そこから抜け出せなくなり、政治家でも「面従腹背」になって、桎梏（しっこく）から離脱できない。

だから、自由は失って価値が分かるし、なくなった時に後悔し、自由のために出家するのが、お釈迦様の教えた悟りで、欲を捨てた時に人は自由になる。

似た知的雰囲気を感じたのは、文科省の次官を辞めて、前川次官が「面従腹背」だと語り、役人生活を辞めて自由を感じ、人間になったと述懐した時だ。それが今の役人の人生だが、50年前の日本はもっと自由で、「官僚たちの夏」もあったのに、現在は官邸のゲシュタポ化で、隷属と弾圧の嵐が吹き荒れ、公務員は寒風に縮こまっている。

上級職試験の7番の席次で、周囲が大蔵省に入った時に、前川喜平は教育に関心があり、三流官庁の文部省を選び、彼は教育行政に生涯を託し、人材育成に喜びを感じた。志を抱いて官僚になった人に、安倍や杉田という権力の亡者が、隷属といじめを強要する現状は、文化の伝統と風格を損ない、日本人として恥ずかしいかぎりである。

新たな「日本脱藩のすすめ」を訴える

私が日本を「脱藩」したのは、1964年の東京五輪の前で、それまで制限されていた海外旅行が、1人500ドルの外貨を買い、渡航を許可されたおかげだ。こんな精神的な閉鎖空間に、閉じ込められている限りは、脱皮できない蛇と同じだと考え、ラメイジュ山の頂に立っために、憧(あこが)れのアルプスを目指し、出発してから半世紀が過ぎた。
最初の頃は世界から日本を眺め、次に宇宙から地球を見たら、遠近法の観測が身についたおかげで、「木を見て森を見ない」癖が抜け、すべてを鳥瞰(ちょうかん)的に捉えられた。これが私の地球巡礼の成果で、目線を高く遠くに向け、観察することが習性になって、50冊以上の著書が誕生し、読者は世界中で活躍している。

私は山頂の憩いが好きで、世界の聖地を訪れたし、星座や星の瞬きと交信しながら、古代人の思いに触れるのが、何にもましてくつろぎだから、雲水を真似て漂泊の人生になった。だから、俗事は見たくないが、誰も書こうとしないので、仕方なく次の世代のために、証言として記録したが、それが墓碑銘として残り、ジグソーパズルの絵になった。

百人一首は十次元の魔方陣で、乱世に生きた藤原定家が、時間を費やして和歌を使い、空間配置の妙を生かし、見事な錦絵を描き上げ、その心はいろは歌の精神につながる。そんな気持ちで書いた、『皇室の秘密を食い荒らしたゾンビ政体』に続き、この本が再生したが、本書の読者たちの手で、愚者の楽園の日本とは違う、桃源郷を探ってほしい。

経済界は金儲け主義に毒され、教育界は荒廃の度を増し、宗教界も時代の風潮に流されて、若者の瞳から輝きが消え、饐(す)えた空気と絶望感が、日本列島を覆っている。だが、社会奉仕に生き甲斐を感じ、公共善を希求する若者に、ボランタリー活動の道があり、公務員には誇りが伴い、利権化した役人天国を改め、公共善の精神を取り戻そう。

40代の頃に書いた本に、『日本脱藩のすすめ』があり、この本を読んだ青年が、米国に住む私を訪ねて、50人近くも太平洋を飛び、会いに来た時代があった。それは１９８０年代前半だが、あの頃が日本の絶頂で、青年には覇気があり、理想と夢を語り合った、懐かしいあの時代は、世界や国際という言葉に、情熱と黄金の輝きがあった。

SI時代に世界基準から逸脱し国粋化した日本

ＳＩとはフランス語であり、Systeme Internationale の略で、すべての単位を新しい約束で統一して、国際基準に統一するという、新世紀に向けた思想運動だ。それはビジネス、思想、技術、知識、科学、経済、政治が、汎地球的に広がる情報化の中で、オン・タイムで作用するために、国家単位の利害を乗り越える、文明次元での国際運動である。

ソフトウェアを中心に発展する、情報化時代を迎えて、情報の即時転換効率を高め、人類が共通の基準を持ち、理解を助ける啓蒙運動であり、中核には新メートル法がある。ＳＩが本格的に動き出すと、メートル法と思ったものが、時代遅れになってしまい、Ｃ・Ｇ・Ｓ・（センチメートル・グラム・セコンド）とは違う、次の７つの基本単位のＳＩで、置き換えられることになる。

長さはメートル、質量はキログラム、時間はセコンド、温度はケルビン、電流はアンペア、分子量はモル、光度はカンデラになることで、長く親しんできた単位は放棄される。存在するものは古くなって、時代遅れの出現は世の習いで、自分がバベルの塔の住人になり、人材としての価値を失うのは、戦争以上に由々しいことで、国家としての損害は大きい。

これに危機感を抱いた私は、１９８０年に出した『虚妄からの脱出』に、ＳＩへの対応を誤ることで、高度な教育を施された国民が、居ながら時代遅れになり、損害は絶大だと警告した。だが、国粋化の時代精神で、尺貫法は捨てたが元号は維持し、公文書に元号が強制され、国民の歴史感覚は衰え、世界の潮流から取り残され、近隣諸国に追い抜かれてしまった。

それから半世紀が過ぎ、ＳＩは普及しなかったが、その代わりにＡＩ（人工知能）が登場し、若者が取り沙汰しており、今度はものにすることで、脱皮への挑戦が実現する。若者は新しいものを好み、ＡＩに取り組むだろうが、その前にＳＩに慣れて、数理の世界に親しむことで、世界のどこでも活躍する、人材になっていることだ。

宇宙時代の到来と世界水準の人材育成

文明と文化の差異は、意味論的に重要であり、国民を迷わせずに、バランスを取ることで、優れた人材を育てれば、それが国力の強化になる。だが、未来を忘れ過去を賛美し、日本会議の妄念に従い、伝統主義に支配された、安倍内閣の戦前回帰は、次の世代への犯罪であり、こうした愚行は許しがたい。

世界は急速に価値観を変え、閉鎖的な国境の壁を越え、世界化が広がっているが、日本人は過去に拘泥し、時代の潮流から取り残され、ガラパゴス化を強めている。政治の世界において、長い対米隷属が続き、それに慣れ親しんだので、アメリカを世界と錯覚し、世界がより広いことに、気が付けなくなっている。

世界の動きに取り残され、隷属意識に沈積すれば、新時代の落伍者（らくごしゃ）であり、世界の標準について、マスターした者だけが、発展できる時代が訪れ、情報革命の本格化が目覚ましい。ルールやノウハウを支配した、アングロサクソンに対し、世界の新しい知性は、ホモ・サピエンスとして、宇宙時代にふさわしい、パラダイムシフトに備えようとしている。

同じ状況は英米でも始まり、古いヤードポンド法に従い、産業界がそれを固執したために、彼らが誇った石油や自動車は、部品や規格の換算に手間取り、産業界の衰退を味わった。国際化はアメリカ化ではなく、人類としての共通基準の事柄に属し、古い尺度にこだわれば、大国でも没落するだけで、意識改革が求められている。

近代の英仏の勢力争いで、植民地支配で敗れたフランスは、メートル原器をパリに確保して、空間だけは支配したが、時間の原点は英国が抑え、グリニッチが世界標準時を確保した。だが、空間的に古い尺度に、アングロサクソン流の技術は、メートル法やSIから遅れ、「技術集約型」の産業が衰え、かろうじて「知識集約型」に属す、投機の世界で健闘する。

BRICSの台頭と世界で活躍する人材

私の脱藩歴は半世紀で、世界各地で仕事をし、趣味の放浪生活を通じ、多くの人と出会いを持ち、世の中はじつに広いし、人間模様の多様さに、いつも驚きと感嘆を味わった。世界で活躍する人には、アングロサクソンが多く、これは歴史的な事実だが、過去20年で様変わりし、最近ではBRICS系が増え、時代の変化を痛感させられる。

BRICSという単語は、英語でBrazil, Russia, India, Chinaを指し、2000年代以降著しい経済発展を遂げている4カ国の総称で、それに南アフリカ共和国を加え。BRICSとも呼ばれる。だが、私はSに対しむしろ、Spanishのスペイン系か、Sumeru系を宛てて、中東のイラン人やユダヤ人まで、含ませたら良いと考えている。

なぜならば、これから世界を舞台に、活躍する民族として、より一般性を持っており、最先端の技術分野で、より大きな貢献をする、頭脳集団を含むからだ。ここでは深入りせず、ＢＲＩＣＳの可能性が、大きいというだけに留め、議論を先に進めるならば、問題は情報の伝達で、それを柄谷行人は交通と書く。

「彼らは交通しあうことによって、その自然権を増大させる。この交通――つまり交換＝コミュニケーション――には、共同の法がなければならない。」

要するに、国際交流にとっては、人間同士の出会いとともに、意思疎通と理解における、情報伝達能力の内容が、単なる会話ではなく、説得力のレベルにおいて、問われる時代なのである。

若者が海外雄飛を夢見た時代

鎖国を体験した日本人は、生活圏の外を外国と考え、海外に出かけ国際感覚を磨き、文明開化という形で、技術の成果に目を輝かせ、国際化に大きな価値を感じた。だが、それは国民国家の初期に、近代化を見た基準で、グローバリゼーションが進む今は、より高いメタ次元から、世界を横に展望して、鳥瞰（ちょうかん）する発想が大切である。

かつて海外雄飛は希望の星で、世界に活路を求めて、それを悪用した不心得者が、泥足で踏みにじって、日本人の評価を低下させたが、愚行の代表が軍事侵略だ。加害者は過去を忘れても、被害者は忘れないから、軍国主義の復活は、もっとも心すべき危険な動きだが、戦前回帰が復活しかけ、安倍政権はその急先鋒（きゅうせんぽう）だ。

異文化を体験し見聞を高め、知識と経験を蓄積し、国際感覚を高めるために、日本人は海外渡航に憧（あこが）れ、若者が留学生になり、体験を積み重ねた人も多い。社会が発展する時期は、若者が海外旅行に出かけ、留学した青年も多いが、豊かさで知的好奇心が衰え、新天地を目指す意欲が衰え、現状維持が時代精神になっている。

１９６０年代の日本は、経済成長が始まって、一種の昭和元禄（げんろく）でにぎわい、東京五輪が開催になる中で、伝統的な生活様式が崩れ、海外渡航が自由になり、私も脱藩して日本を出た。だが、１９８０年代になると、「文化・文政」に対応し、健康的な生産活動が、行き詰まり状態になり、消費のための消費から、一攫千金（いっかくせんきん）の投機に移行して、バブルに日本人は熱狂した。

文明開化や戦後の頃は、天動説から地動説に転換し、世界の暦が太陽暦だと知り、メートル法の導入を喜び、国際化に取り組んで、産業の発達に胸をときめかした。同じ日本人だったが、豊かになって爛熟（らんじゅく）すると、消費熱に浮かされて、デカダンスに支配され、オリジナルよりコピーが、手軽だともてはやされた。

そうした風潮のせいで、本物に学ぶのではない、物見遊参の渡航として、多くの若者が海を渡り、その中に代議士の息子や、金持ちの娘たちがいて、札びらを撒き散らした。日本の産業界にも、バブル景気に浮かれて、不動産やゴルフ場を買い漁り、ソニーや松下のように、ハリウッドに乗り込み、映画会社を買収したりした。

渡航体験と国際感覚は無関係

多くの若者が海外に出かけ、世界基準の発想を学び、近代化の推進役になったが、先覚者の志を忘れて、外国体験がレジャーに、大きく変質したのは、日本のバブル期だった。そして、海外での生活体験が、遊学レベルで終わり、達成感を抱くに至らずに、箔づけだけで帰国し、世襲代議士になったが、屈折した心理を伴う体験が、小泉や安倍のケースだ。

小泉純一郎の場合は、『賢者のネジ』に収録した、雑誌記事にあるように、強姦事件の後始末で、ほとぼりが冷めて、皆が忘れ去るまでに、ロンドンで逃避の外遊で過ごした。安倍晋三のケースは、語学学校に登録したが、単位の取得はゼロであり、ロサンゼルスで加計孝太郎と、ゴルフをした他には、『小泉純一郎と日本の病理』に、書いた生活をしていた。

小泉についての記事は、『賢者のネジ』の中に、いくつか紹介してあるが、当時の日本人のパリ訪問者に、多彩なものがあって、バブル期だけに面白く、その一端を参考までに貼り付ける。対談の相手をしたのは、三井物産パリ総支配人で、私の親父代わり役だった、小串正三氏であるが、東京外語フランス語を出た、洒脱(しゃだつ)な風流紳士である。

「**藤原**　小串さんはパリをはじめ世界各地で仕事をして、三井物産の総支配人を歴任してきたおかげで、海外の日本人社会の裏話に詳しいと思うが、親が財界や政界の有力者である子供たちの中に、変わり種に属す者がいたのを御存じでしょう。いろんな形で不祥事やスキャンダルを起こして、ほとぼりが冷めるのをしばらく待つ目的で、留学の名目で外国に出てきた例がかなり多く、それを身近に知っていると思うのです。私が留学したグルノーブルの場合でも、変な行動をして妙な噂を持つ人がいたので、パリの場合は世界の流れ者の吹き溜まりだから、そんなケースも多かったのではないですか。

小串　秘書と駆け落ちしてきた政治家の娘とか、ヤクザに騙された売れっ子の女優をはじめ、傷害で海外逃亡中の大会社の社長の息子や、刑務所代わりにパリにいる閣僚の御曹司(おんぞうし)など、商売柄いろんな話を腐るほど聞いています。もっとも、ちゃんと勉強している留学生も随分いて、当時の日本人は真面目な人が多かったが、流石にパリは別天地と言われているだけに、中に指名手配の人も混じっていたでしょうな。

藤原　今回の訪日で昔の経歴を知ったせいで、30年あまり前の話で思い当たることがあり、読者の新聞記者に過去を調べてもらい、確証を得たじつに興味深い話があるのです。パリで一緒に食事をした人の話の中に、閣僚の息子で婦女暴行で捕まった男が、留学という名目でロンドンに来ており、あまり勉強もしていないと言うのです。防衛庁だか自治庁だか記憶にないのだが、大した役所ではなかったことは確かで、今回の訪日で小泉首相が30年前にロンドンに留学し、親父が防衛庁長官だったと知りました。この線は何か臭いと直観的に感じましたが、小泉も橋本龍太郎と同じ慶応ボーイだし、政治家の二世や三世だという点で、尻癖が悪くても不思議ではないです。

小串　婦女暴行罪で警察沙汰になったとすれば、そう簡単に済むことではありませんが、パリには男女問題で逃避している人は多かったし、オランダ人の女学生の肉を食べたために、国際問題を起こした留学生もいました。だから、婦女暴行や強姦程度の猟奇事件は、人の噂も75日という程度のことで済み、これはパリもロンドンも同じでしょうな。

藤原　でも、万が一にそれが小泉純一郎の過去だったら、フィーリングを売り物に女性の人気を集め、高い内閣支持率を集めている偽善は、糾弾されて然るべきだと思います。そこで親しい新聞記者に、糾弾の可能性を聞いたら、ある新聞社が調査したという話ですが、

警察のガードが予想以上に固いために、非常に難渋しているのです

小串　最近の日本のメディアはまったく無気力で、痛快なスキャンダルの発掘をしないために、私もいささか退屈しているところであり、この閉塞感を吹き飛ばしてほしいですな。

藤原　今の日本は司法界が腰抜けであるために『噂の眞相』が森首相の売春防止法違反を追い、警視庁に検挙された過去について調べ、犯歴番号や指紋番号まで報道したのに、警察は保有情報の公開を拒絶しました。おかげで噂の真相社は名誉棄損の裁判に負け、東京地裁から和解と罰金を申し渡されたが、東京高裁に控訴して戦うようです。

小串　しかし、首相になった人が破廉恥罪で検挙歴を持ち、警察にはっきり記録が残っているのに、圧力をかけ情報の隠蔽(いんぺい)をしただけでなく、逆に名誉棄損で訴えたというのは、盗人猛々しいと呆(あき)れ果ててしまうね。まったく道理に合わない不埒(ふらち)な行為だのに、日本の新聞や雑誌は事件の真相を追及して、こんな人物を首相にした責任を問い、狂っている日本の政治の姿を明らかにして、国民の審判を問わないのが不思議です。」

ハリボテの舞台演技と「百聞は一見にしかず」

外国に行って劣等感を蓄積して、自信を築けなかった人でも、帰国して苦労しないで出世を

実現し、運命を狂わせた例が目立つが、それが国粋主義に結びつく時には、その災難は致命的になる。その代表的な例になるのが、安倍晋三の叔父の松岡洋右（まつおかようすけ）で、彼は満鉄総裁を経由し、オレゴン仕込みの英語力を武器に使い、近衛内閣の外務大臣に就任した。

しかも、松岡外相は国際連盟から離脱し、日本を世界の孤児にしたが、彼の神がかりに似た独善の背後に、強烈な劣等感が存在し、それが日本の運命を狂わせた。『財界にっぽん』（2002年6月号）で、この問題を論じたので、記事のさわりを紹介すると、以下の人物紹介になる。

「オレゴン訛（なまり）の英語をしゃべった松岡洋右外相は、誇大妄想でスタンドプレーを得意にした。だが、国際連盟で名外交官として知られた、中華民国の顧維鈞（こいきん）外相を相手に、議論でキリキリ舞いさせられ、強い劣等感を持ったせいで、日本の運命を狂わせている。コロンビア大法学部を卒業して、仏独英語を流暢（りゅうちょう）にしゃべるビクター顧外相は、国際政治を専攻して学位を持っていた。しかも、名外交官として洗練されたマナーを身につけ、格調高い論理で松岡を論破した。出たとこ勝負が得意な松岡外相は、満州問題の討論で顧外相に負け、国際連盟を脱退して孤児になり、日独伊三国軍事同盟を締結して、大日本帝国を滅ぼしてしまったのである。」

空席が目立つ国連での安倍演説

松岡を大叔父に持つ安倍晋三も、外遊が好きで飛び回るが、彼の英語はお粗末で論理性に乏しく、主観的な感情論だから、下院の演説は誰も聞かず、会議場は空席だらけだった。だが、日本のメディアの報道は、空席については触れずに、安倍の顔だけを大写ししたが、写真を使った情報操作で、「百聞は一見にしかず」であり、国連での演説も同じだった。

実情を知らない日本人は、安倍が国連で英語でしゃべり、まともな演説をしたと思い込むが、役人が書いた作文を読み、日本語でしゃべったにすぎない。

しかも、恒例の振り仮名付きでも、漢字が読めない麻生と同じで、「背後」を「せいご」と読み間違え、「安倍内閣では、〝『背後』は国外で使う場合に限り、読みは『せいご』である〟を閣議決定」と、お笑い芸人に皮肉られた。

しかも、自分の言葉のない政治家は、想定問答に忠実に、役人が書いた作文を見て、棒読みするだけで、記者会見を済ますが、それは国内向けの茶番劇だ。だが、国外では想定問答はなく、ずばり質疑応答であり、自分の見解を述べるために、頓珍漢の返事をして、難民問題の質問に対し、移民受け入れの答弁になったりする。

だから、知識人からの批判は辛辣で、作家の盛田隆二の指摘は、「冒頭から1分に安倍首相は、背後を『せいご』と読んでいる。ルビを振るべきだった」であり、神戸女学院大学の内田樹名誉教授は、「この人の言い間違いが問題なのは、ただの無教養ではなく、彼が日常的に犯す言い間違いを、『それ違うよ』と指摘してくれる人が、周りに一人もいないということだ」と鋭い。

人間の価値は肩書や地位でなく、教養や品位で決まるし、国際感覚を超えた世界観に基づき、人格と指導性で評価されるが、修業不足で成り上がり者の安倍は、洞察力を持つ人に見破られる。だから、経済学者の金子勝教授は、「自民党総裁選の前に、30分ほど『うんこ漢字ドリル』で、漢字テストを課すことがお勧め」と指摘して、オムツ着用の安倍に対し、嫌味を含む痛烈な皮肉を浴びせた。

ゴルフに明け暮れた安倍のロサンゼルス遊学

安倍のアメリカ遊学の話は、日本に伝えられたものが、眉唾に近いものが大半であり、加計孝太郎とのゴルフの他に、背後に何が潜むかは謎だ。また、南カリフォルニア大学に留学の経歴も、安倍の公式サイトで消去され、この問題に虚言癖の源泉がある。

『財界にっぽん』（2018年4月号）に書いた、記事の一部を以下に転載するが、弾圧で雑誌はこの号で廃刊で、記事は『ゾンビ政治の解体新書』に収録したから、電子版の本を参照されたい。


「パームスプリングスに25年住み、ぺパーダイン大学の総長顧問をし、ロスの国際空港を利用したので、私は月に二度三度は用事があって、ロスに出かけて取材をした。また、『加州毎日』に記事を書いたし、日本人街や韓国人街には、読者がたくさんいた関係もあり、ロスの情報がかなり集まったから、それを『小泉純一郎と日本の病理』に使った。

だから、かつてロスに遊学していた安倍晋三が、ＫＣＩＡの朴東宣（パクドンソン）に可愛がられて、親しい関係を結んだおかげで、統一教会と親密だった話や、ロスに進出した暴力団が、いかに盛況だったかも書き込めた。また、当時の南カリフォルニア大（ＵＳＣ）の言語センターは、イランやサウジからの学生でにぎわい、金持ちの子弟が集まって騒ぎ、言葉を習うと帰国して行く、パーティ学校として知られ、そこで安倍は英語を習ったが、単位を取得した記録はない。おそらく幼な馴染みの加計孝太郎と、愛好するゴルフに明け暮れていて、勉強する暇がなかったので、単位を取れなかったのだろう。」

しかも、こんな話は書きたくないが、当時のＵＳＣの競技場周辺は、マリファナの愛飲者が集まって騒ぐ、危険地帯として知られ、その筋では聖域的な場所だった。より詳しいことを知りたい人は、『小泉純一郎と日本の病理』を読めばよく、『Japan's Zombie Politics』の中には、日本語版では削られた、病理診断の記述が復元してある。

ロサンゼルスの駐在員の子弟には、言語センターで英語力をつけ、大学に転入する希望者もかなりおり、多くの学生が途中で止め、他の学校に移った理由は、「孟母三遷」の教えのとおりだ。ダイエーの中内㓛社長の次男も、語学留学のためにロサンゼルスに来たが、３カ月で愛想を尽かして帰国し、青山学院に戻っているが、その理由はまったく勉強にならず、時間の無駄と考えたからだ。

当時のロサンゼルスは韓国移民のブームで、オリンピック街のコリアタウンは、在日韓国人や留学生が住み、暴力団や投機師であふれ返り、もの凄い活況を呈していた。また、そうした時代風景の中の安倍は、語学の単位も取得せず、選挙公報に南カリフォルニア大政治学科留学と、虚偽の経歴を書いており、それは『小泉純一郎と日本の病理』に、当時の記録として残っている。

安倍が嘘をついて恥じないのは、塚本幼稚園の土地売却の時に、佐川や稲田と並び嘘合戦をしたし、「アッキード事件」が証明したが、それ以上に恥知らずな事件を犯し、安倍は世界に向け大嘘をついた。リオのオリンピック招致の席で、福島の放射能汚染問題に触れ、安倍は全世界に向かい、日本語で見え透いた嘘を言い胸を張った。

その発言は全世界に伝わり、嘘が丸見えになったが、「汚染水は福島原発の0・3平方キロメートルの港湾内に、完全にブロックされている。」と断言した。しかも、「最大でもWHO（世界保健機関）の飲料水の水質ガイドラインの500分の1だ。……健康に対する問題はない。今までも現在も、これからもない」と付け加え、バカさ加減を丸出しにした。

だから、親友のマッド・アマノ画伯に頼み、そのイメージを描いてもらったが、その一部を『ゾンビ政治の解体新書』の表紙に使い、世界の読者に披露した次第である。

カリフォルニアの南北問題と精神格差

日本人がもっとも身近に思う米国は、幕末のカリフォルニアで、咸臨丸（かんりんまる）はサンフランシスコに入港し、岩倉使節団の訪米を歓迎した、アメリカ市民はシスコの住民だった。南カリフォルニアは乾燥し、灌漑（かんがい）で水を確保する前までは、未開の荒野と砂漠が広がり、ロサンゼルスの周辺は新開地で、すべてがシスコ湾（ベイ・エリア）周辺に集中していた。

20世紀初頭の南北格差は、欧州とアフリカに似ており、経済と文化で栄えた北部に対し、南部は植民地扱いされ、戦時中に航空産業の勃興まで、ロサンゼルスが誇るのはハリウッド程度だ。文化の繁栄はシスコで、各地に州立大学を作るに際し、バークレー校の創立の思想には、プラトンやアリストテレスをはじめ、ペリクレスの時代を期待して、太平洋のアテネを理想に掲げた。

だから、州都のサクラメントをはじめ、ベイ・エリアには頭脳が結集し、総合大学のバークレー校と並び、医学部のサンフランシスコ大学や、私立のスタンフォード大学をはじめ、名門のケイト女子大学もあり、各地から留学生が集まった。また、メンローパークには、地質調査所が作られて、知的な環境が生まれたおかげで、ベンチャー企業が育ったし、それがシリコンバレーの発展を促して、21世紀型の起業モデルを生んだ。

私はカリフォルニアに25年住み、ロサンゼルスから３００km東にある、パームスプリングスは別荘地で、砂漠の中の町だから、ロサンゼルスやシスコを遠望して、現代版の『二都物語』を読み取った。アテネを理想にしたシスコは、哲学やサイエンスを愛好するので、文化への整合性が強いが、技術や小細工と結ぶロサンゼルス周辺は、サブカルチャーを志向し、軽佻浮薄な傾向を持ち、成金趣味の俗物が圧倒的だ。

大学の総長顧問をした関係で、トップ留学生の嗜好を分析し、留学生の好みが国民性や文化と結び、それを色分けできる、と私はある時に気付いた。台湾人はバークレー校を選択し、大陸中国はスタンフォード大だが、事大主義の韓国人はシカゴ大学を好み、日本人はハーバード大を目指すのは、国民性と価値観の差に基づくし、文化マップができるのだ。

現にバブル時代の日本人は、映画会社の買収を試み、大火傷をして物件を手放したし、中国系はIT事業を狙い、せっせと技術を盗み、トランプに狙い撃ちされた。また、東部のアイビーリーグ大学や、各地の名門校よりも、新設されたミネルヴァ大学が、世界一の大学と評価され、世界の7カ所に寄宿舎を持ち、本部がシスコにあるのは、グローバリゼーションの象徴だ。

新時代に躍進するシステムとしての高等教育

日本は閉鎖的なタコ壺(つぼ)共同体で、階層的なピラミッドがそびえ、権威とは無関係な地位や身分に属す、序列的な差別が卓越し、実力や徳性による人格より、肩書本位のカースト社会だ。しかも、下から仰ぎ見るのに慣れ、権力を偉大なものだと思い込み、批判は悪口だと決めつけ、批判精神が昔から育たない。

驕(おご)り高ぶりは言語道断だし、過度の謙譲は美徳ではないが、「寄らば大樹の陰」が処世術のために、独立自尊の精神が育たずに、遠慮の姿勢が高く評価される。だが、世界は修業し鍛錬を尊び、挑戦と実力競争が支配し、高く遠くを見るような目線が、評価と尊敬の対象である。

記事のどこかに指導者論を書き、将軍から執権を経て管領になり、戦国時代の生き地獄が出現した、応仁の乱について触れたが、本書で論じたゾンビの暴政は、『太平記』や『方丈記』の現代版だ。光格(こうかく)天皇の生前退位から200年、幕末から150年を迎えた現在は、暴政を太平楽と読み違え、火口でダンスを楽しむ日本人が、その狼藉(ろうぜき)に無自覚な時代である。

鎌倉将軍は大公儀を自覚し、北条執権は公儀を敬い、公私の差を厳しく識別した、名目上の室町将軍はいたが、私欲一辺倒の管領の君臨で、天変地異と『羅生門』の世界が出現した。卑劣な私欲ばかりで、政体から公儀がまったく消え、驕慢で野卑な管領の戯(たわむ)れに、汚辱された憤りにより、安倍政権に向けた批判は、ロビン・フッドが放った鏑矢(かぶらや)だ。

世界の産業構造が大転換して、組織や人材の構成が、大きく変わったのに、古いモデルから脱却せず、垂直統合、集権化、組織化、巨大化に、日本人はこだわりすぎている。石炭が熱源の産業革命と、石油が熱源の第二次産業革命が、日本の産業モデルであり、天然ガスをベースにした、第三次産業革命において、日本は立ち遅れ衰退している。

自動車を基幹産業視して、そのレベルから脱却せずに、マネーゲームにふけり、相変わらず原発に依存し、未来に挑戦する意欲のない、日本の路線は不安定だ。すでに始まろうとしている、プラズマを活用する、第四次産業革命（Ⅰ－4）に向け、エネルギー史観がないので、日本は途上国の仲間に、なりかけているのである。

その原因は国策の歪みにあり、日本の政治が家産制で、支配志向の官僚と世襲代議士の頭脳に、動かされているので、時代の潮流に乗り遅れ、右往左往しているばかりである。その具体例は本文で、歴史の相似象として、論じていることであるが、「離見の見」として読めば、30年も昔の体験談でも、何らかの参考になるに違いない。

大学というシステムの流動化

1980年代半ばの数年間だが、ロサンゼルスの近郊のマリブにある、ペパーダイン大学のヤング総長から、21世紀の人材育成の任務で、顧問役を頼まれ私は仕事をした。世界の100校近い大学を訪れ、総長や学長と意見を交換し、高等教育の果たすべき使命と、未来が求める教育を論じ、具体的なイメージを得て、その実践にわずかだが貢献した。

南カリフォルニアの資産家が、子供に恵まれた環境の中で、国際人として育てるために、海外に寮のある分校を持ち、国内のメイン・キャンパスは、高級住宅地のマリブにあった。この大学は財政的に豊かで、私が協力していた頃は、フィレンツェ（伊）、ハイデルベルグ（独）、ローザンヌ（瑞（スイス））、ロンドン（英）の四都市で、現地教育を受けられたが、その後に上海（中）

やブエノスアイレス（亜）に加え、ワシントンＤＣ（米）にも分校が増えた。

興味深いのはビジネス・スクールで、ロサンゼルスの市内やアーバインの他に、サンノゼ市やエンチーノ市にも、サテライト校を作り、大学がアメーバ型だった。しかも、ダグラス航空機をはじめ、ヒューレットパッカード社などに、大学院の教授が講義を出前し、仕事の終了後に講座が始まり、２年間で修士課程が終わるように、カリキュラムが作られていた。

私は多忙のヤング総長の代理で、21世紀の人材養成に、世界各地の大学総長を訪問し、議論を通じて成果を学び、その実現に試行錯誤し、より良い路線を探し求めた。日本にはいまだビジネス・スクールがなく、経済学部や商学部だけで、慶應が設立準備委員会を作り、ＭＢＡの研究課程を作りかけ、中国の北京大学や清華大では、ビジネス・スクールの創設に、強い関心を持っていた。

だが、中国はいまだ貧しかったので、研究員に招いてほしいとか、教授や学生への奨学金を聞かれ、明治の留学生派遣の熱意や、お雇い外国人の雰囲気を味わった。また、周恩来の母校の南開大では、総長の隣に政治委員が座り、会話を監視していた時代で、数年後に天安門事件があり、中国は夜明け前だった。

その後の25年間にわたり、中国は目覚ましく発展し、急速な近代化を実現して、豊かな国になったが、ビジネス・スクールが両刃の剣とは、誰も予想さえしなかった。今では清華大学などは、ビジネス・スクールが、投資ファンドまで持ち、紫光集団は資金的に、数兆円の資産を誇り、米国の企業を買収し、巨大な頭脳集団になっている。

ミネルヴァ大学の柔軟性

最近それを知って驚いたが、世界でもっとも入学が困難で、合格者が2％以下だが希望者が多く、世界一難しい大学として、ミネルヴァ大学が脚光を浴びている。一攫千金（いっかくせんきん）の実現を夢見て、それに挑んだ大航海時代は、同時に古代ギリシア精神を賛美し、ルネッサンスを誕生させ、中世を近代に繋（つな）いだ時期て、ミネルヴァの梟（フクロウ）は拝金主義に、異議を唱える象徴である。

この学校はキャンパスを持たず、「高等教育の再創造」を掲げ、全寮制の4年制の総合大学として、世界の7つの都市にあり、少人数のオンライン授業を中心に、討論形式の授業が売り物だ。また、1年次は米国のシスコで学び、2年次はソウル（韓）とハイデラバード（印）で、3年次はベルリン（独）とブエノスアイレス（亜）で過ごし、4年次は台北（台）とロンドン（英）に住む。

そして、4年間で世界7都市をめぐり、各国でインターンを体験し、地域文化と言葉をマスターし、学費は普通の半分だから、優秀な学生が集まるので、入学難易度は世界一という。地元の企業や自治体と協力し、水平方向の広がりを活用して、批判的思考、創造的思考をはじめ、表現力理解力を高めることで、世界人を作ろうという理念に、新時代の人材の息吹を感じる。

30年前に試行錯誤した方式が、具体的に実現したと知り、大いに嬉しいと思ったし、新型コロナウイルス騒動で、自宅学習の普及によって、学びの空間が拡大している。通信技術の発達により、やる気にさえなれば、世界中の大学の講義や、講演会に参加できるし、固定化した旧制度を超え、学ぶことへの可能性は、大きく開かれているのだ。

デコンストラクション（脱構築）が、時代の趨勢であるし、古い枠組みを踏み越え、新しい地平に挑むことで、若者には未来が開け、挑戦すれば道は通じ、問題は意欲と努力に関わる。資本主義を生んだ母親は、マックス・ウェーバーが言う、「エートス」であるが、このエートスが老化し、アルツハイマーを患い、拝金主義に毒され母親殺しをやり、それを教えたのがMBAだ。

日本の失われた30年と中国の躍進

30年ほどの歳月が過ぎ、拝金主義が世界に蔓延し、情報革命が本格化して、ITや携帯電話の普及により、グローバリゼーションに伴い、世界の産業構造は激変した。冷戦終了から数えて、新世紀の20年間で、世界は平均で2倍も豊かになり、人々は新時代を謳歌したが、日本だけはデフレで、一億総中流の夢は儚く消えた。

その原因は失政のためで、平成の全期間を通じ、デフレ経済が続いて、国民の富と所得は収奪され、貧富の差が大幅に拡大し、閉塞感に包まれている。それは世襲代議士が、経世済民を踏みにじり、家産官僚が市場経済をもてあそび、公的資源を私物化して、社会生活の基盤を破壊し、国民の連帯感が消えたからだ。

それは小室直樹博士が、『危機の構造』で指摘した、「セルローズ・ファシズム」により、社会がアノミーに陥り、収拾がつかなくなって、魑魅魍魎の横行を招き寄せた。それがゾンビ政治として、時代精神を狂わせ、日本を停滞させたのだが、トップに人を得るだけで、国の運命は変わるし、その実例が隣の中国だった。

日中の格差の拡大は、21世紀の最初の10年で、日本が小泉劇場に狂い、続いて安倍や民主党が、茶番劇を演じた間に、中国には胡錦濤と組んだ、温家宝政権が登場した。胡錦濤体制の実態は、胡耀邦路線の継承で、九人の常任委員のうち、8割が理系の人材だし、国のインフラ作りが、最優先の政策課題だった。

天安門事件が凄惨で、何千人もの学生が殺され、北京政府が真相を隠し、一種のタブーだったから、その背景については、誰もしゃべろうとしないし、当時は多くの事件が続発した。だが、虐殺の責任者は鄧小平で、それまで民主化を推進した、趙紫陽と胡耀邦に対し、学生が敬意を捧げたのに、それを弾圧した形で、上海閥の江沢民が登場した。

狼藉が支配したバブル景気の時代

　この時期の中国の躍進は、第1章で展望を試みた、海亀族の育成であり、若い人材が育つことで、それが最大の資産だし、人を育て木を育てて、産業や国が発展するのである。１９８０年代の日本は、高度成長期を体験し、経済的な力もついて、国力も充実しており、新しい飛躍をする上で、得難いチャンスだったが、それを生かせなかった。

　この重要な時期を迎え、中曽根や竹下という、劣悪な政治業者しか、持ち得なかったことは、日本にとっては悲劇で、疑獄事件の泥流に政治は押し流されて狂乱した。第7章が物語るが、ヤクザ政治とカジノ経済は、日本の国力を放蕩し尽くし、その後遺症が30年続き、現在に至ってしまい、再起不能に陥っているのである。

『平家物語』のとおりで、「盛者必衰の理」だが、絶頂の断崖の時期に、冷戦構造が終わったのは、じつに象徴的であり、日本人は驕慢になって、学ぶものは何もないと嘯いた。東京都の土地だけで、米国が買えるという、奇妙な時価評価方式の考えが、いまだに支配しており、この狂った発想から、解放されない限りは、無間地獄から抜け出せない。

国造りのためには、理想にするものを掲げ、連帯感を高める力とともに、若い世代を鼓舞する人が、明るい未来を目指して、指導者として登場し、活躍することが決め手になる。だが、バブル経済に酔い、金儲けするために、国を挙げて奔走していた、１９８０年代の日本は、人材育成を忘れた点で、亡国に急ぐ狼藉の時代だった。

危機を飛躍へのジャンプ台に使った中国

バブルに熱狂したため、正気を失った日本が、うろたえた隙を狙い、ブッシュとクリントンは、日本叩きに専念し、その反作用の形で、媚中路線を推進した。ブッシュは国務省で、外交官の役割を持ち、北京に駐在していたが、ビル・クリントンの場合は、カネに飢えていたので、簡単に手玉に取られ、米国を売る買弁に成り果てた。

クリントンの先導で、米国の資本は中国に、雪崩を打って押しかけ、大量の資金と技術が移動し、ジャパン・パッシングは、中国への潮流に変じ、津波の勢いで押し寄せた。それを迎えたのが、上海閥の江沢民で、彼はリンカーンを真似て、ゲティスバーグ宣言を唱え、アメリカ人の歓心を買い、クリントンを傀儡にしてしまった。

日本はバブル崩壊で、混乱していた上に、阪神淡路大震災に続き、オウム真理教事件に見る、オカルト現象の中で、新党ブームに見舞われ、目先の利害で騒然としていた。それに加わる形で、アジア金融危機が、混乱に拍車をかけて、世紀末を不吉に彩り、そんな時に小渕（おぶち）が倒れ、五人組のクーデターが起き、日本は狂態期に踏み込んでいた。

「神の国」発言の森はもとより、小泉劇場に見る狂態が、どんなものだったかは、『小泉純一郎と日本の病理』や、『皇室の秘密を食い荒らしたゾンビ政体』が、その内容を証言している。この時に日本の没落は、本格化したのであり、小泉が壊すと言い放ったが、壊れたのは自民党でなく、日本の社会だったのである。

先例主義で想像力に欠け、責任を回避する点では、役人は最悪の政治家だが、前途に希望がないから、官僚が教授に天下りし、日本の社会の質が落ちた。同じことはジャーナリストが、定年後に大学教官になり、教授の質が低下して、政治家のお粗末さに、肩を並べてしまい、日本のポテンシャルは、つるべ落としで落下した。

大学入試や教育行政で、日本の教育の劣化が進み、世界のトップから離され、没落の悲哀を嘆息するのは、日本の社会構造の基本が、第一次産業革命型のせいだ。日本人の若者の中で、留学する者は激減し、しかも、ＭＢＡ課程が圧倒的で、台湾や中国のように、自然科学や工学は、日本の青年は選択せず、金儲け路線が圧倒的である。

自由な精神が抑圧され閉塞感が包む時代

「可愛い子には旅」と言い、旅は未知との出会いだし、経験で得た教訓に学び、人は豊かになるから、若い頃に異国経験を積み、多様性の価値を知ることだ。若い頃の経験の上に、思索と反省を積み重ね、歴史に学ぶことで、人は陶冶し円熟するものだし、その基礎になるものが、教養と良識であるから、リベラル・アーツは大切だ。

古典的な教養として、自由七科と呼ばれ、文法学、修辞学、論理学の三学と、幾何学、天文学、算術、音楽の四科は、実務に役立つだけでなく、仮想世界を知る上で貴重である。しかも、物事を根本から考え、本質を理解する上で、教養を身に付けており、意思疎通することは、リーダーにふさわしい、尊敬されるための条件である。

日本の大学の国際評価が暴落し、中国をはじめ台湾や韓国に比べ、留学を希望する学生が激減しており、国際レベルでの学問水準の面で、日本は大いに懸念されている。それは数値化できる知識をベースに、偏差値偏重の試験で学生を選び、向学心や志を評価しようとせず、個性を尊重しないからだし、国政を指揮しているトップの顔ぶれが、国際基準に達しないためである。

イギリスが没落した原因は、第一次大戦で優れた青年が、数多く戦死してしまい、指導グループがいなくなり、生き残った者は士気を失い、それが国力の低下に結びついた。日本では冷戦後の政界が、無能な首相を選び続け、愚劣な政争に明け暮れて、上に立つ者の愚かさが、鏡のように映し出し、若者の思考力を歪めたために、次の世代が育たなくなった。

太平洋戦争時代も同じで、学問の場が敬意を失い、軍靴で踏みにじられ、息苦しい時代が支配し、無教養が支配したことは、大仏次郎や渡辺一夫が、『敗戦日記』に書き残した。また、高見順に並び山田風太郎も、不戦派として日記を書き、時代精神の荒廃について、無念の思いを記録し、狂った時代を嘆息している。

現在は戦前回帰の最中で、無教養な男が首相になり、学問や芸術に無知なまま、学術会議について、その意義も理解せず、ポリ公の発想に従い、自由な精神を抑圧している。これからしばらくの間は、日本はドン底であり、享楽主義と拝金思想に加え、監視社会が続くので、若者の瞳から輝きが消え、無頼がまかり通る時代になる。

しばらく続く混迷と谷間の時代

武漢ウイルスの発生で、パンデミックが世界を襲い、未曽有の事態を前にして、各国は大いに慌て、とりわけ動転したのが、独裁的な支配者だった。力に頼って弾圧を行い、暴力で制圧したのに、ウイルスが相手だと、調子が狂ってしまったので、無能さ加減が露呈し、その醜態があまりに無様で、安倍は政権を投げ出した。

こうしてゾンビに天誅が下り、ゴミの焼却が始まって、政治の舞台が大炎上し、それを待ち構えた、マムシの菅が名乗りを上げ、自民党総裁を手に入れ、自動的に首相になり上がった。これが日本の天下取りで、多数党の総裁になれば、首相の資質に関係なく、首相の椅子に座れて、党員に号令をかけ、したい放題が自由勝手にやれる。

安倍は炎上して消え、ゾンビ政治は終わったが、情報革命が進む時代性は、炎上という言葉にも、新しい意味が加わり、それを教える本がある。『対論「炎上」日本のメカニズム』によると、「炎上」という言葉の流行は、ソシアルメディアの普及に一致し、2000年頃に始まって、それは「密室の談合」による、ゾンビ政治が開始した時期で、自公体制の発足に重なる。

しかも、「炎上」に共通するのは、非難や批判の延焼化で、燃え上がる巨大な情念複合体が、大衆の怒りや不安により、生理的な嫌悪感を膨張させ、否定的な情念を惹起する。不道徳で愚劣な政治家が、国政を食い物にする現状は、不快感をもりあげており、ついに政界が大炎上して、官邸に陣取る残賊が逃げ惑う、燃え上るスペクタクルである。

２０２０年の衝撃とカタストロフへの門出

２０２０年の初頭の段階で、武漢で始まった騒動が、新型コロナウイルス感染であり、北京政府が武漢の町を封鎖し、それが世界に蔓延して、たちまちパンデミックになった。この事件が契機になり、経済活動がマヒして、世界の景気が冷え込み、倒産・失業の嵐が吹き荒れ、オリンピック中止をはじめ、社会活動が動きを止めた。

日本列島の外側では、もりあがった津波が、猛威を振るう体制を整え、押し寄せようとしており、その第一の犠牲として、ドイツ銀行をはじめとした、国際金融機関の名が囁かれる。「ババ抜き」ゲームである、投機合戦に現を抜かし、経済を食い物にして、荒稼ぎした悪党たちが、年貢の納め時にしろ、その被害は絶大であるから、復興への道は険しいはずだ。

だから、津波や洪水が襲った、被災地の整理に似て、後片付けするだけで、大変な量のエネルギーが、必要になるはずだから、覚悟を決める必要がある。これは８００年の周期で、繰り返すサイクルが、文明のレベルで訪れ、時代の転換を告げる意味では、地球上で繰り返された、歴史のリズムでもある。

太陽系の暦と歴史のリズム

２０００年から２０２０年にかけ、この時期はネクサスに当たり、２０１２年12月21日という日は、マヤの暦の最終日でもある、アセンションの時を挟み、太陽系レベルで重要な瞬間だ。しかも、地軸の回転のプラトン周期は、ほぼ2万６０００年であり、その半分が1万３０００年だが、４分の1や8分の1を超え、幾何学的な分割法で、16分の1が約１８００年になる。

詳細は他書に譲って、結論だけ紹介するなら、大文明は約１６００年の周期で、生成から発展と滅亡に移行し、シュメールとエジプト文明は、紀元前４４５０年頃に始まった。その後は約１６００年で、メソポタミア文明から、ギリシアとローマ文明を経て、欧米文明の盛衰があり、東洋ではシュメールに続き、インダスからモンゴルを経由し、シナ文明が似たパターンを示す。

だが、このモデルは未完成で、文明の研究を通じて、将来は変化するにしろ、地軸の傾斜に基づいた、文明史はより説得力を持つ、学問に発展するだろう。現在の学問のレベルは、あまりにも幼稚であり、セントラル・ドグマと呼ぶ、文明史観は存在しないし、意見がまとまらないので、便宜的な仮説に従うしかない。

そこで『皇室の秘密を食い荒らしたゾンビ政体』では、最後の章で妥協案として、異論の存在を承知しながら、次のような表現の仕方で、現状を位置づけてみた。

「5125年の周期で繰り返す、マヤのカレンダーによると、2012年12月を限りに、第五番目の周期が終わり、アセンションが起きるとして、大いに騒がれたことがあった。また、2万5800年の周期を持つ、プラトン年が2000年とか、2016年12月27日だと言って、大騒ぎした人もいたし、1980年頃はマリリン・ファーガソンが、『アクエリアン革命』を書き、魚座が水瓶座に移ると論じた。確かに、21世紀の始まりの頃は、グローバルからローカルに、ピラミッド構造から水平型にと、社会の構造が変わって、ブロックチェーンが現れ、それにシンギュラリティが結びつく。その意味を受け止めれば、現在目の前で進行している、大きな変化の渦流には、時代の潮目を指し示す、貴重な教えを読み取ることができ、大事な時期だと思い当たる。」

生前退位と接近する暴風雨

「嘘を100遍も繰り返せば本当になる」とは、あの宣伝屋のゲッベルスの言葉だが、権力者が大衆に成り果て、自分の嘘を飲み込んで、それに馴れてしまったのが安倍政権だ。しかも、愚劣なふるまいを自覚せずに、不祥事とともに嘘と暴言を繰り返して、それが不道徳だと思わずに、驕慢に自己賛美に陶酔すれば、「驕れる者、久しからず」であり、狼藉の後で「祭りの宴」は終わる。

社会という言葉が姿を消し、国家という言葉が氾濫するが、社会の概念は国家よりも広いので、同じ意味論に従えば、政体は政治より大きく、社会学や歴史学に属す概念だ。光格天皇の生前譲位は、政体に異議を唱えた決断で、当時は天明の飢饉のために、百姓一揆が頻発しており、専制政治で世は乱れていた。

「モリカケ」事件により、隠蔽と欺瞞が蔓延して、「桜を見る会」の時は、公私混同の乱行が目立ち、闇の世界の広告塔にと、首相が成り果てていた。また、私怨の代議士叩きに、刺客に資金を提供し、法務大臣が逮捕され、首相が起訴を免れようと、高検検事長を検事総長にする、卑劣な閣議決定までした。

２００年前の生前譲位では、仁孝天皇が新天皇になり、彼が行ったのが京都学習院の開設で、青蓮院に人材を集め、次の「ご一新」の布石に、人材を育てる訓練をしている。飢饉や荒れ狂う天変地異に、取り乱す愚劣な政治は、いつの時代も共通であり、無能な政体支配を観察する、覚醒した志士の危惧は、迫り来る国難の大津波だ。

欺瞞が蔓延した情報操作の罠

荒れ狂う嵐と黒雲の彼方に、何があるかも分からず、進路を決めるのは無謀で、とりあえずは港に入り、汐待をするくらいの、古代人の知恵が必要だ。勝手な思い込みにより、錨を巻き上げ帆を張り、黒雲に向け船出をすれば、難破するのは当然だが、そんな航海を続けて、安倍船長の日本丸は、幽霊船に成り果てたのである。

暦が変われば運命も変化し、長く続いた暴政の閉塞感が、嵐の進行により吹き飛ばされ、運が悪ければ海の藻屑だが、沈まずに漂流すれば、幽霊船を菅船長が陣頭で、舵取りをして悪夢が続く。だが、安倍の暴政による残賊支配に、終わりの瞬間が訪れ、大炎上に続く幕引きで、嵐の後に黎明が近づき、暗い「ワルプルギスの夜」は、いつまでも続くわけがない。

菅が配下の公安担当者に、作らせた脚本に従い、安倍が騒々しく演じ、それをはやし立てたのが、メディアであることは、誰の目にも明らかだった。それ苦々しく目撃した、ニューヨーク・タイムズの元東京支局長の、マーティン・ファクラー記者は、振り付けで演じた猿回し劇が、いかに滑稽であるか、次のように指摘している。

「第二次安倍政権は、従来の政権とは違い、メディアへの情報操作をしたり、特定のメディアに強い圧力をかけたりして、メディアがまるで政権の広報のような、報道をすることが起こりはじめた。」

要するに、日本のマスコミは、猿回しの太鼓を叩き、愚民政策の音頭を取り、国民を愚弄(ぐろう)した点で、安倍や菅と共犯であり、ファッショ祭りの共催者だ。また、情けない時代を総括し、こんな狡猾(こうかつ)な企みに、抵抗することもなく、手玉に取られてしまったのは、詐欺師の手口に乗り、攪乱(かくらん)されたことが分かる。

菅は本質的に無意味で、どうでもよい問題に、野党の関心を引き付け、そこに批判や攻撃を集め、守るべき天守閣には、火の粉がおよばないように、攪乱工作をした男である。それがすり替えをはじめ、言い逃れや虚言で、閣僚や官房長官までが、不誠実な答弁をして、恥知らずにもごまかし、国会の議論を空転させ、記者会見は空洞化した。

洗脳工作からの脱却と日本の未来

明治以来の日本では、政治が機能した時代に、共通する傾向として、官僚が使命感に満ちあふれ、彼らが練り上げた政策を、政治家が修正を加え、決定を実行する方式が機能した。強い責任感を持つ官僚が、政治家の意向をくみとり、専門知識に基づいて、手続きを法律化し、それで行政を営んで、国家機能が営まれてきたのだ。

ところが、官庁の幹部６００人の人事が、官邸によって決められ、人事権を握られたために役人は、上目遣いの「ヒラメ」化し、イエスマンに成り果て、命令に従う存在になった。国益を第一に考え、矜持（きょうじ）の心を持って、自信に満ちて働く官僚が、責任感を否定されれば、堕落と腐敗するだけで、国家の経営は滅茶苦茶になる。

日本の統治システムが、機能不全に陥って、醜態を演じてしまった、最大の原因が人事局であり、この弊害の克服には、官邸から霞ヶ関に、人事権を戻すことである。肥大した官邸の権限は、縮小すべきであるし、官邸が人事権を手放して、より公正な方式を選び、役人に責任感を与え、能力発揮に専心させるべきである。

それに取り組まない限り、優れた人材の選択から、公務員の仕事は消え、健全な社会基盤は崩壊し、公共財を利権に狙う、金儲け主義によって、日本は食い荒らされてしまう。

縮小化が進む日本の針路

日本人の出生率は１・４を割り、２０１０年をピークにして、人口は減るばかりだが、その理由は若者の減少で、結婚する件数の激減に、出生率の低下がそれに加わる。また。未婚化や銀婚化が、原因の一つであるが、その背後に住宅難や、経済的な貧困があり、政治の貧困によって、若者が夢を抱けないこともある。

また、価値観が変わったので、家庭を持つことに対して、若い世代は熱意がなく、結婚しないと言うが、それよりは経済的に、貧しくて結婚できないのだ。それでなくても少子化で、日本の人口は減り続け、高齢者の比率は増えるが、若者の絶対数は激減し、相対的に人材の数は、減ることが明らかである。

しかも、より大きな原因として、食品添加物のために、男子の精子数が減少し、放射能や電磁波障害で、女子が不妊症になり、それで出生率が落ち、子供が生まれないのかもしれない。だが、そうした分野の研究は、一種のタブー扱いになっていて、一部の人の間だけで、取り沙汰されているし、テレビや携帯の５Ｇには、そうした問題が関係する。

国民を大切にする点で、中央集権化しすぎて、目配り不足の日本は、最近では貧富の格差が拡大し、弱い者が切り捨てられ、社会が公正さを欠きはじめた。それを痛感したのは、若い頃の留学体験で、その時に観察した、ヨーロッパ各国における、住民に対して行う、政治のあり方であり、それがいまだに役に立っている。

スイスの地方自治と連邦制

私はグルノーブル大学に留学し、ジュネーブは１５０キロの距離だし、国連や国際組織が集まっており、興味深いので歴史散歩をしたら、「目からウロコ」の新発見が続出した。幕末にパリに留学していた、若い頃の西園寺公望（さいおんじきんもち）は、社会主義者のアコラス教授の私塾で学んだが、中江兆民（なかえちょうみん）やクレマンソーが同級だった。

アコラスに頼まれて、西園寺はスイスによく行き、反政府文書の運び屋をしていたが、彼がジュネーブに持つ宿は、大山巌（いわお）が引き継いで下宿し、ウィーンの万博に出かけて、多くの人と知り合っていた。当時のジュネーブは情報センターで、多くのロシアの亡命者が住み、大山のフランス語の家庭教師は、亡命貴族のメーチニコフだ。

彼はガルバルディの参謀役で、イタリア独立の貢献者だが、スイスに住む大山に会うために訪れた、岩倉使節団員の木戸孝允（たかよし）の助言で、東京外語大の教官になっており、それが日露戦争の前史である。アルピニストだった私は、フランスやスイスのアルプスで、岩登りを楽しんだので、スイスの山村を泊まり歩き、政治が住民を慈しみ、自治精神を大切にして、国民に優しいと思った。

果物や野菜は有機だし、卵は有精卵だけ認め、肥料や殺虫剤は禁止で、国民の健康を大切に守り、農民には質の良い、農産物の市場を保障して、皆が幸せに生きる配慮が生きている。独仏の隣国に比べて、国民が同じように豊かで、地味な生活を楽しんでおり、清潔な上に慎ましく、市民意識で輝いていた。

日本が目指す未来の王道楽土

スイスを訪問する度に、自分が住むフランスに比べ、落ち着きとくつろぎを感じ、ほっとした気分になるのは、物心ともに豊かであり、ギスギスしていなかったからだ。ジュネーブに住んだ、大山巌にとっては、開国した明治の日本が、スイスのような国になって、自然と共生する形で、平和国家になるなら、それが王道楽土だったと思う。

火山国の鹿児島で育ち、スイスの自然に親しみ、もし彼が軍人でなく、職人か農民だったなら、この山国に住みつき、西郷隆盛を招待して、牧歌生活を楽しんだに違いない。彼は弥助砲を設計し、腕に技術を持っており、その工作能力を生かすなら、精密工業を起こして、殺人をする軍人でない、別の人生をやったかもしれない。

だが、幸か不幸かになるが、彼は陸軍の軍人であり、兵部省で少将を務め、辞任して留学生として、ジュネーブに滞在し、見聞を広めて帰国後は、陸軍に復職し軍務に励んだ。日露戦争の時には、満州軍総司令官として、児玉参謀総長と協力し、戦争を勝利に導き、陸軍大臣を務めたが、大将として元帥府に、列せられ公爵にもなった。

帝国陸軍は日露戦争で絶頂期を迎えた後で、侵略路線を突き進み、太平洋戦争によって滅亡してしまったが、もし大山が軍務ではなく、政務畑を生きたら歴史が変わった。そして、日本は軍事大国でなく、山国のスイスのように、精密機械や観光業で。平和国家の路線を選び、永世中立を国是にした、王道楽土を築いたかも知れない。

歴史の教訓と行間を読む読書術

留学時代に仕込まれて、習慣化した読書法だが、書いた文章ではなく、何が書いてないかを見つけ、著者の頭の中を読めば、発想法が湧き出して来る。だから、多くを読むことより、紙背に徹して読み抜き、三度も五度も読み、深く理解することにより、隠れていたものまでが、浮かび上がって来る。
しかも、重要な事柄は本文でなく、註に隠されているし、「目次」を眺めるだけで全体が分かり、「あとがき」から始めるのが、読書の王道だと教えられた。そんな読書法に慣れて、書き方もそれに従い、文字面を読み流すより、考えて深読みを試み、何度でも読み返すことで、味わいが違うと分った。

すると、誤植があることで、味わいが激減したし、著者と編集者の共同作用が、分業による本のが誕生に、料理と同じ腕前の冴えが、芸として文化だと納得した。ペーパーレスが言われ、電子化が流行するが、絵画はキャンバスに描き、額縁を選ぶ趣味に、文化の味わいがあるし、本は紙の本で読み、書き込みをするノートである。

過去半世紀に書いた著作は、「転換期」の現象を扱い、初期はエネルギー問題が多く、後半は文化や歴史で、50冊のブック・クラスターが、ジグソーパズルを構成した。私が育った20世紀は、ジグソーパズルの時代で、21世紀はロゴを組み立て、３Ｄで絵や建造物を鑑賞し、高く広く広がる世界に、思いを馳せる時代である。

ジグソーパズルを好んで作る者は、誰でも知っているが、最初のピースを見た時に、意味が分からなくて、戸惑いの気分になるものだ。それは未知の旅に出る、最初の一歩目に似て、どこに行くのか分からず、不安の気持ちに包まれるが、この処女航海への旅は。コロンブスの卵の発見になる。

危機の構造とアノミーの時代

発見は始まりであり、終わりにアノミー（無規範状態）が訪れ、生成、発展、衰退。滅亡が、ライフサイクルとして、生命の歴史が完結し、次の循環に移る瞬間に、シンギュラリティが位置する。新しい循環の開始前に、シンギュラリティを見て、人は大いに騒ぎ立てるが、その前にアノミーがあり、どう乗り切るかが問題で、それを小室博士が論じたのである。

『危機の構造』は1976年に出たが、同じ時に経済誌に発表し、『虚妄からの脱出』に収録した、記事の中の結論として、同じ主張を展開した私は、彼と意見の交換をしたかった。彼がレーガンに招かれ、大統領主催の「国家祈禱会」に、出席する直前の1981年1月末の朝、私は小室さんと対談し、『脱ニッポン型思考のすすめ』が誕生した

対談を希望したのは私で、日本でアノミーが広がり、危機の時代が始まって、混迷が支配すると感じ、『危機の構造』の分析に、強い感銘を受けた私は、彼を対談相手に指名した。対談が縁で親しくなり、記憶力無限の小室直樹に対し、記憶力ゼロの藤原肇の間で、近代国家でない日本と、政体論を話題にしたが、その時からの日本は、アノミーを体現し続けた。

博覧強記の人の多くは、過去の歴史に精通して、祖先の叡智を誇りにし、法や文字にならない事例に、正義や公正があると考え、保守的な立場に立ち、その代表が小室博士である。それに対し共和派で、フランスに留学して、百科全書の思想に浸り、ヴォルテールやルソーに、強い影響を受けた私は、『社会契約論』に親近感を持つ。

だから、保守派と革新派が、感情と理性の中間で、揺れ動いている時に、細かいことにこだわらず、はっきり判断するより、条件に重点を置く私は、どうしてもアバウトになる。そのために厳密な形で、立場や限界を決定して、党派性を表明しないまま、枠組みを自由に移動し、肝心なことはぼかすから、中途半端に見えてしまう。

そのせいで、これまでの論旨には、教科書的な簡明化や、分かりやすい解説のない、逡巡型の記述が目立ち、辟易した人がいても、これは癖だから御海容願いたい。アノミーが覆う時代は、複雑系が卓越するし、カオスの乱流のため、物事は簡単ではなく、詐欺師やゾンビだけが、ワンセンテンス言語で、「ニュースピーク」を使いまくる。

イエズス会の対日戦略に踊らされた安倍政権

ゾンビ政体が炎上し、安倍政権が姿を消したが、その弔い合戦の前座に、葬儀の連鎖反応があり、日本に陣取っていたイエズス会総長の死と、奇妙な形で結びついていた。武漢ウイルス騒動で、政府が無能を露呈し、花見の季節にマスクが不足して、首相が緊急事態を叫び、1カ月の外出の自粛を求め、ロックダウン狂騒曲になった。

大連休が終わるとともに、混乱は度合いを増し、支離滅裂の東京では、安倍政権の後見役で、上智大学を根城にした、スペイン人の宣教師、アドルフォ・ニコラス（第30代イエズス会総長）が死んでいた。日本担当宣伝係長で、英語教師の渡部昇一は、その3年前死んでいるが、ニコラス総長の急死に、自民党の清和会が、愕然としたのは当然だった。

清和会や松下政経塾が、代議士の研修用に派遣する、ジョージタウン大学には、ネオコンの砦CSISがあり、イエズス会の指令が、太平洋地域に発せられ、日本の政治を操縦していた。また、CSISのジャパンハンドラーは、黒幕のニコラス神父が出す指令に従って、安倍政権を操ったバチカン最高の権力者で、在日米軍にも睨（にら）みを効かした。

安倍の監視役として、カトリックの麻生を貼りつけ、財政面で操るとともに、オリンピックと原発で、日本政府の政策が金縛り状態になっていた。しかも、「日本における中国の影響力」と題した、CSISが出した報告書には、二階幹事長や今井補佐官が、媚中派の要人だから、要注意と警告しており、安倍はストレスでボロボロだった。

学問の世界もふみにじる菅義偉

ストレスで潰れた安倍は、病気を口実に使って、再び内閣を投げ出し、狙いを定めていた菅義偉が、自民党の総裁になって、首相の椅子を掠め取った。教養も理念もない男が、一国のトップになり、思想も言葉もないので、たちまち馬脚を現してしまい、公安官僚の杉田に言われ、学術会議に因縁をつけ、無知蒙昧と驕りを露呈した。

１０６人の学術会議会員が、任命される手続きで、６人の選ばれた学者に、菅が任命するのを拒否し、「名簿を見ていない」と答え、否認理由を説明もできない。特高警察系の杉田が、政府批判を理由に、任命を阻止しただけだが、それを菅はいつもの手口で、言い逃れに終始したが、彼は学術会議にも無知である。

「日本学術会議は、わが国の科学者の内外に対する代表機関として、科学の向上発達を図り、行政、産業並びに国民生活に、科学を反映させることを目的とする」のである。軍事研究をしないで、平和のために学問し、国民の生活向上に、貢献しようという学者が、批判精神を持つため、排斥されるような野卑な国は、世界から嘲笑されるだけだ。

こんな手合いが君臨し、無知と劣等感により、学問の世界に泥足で踏み込み、パワハラをするのは、無知蒙昧の極みで、北朝鮮でもコンゴにも、こんな愚か者は見かけない。ここまで堕(お)ち果てた日本は、もはや救いがなく、ゾンビの痕跡を焼き尽くし、徹底的に消毒して、悪魔祓いをすることで、国土を浄める必要がある。

日本列島の夜明けと嵐の曙(あけぼの)

身近に知るアノミーは、敗戦による混乱期に、日本人のすべてが体験し、兵士は戦場から戻りつき、闇屋になって稼ぎ、夫を亡くした妻は娼婦になり、それでやっと生き抜いた。そうした時代に生き、惨めさから這い上がり、愚かさを克服する人に、自らの矮小(わいしょう)さを呪い、作家の坂口安吾は、苦り切った顔で言った。

「人は正しく堕(お)ちる道を、堕ちきることが必要なのだ。堕ちる道を堕ちきることによって、自分自身を発見し、救わなければならない」

それにしても、苦渋に耐える力が、人類にあるかどうかは、誰にも分からないし、ゾンビ政治を20年も、放置した責任について、どう考えたら良いのか。また、放射能と汚染物質で、ホメオスタシスが狂った、地球が生命体を維持する、余裕があるかを知らず、福島原発は放置され、太平洋の汚染は続いている。

安倍は起訴もされないで、菅と共に居直っているし、武漢ウイルスの第二波は、猛威を奮い続けており、国民は放置されたまま、不安におののいて、嘆息してじっと手を見ている。国民の1%は大言壮語しており、99%は悲嘆に暮れて、明日の運命に思いを馳せ、日本丸は荒海を漂い、坂口は『続堕落論』に、とど目の文章を次のように書く。

「生々流転、無限なる人間の永遠の未来に対して、われわれの一生などは、露の命であるにすぎず、そのわれわれが絶対不変の制度だの、永遠の幸福をし、未来に対して約束するなど、チョコザイ千万な、ナンセンスにすぎない。無限また永遠の時間に対して、その人間の進化に対して、恐るべき冒瀆ではないか。我々の為しうることは、ただ、少しずつ良くなれ、ということで、人間の堕落の限界も、実は案外、その程度でしか有り得ない。人は無限に堕ちきれるほど、強靭な精神に恵まれていない。何物かカラクリをつくって、落下を食い止めずに、いられなくなるであろう。そのカラクリをつくり、そのカラクリをくずし、そして人間はすすむ。堕落は制度の母胎であり、そのせつない人間の実相を、われわれはまずもっとも、きびしく見つめることが、必要なだけだ。」

あまり明るくないので、こんな展望で終わるのは、楽しくはないけれど、「宴の跡」に残る狼藉に、心弾むものはないし、掃除と清掃をして、整理することから出直すのである。そこで思い出すのは、35年ほど昔だったか、北京大学で総長に会った後で、拙著を贈呈するために、『中国人、ロシア人、アメリカ人と付き合う法』を、図書館長に手渡した。

それだけできなく、飛行機の中で読むために、成田空港の書店で買い、読み終えた広瀬隆が書いた、『クラウゼヴィッツの暗号』も、学生のために寄贈した。すると、お礼に『楚辞』をもらい、図書館長が笑いながら、『楚辞』は周総理が田中首相に、プレゼントした本だが、『離騒』のほうが読みやすいと言った。

伝統形式版の『離騒』は、古い書体だったから、読むことができたが、その中に屈原の冒頭に、誰もが知っている、尭舜と桀紂に触れた、懐かしい詩があった。あの頃の中国は貧しかったが、人の心に睦みがあり、瞳を希望で輝かせて、明るい未来に期待を抱き、屈原を偲ぶ雅趣を持ち、自由と解放を語る人に、大人の風格を感じ取った。

彼尭舜之耿介兮　　彼の尭舜の耿介なる
既遵道而得路　　すでに道に遵ひて路を得たり

何桀紂之猖披兮　何ぞ桀紂の猖披(しょうひ)なる
夫唯捷徑以窘歩　夫(そ)れ唯(ただ)捷径(しょうけい)を以て窘歩(きんぽ)せり

（あの尭舜が公明正大であったのは、道に従って政を行ったからだ。桀紂が放縦に流されたのは、わき道を急いだからだ）

田中角栄首相には、はたして最後まで読む、時間があったかどうか、私には分からないのだが、最後の「漁父(ぎょほ)」の章に、有名な問答歌がある。

屈原曰　屈原曰(いわ)く
舉世皆濁　世を挙げて皆濁り
我獨清　我独り清(す)めり
衆人皆醉　衆人皆酔ひ
我獨醒　我独り醒(さ)めたり
是以見放　是(これ)を以(もっ)て放たると

（屈原曰く、世を擧げて皆濁り、自分ひとりだけが清んでいる。衆人は皆酔い、自分ひとりだけが醒めている。だから放逐されたのだと）

こんな異常は長続きせず、湯武放伐は必ずあり、青年たちが使命感に燃え、祖国の再生に取り組み、日本を孤立させずに、明るい未来を築く日が来る。若者が普遍性と抽象性に慣れ、人類の希望の実現のため、公務員や企業家として、育つ時代が訪れて来る。

遠回りをしたために、世紀末が20年遅れ、パンデミックまでが、加わったせいも有ったので、経験を積み重ねたから、危機への免疫力もついた。夜明け前がもっとも暗いし、最初の暁光が射すまで、長く苦しい時間でも、その彼方には新しい地平が、そこに見えているし、シンギュラリティは、挑戦を待ち受けているのである。

あとがき

武漢ウイルス騒動後は、あまりにも多くのことが、続発したせいもあり、状況が目まぐるしく変化し、予想外の状況の中で、すべてが混沌としている。リーマンショックに比べて、何十倍も大きな破綻が、いつ起きても不思議でなく、１９２９年の大恐慌より深刻な、経済破綻の襲来さえも、予定表に組み込まれ始めた。

国内問題については、すでに論じ尽くしており、明確な答えはないが、大枠は歴史の展望を通じて、多くの相似象が提示され、選択はより取り見取りだ。より重大な課題としては、世界レベルの出来事で、米国の大統領選挙が、その趨勢を決定するはずで、いろんな予想ができても、混沌は増すばかりである。

とりあえず問題なのは、米国と中国の将来で、この手前勝手の超大国が、どんな形で解体して、より小さな連合体に、再編成されて行くかが、次のアジェンダとして登場する。中国は第一段階では、揚子江を境にして、北の乾いた儒教圏と、南の湿った道教圏に、分かれて独立するのが、自然ということになる。

さらにそれが細分化して、どんな合邦体になるかは、「合従連衡（がっしょうれんこう）」の伝統を持つ、シナ人自身の問題で、自分たちで決めれば良く、自治の選択に属している。また、チベットをはじめとして、ウイグルや内モンゴルは、それぞれが連邦の形や、別の連合体を選択し、より良い体制を作り、気長な国造りの問題になる。

米国は大きすぎて、世界のバランスを崩し、無理に統一しないで、連邦制度の解体によって、とりあえず二つか三つに、分かれた上で再編成し、合邦や連邦に組み直したら良い。より小さな単位として、地理的な単位の図は、50年ほど前に出版した、『悪魔の戦略』の中に、図面入りで掲載したが、オリジナルはアメリカ製である。

しかも、中国や米国の未来が、どうなるかについては、米国の大統領選挙で、トランプが再選され、第二期をやるか否かにより、中国の運命が大変化する。結果は混乱に陥って、しばらくは大統領が不在か、内乱が始まることで、中国が喜ぶことになり、全体主義の君臨を前に、世界は苦しむかもしれない。

今の時点の発想に基づき、われわれが論じないで、未来の世代に託して、彼らの選択に任せるのが、最良だと私は思うから、これ以上は深入りしない。日本の政治の問題点は、現在の時点で権力を持つ、教養がなく愚かな癖に、人気で政治家になった連中が、未来の世代の運命まで、勝手に決めることになりそうだ。

＊　＊　＊　＊　＊

米国の大統領選挙は、３日後の出来事だが、その結果を待たずに、本書の執筆を打ち切って、成り行き任せにし、先走りしないで、「あとがき」に取り掛かった。その最大の理由は、今がアノミーに支配され、何が起きても当然だし、過去1週間に出現した、バイデンがらみの醜聞が、米国と中国に致命的で、選挙どころではないからだ。

おそらく大統領は決まらず、訴訟合戦が続くことで、前代未聞の混乱になり、トランプとバイデンが、ともにか単独の形で、当選することはありえず、不明朗な争いが続くだろう。それで利益を得るのは、習近平に違いないが、それは束の間の僥倖にすぎず、天災異変に見舞われ、歴史の教訓に従って、「易姓革命（えきせいかくめい）」が勃発するだろう。

歴史はいつも敗者に背を向け、勝者を正しいとするが、勝者の不生を見抜き、敗者の消された記録を読み、真実を発掘するのも、歴史考古学の楽しみである。

現代を知るには過去が大切で、20世紀が始まる前後は、日本では幕末と文明開化の頃だから、本書ではその頃の歴史が、主要背景（BGM（バック・グラウンド・ミュージック））になっている。だが、ヨーロッパの歴史では、クリミア戦争や普仏戦争に続く、パリ・コミューンから世紀末のウィーンが、第一次大戦の序幕に相当する。

〔図1〕

「これからは国家という枠組みより、もっと小さな単位である都市や地方、あるいは部族社会とか――いずれにしても社会の基礎的な単位――が国家以上の力を持ち、生活に直接に結びついた実感できる存在として、人びとに働きかけるようになってくる。……その実体は地理学的な世界としてではなくて、利益を共通にする集団や地域、その共通分野として、たとえば利益共同体や価値観共有連合といったものがグローバルなかたちで広がっていくということになるだろう。
こういった再分割の問題は、アメリカでもすでに一部の先見性を持った識者の間で論じられはじめている。〔図1〕は、北米大陸を財政、資源、地理、音楽、歴史といった要素で再編成し直して、新しく九つの独立体にしたモデルとして、ワシントン・ポストのジョエル・ガルロー編集委員が提示したものである。新しい単位（独立体モデル）の名称が興味深い。」

図・文章とも『悪魔の戦略』（1980年、サンケイ出版）より

＊　＊　＊　＊　＊

現在の科学は専門化して、隣接領域を切り離したので、細分化されあまりに狭くなり、「木を見て森を見ない」ために、全体像を展望しなくなり、有効な知見から遠ざかった。スピードへの志向が、この弊害を生んだのである。

狭小な分野の中に陣取って、専門家の利点を活用し、深い知識を誇った人たちは、横に広がる鳥瞰的な思考に、現実無視と非難を浴びせ、優位を保つ努力をしてきた。経済学は偏見に毒され、アメリカ的な物量偏重と、拝金主義を評価しすぎたために、欲望の解放を善と思い、思考力のない大衆を騙(だま)し、それをダメだと論じたのが、「離見の見」による電子版だ。『皇室の秘密を食い荒らしたゾンビ政体』に、14歳の時のことを書いたが、第二反抗期だった私は、母親の記憶力に勝てず、モノを暗記するのを止めた。

1年近くの訓練により、脳の記憶力が激減して、その代わり細胞が記憶し、潜在意識から取り出せば、記憶が湧き出したので、それを武器に生き延び、ありがたいことに傘寿の峠も越えた。

皇室の秘密を論じた舎人や、政治を語った小室直樹も、驚くべき記憶力を誇っており、私の場合は記憶力ゼロで、細かいことは苦手だから、大局観の面で相手にしてもらった。むしろ、相手の絶大な記憶力が、私の潜在意識を刺激し、無意識をかき混ぜてきて、潜んだ記憶を活性化させ、対話をなり立たせたし、私も新知識を簡単に補えた。

本書で活用した用語の多くは、詳細ではなくアバウトで、いい加減な印象を与えるにしろ、説明は煩雑であるから、読者諸賢の教養に期待して、教科書的な説明は省略した。また、「目次」で小見出しを一瞥し、政治や経済についての用語が、目障りなほど並ぶので、それが論題だと誤解を誘い、個々の節や句の文面に関心が集中して、面食らう人もいるだろう。

だが、政治や経済は個別科学で、枝葉のようなものだと言え、より上位の学問に属している、社会科学や歴史学の一分野だし、メタ科学の歴史が木や草なら、私の専門の自然学は林や森だ。「智慧の館」の意味論では、林は人工的な植生叢を指すし、森は自然の植生叢であり、古代人は識別したのに、現代人は区別する能力を失い、ともに自然だと思い込み、花や葉を好んで論じている。

＊　＊　＊　＊　＊

若い頃に文学少年だったので、文学の世界に心を引かれて、英語はやらずにフランス語を学んだ私は、自然科学を専攻しており、学士入学でＴ・Ｅ・ローレンスはかじったが、小説の修行は未熟である。だから、いまだに文章を書くのは苦手であり、読みやすい記事が書けず、読者に申し訳ない次第で、錯綜した文章を書き連ねたが、ようやく最後にたどりついた。

その名残の影響があるために、本書の記述に明治初期の話が、たくさん登場しているのであり、違和感を抱いた人があれば、こんな理由があったことを告白して、お詫びの言葉を述べて置きたい。

ツヴァイクの愛読者の私は、彼が「昨日の世界」と呼んだ時代を惜愛し、それを良き時代だと思うので、その頃と安倍が君臨する今とを比較しつつ、現在が残賊の世だと考えて、その思いを綴ってできあがったのが本書である。

「日本は日本人が潰すのである。……決して外国人が攻めてきて潰すのではないと。今や上下官民、私利私功にふけり、非利を摑んで利益と心得、非功を為して名誉と思い、やがては手を翻すの間もなく、惨敗醜辱のとりことなり、縲絏に次ぐ桎梏を以ってし、ついには一身の置き所もないような者が、頻々として現出して来るのは、もとより利の利たるを知らず、功の功たるを解せざる、痴漢の行為に相違ないのである。」

杉山茂丸が『俗戦国策』に書いた、上記の内容を持つ言葉が、１９３４年に出た本にあると報告して、私にしては短いが、「あとがき」を終わりにしたい。

転換点2020年ハロウィンの翌朝

藤原肇

藤原肇　ふじわら はじめ

1938年、東京生まれ。

仏グルノーブル大学理学部にて博士課程修了。専攻は構造地質学、理学博士。多国籍石油企業の開発を担当したが、石油ジオロジストを経て、米国カンザス州とテキサス州で、石油開発会社を経営した。コンサルタント、フリーランス・ジャーナリストとしても活躍。ペパーダイン大学（米国加州）の総長顧問として、21世紀の人材育成問題を担当した。

処女作の『石油危機と日本の運命』（サイマル出版会）で、石油危機の襲来を予言したのを手初めに、『平成幕末のダイアグノシス』『朝日と読売の火ダルマ時代』『夜明け前の朝日』などで、ジャーナリズム論を展開した。

『情報戦争』『インテリジェンス戦争の時代』などの情報理論もある。また、『賢く生きる』『さらば、暴政』（清流出版）、『生命知の殿堂』『皇室の秘密を食い荒らしたゾンビ政体』（ヒカルランド）、『小泉純一郎と日本の病理』（光文社）、『Japan's Zombie Politics』『Mountains of Dreams』（Creation Culture）など著書多数。

電子書籍としては、本書の姉妹編の『ゾンビ政治の解体新書』の他に、『日本沈没と日本崩壊』があり、世界の読者のための英訳版もある。ただ、日本語版はサイコパスをはじめ、精神病理学的な診断などが、最終段階で2割ほど削除されているので、英語版では復元されており、より忠実な歴史の証言だし、安倍内閣と自公体制の問題点は、『さらば、暴政』に総括してある。

坂田英夫画伯のスケッチ

日本に巣食う疫病神たちの正体
報道できない危ない情報コレクション

第一刷　2021年3月31日

著者　藤原　肇

発行人　石井健資

発行所　株式会社ヒカルランド

〒162-0821 東京都新宿区津久戸町3-11 TH1ビル6F
電話 03-6265-0852　ファックス 03-6265-0853
http://www.hikaruland.co.jp　info@hikaruland.co.jp

振替　00180-8-496587

本文・カバー・製本　中央精版印刷株式会社

DTP　株式会社キャップス

編集担当　小暮周吾

ISBN978-4-86471-990-2